TODOS OS NOMES

Obras do autor publicadas pela Companhia das Letras

Alabardas, alabardas, espingardas, espingardas
O ano da morte de Ricardo Reis
O ano de 1993
A bagagem do viajante
O caderno
Cadernos de Lanzarote
Cadernos de Lanzarote II
Caim
A caverna
Claraboia
O conto da ilha desconhecida
Don Giovanni ou O dissoluto absolvido
Ensaio sobre a cegueira
Ensaio sobre a lucidez
O Evangelho segundo Jesus Cristo
História do cerco de Lisboa
O homem duplicado
In Nomine Dei
As intermitências da morte
A jangada de pedra
Levantado do chão
A maior flor do mundo
Manual de pintura e caligrafia
Memorial do convento
Objecto quase
As palavras de Saramago (org. Fernando Gómez Aguilera)
As pequenas memórias
Que farei com este livro?
O silêncio da água
Todos os nomes
Viagem a Portugal
A viagem do elefante

JOSÉ SARAMAGO

TODOS OS NOMES

2ª edição

2ª reimpressão

Copyright ©1997 by José Saramago
e Editorial Caminho S.A., Lisboa

Capa:
Adaptada de *Silvadesigners*, autorizada
por *Porto Editora S.A.* e *Fundação José Saramago*

Caligrafia da capa:
Fernanda Montenegro

Revisão:
Adriana Bairrada

A editora manteve a grafia vigente em Portugal, observando as regras do Acordo Ortográfico da Língua Portuguesa de 1990.

Os personagens e situações desta obra são reais apenas no universo da ficção; não se referem a pessoas e fatos concretos, e sobre eles não emitem opinião

Dados Internacionais de Catalogação na Publicação (CIP)
(Câmara Brasileira do Livro, SP, Brasil)

Saramago, José, 1922-2010
    Todos os nomes / José Saramago. — 2ª edição — São Paulo: Companhia das Letras, 2017.

    ISBN 978-85-359-3043-6

    1. Romance português I. Título.

97-4381   CDD-869.37

Índices para catálogo sistemático:
1. Romances: Século 20: Literatura portuguesa   869.37
2. Século 20: Romances: Literatura portuguesa   869.37

2022

Todos os direitos desta edição reservados à
EDITORA SCHWARCZ S.A.
Rua Bandeira Paulista, 702, cj. 32
04532-002 — São Paulo — SP
Telefone: (11) 3707-3500
www.companhiadasletras.com.br
www.blogdacompanhia.com.br
facebook.com/companhiadasletras
instagram.com/companhiadasletras
twitter.com/cialetras

TODOS OS NOMES

A Pilar

*Conheces o nome que te deram,
não conheces o nome que tens*

Livro das Evidências

Por cima da moldura da porta há uma chapa metálica comprida e estreita, revestida de esmalte. Sobre um fundo branco, as letras negras dizem Conservatória Geral do Registo Civil. O esmalte está rachado e esboicelado em alguns pontos. A porta é antiga, a última camada de pintura castanha está a descascar-se, os veios da madeira, à vista, lembram uma pele estriada. Há cinco janelas na fachada. Mal se cruza o limiar, sente-se o cheiro do papel velho. É certo que não passa um dia sem que entrem papéis novos na Conservatória, dos indivíduos de sexo masculino e de sexo feminino que lá fora vão nascendo, mas o cheiro nunca chega a mudar, em primeiro lugar porque o destino de todo o papel novo, logo à saída da fábrica, é começar a envelhecer, em segundo lugar porque, mais habitualmente no papel velho, mas muitas vezes no papel novo, não passa um dia sem que se escrevam causas de falecimentos e respectivos locais e datas, cada um contribuindo com os seus cheiros próprios, nem sempre ofensivos das mucosas olfactivas, como o demonstram certos eflúvios aromáticos que de vez em quando, subtilmente, perpassam na atmosfera da Conservatória Geral e que os narizes mais finos identificam como um perfume composto de metade rosa e metade crisântemo.

Logo depois da porta aparece um alto guarda-vento envidraçado de dois batentes por onde se acede à enorme sala rectangular onde os funcionários trabalham, separados do público por um balcão comprido que une as duas paredes laterais, com excepção, em uma das extremidades, da aba móvel que permite a passagem para o interior. A disposição dos lugares na sala acata naturalmente as precedências hierárquicas, mas sendo, como se esperaria, harmoniosa deste ponto de vista, também o é do ponto de vista geométrico, o que serve para provar que não existe nenhuma insanável contradição entre estética e autoridade. A primeira linha de mesas, paralela ao balcão, é ocupada pelos oito auxiliares de escrita a quem compete atender o público. Atrás dela, igualmente centrada em relação ao eixo mediano que, partindo da porta, se perde lá ao fundo, nos confins escuros do edifício, há uma linha de quatro mesas. Estas pertencem aos oficiais. A seguir a eles veem-se os subchefes, e estes são dois. Finalmente, isolado, sozinho, como tinha de ser, o conservador, a quem chamam chefe no trato quotidiano.

A distribuição das tarefas pelo conjunto dos funcionários satisfaz uma regra simples, a de que os elementos de cada categoria têm o dever de executar todo o trabalho que lhes seja possível, de modo a que só uma mínima parte dele tenha de passar à categoria seguinte. Isto significa que os auxiliares de escrita são obrigados a trabalhar sem parar de manhã à noite, enquanto os oficiais o fazem de vez em quando, os subchefes só muito de longe em longe, o conservador quase nunca. A contínua agitação dos oito da frente, que tão depressa se sentam como se levantam, sempre às corridas da mesa para o balcão, do balcão para os ficheiros, dos ficheiros para o arquivo, repetindo sem descanso estas e outras sequências e combinações perante a indiferença dos superiores, tanto imediatos como afastados, é um factor indispensável para a compreensão de como foram possíveis e lamentavelmente fáceis de cometer os abusos, as irregularidades e as falsificações que constituem a matéria central deste relato.

Para não perder o fio à meada em assunto de tal transcendência, é conveniente começar por saber onde se encontram instalados e como funcionam os arquivos e os ficheiros. Estão divididos, estrutural e basicamente, ou, se quisermos usar palavras simples, obedecendo à lei da natureza, em duas grandes áreas, a dos arquivos e ficheiros de mortos e a dos ficheiros e arquivos de vivos. Os papéis daqueles que já não vivem encontram-se mais ou menos arrumados na parte traseira do edifício, cuja parede do fundo, de tempos a tempos, em consequência do aumento imparável do número de defuntos, tem de ser deitada abaixo e novamente levantada uns metros adiante. Como será fácil concluir, as dificuldades de acomodação dos vivos, ainda que preocupantes, tendo em conta que está sempre a nascer gente, são muito menos prementes, e têm sido resolvidas, até agora, de modo razoavelmente satisfatório, quer pelo recurso à compressão mecânica horizontal dos processos individuais colocados nas prateleiras, caso dos arquivos, quer pelo emprego de cartolinas finas e ultrafinas, caso dos ficheiros. Apesar do incómodo problema da parede fundeira a que já se fez referência, é merecedor de todos os louvores o espírito de previsão dos arquitectos históricos que projectaram a Conservatória Geral do Registo Civil, propondo e defendendo, contra as opiniões conservadoras de certos espíritos tacanhos voltados para o passado, a instalação das cinco gigantescas armações de estantes que se erguem até ao tecto por trás dos funcionários, mais recuado o topo da estante do centro, que quase toca no cadeirão do conservador, mais chegados ao balcão os topos das estantes laterais extremas, ficando as outras duas, por assim dizer, a meio caminho. Consideradas ciclópicas e sobre-humanas por todos os observadores, estas construções estendem-se pelo interior do edifício mais do que os olhos logram alcançar, também porque a partir de certa altura começa a reinar a escuridão, apenas se acendendo as lâmpadas quando é preciso consultar algum processo. Estas armações de estantes são as que suportam o peso dos vivos. Os mortos, isto é, os papéis deles, estão metidos lá para dentro, menos bem acondicionados do que deveria permitir o respeito, por isso dão o trabalho que dão a encontrar quando um parente, um notário ou um agente de justiça vêm à Conservatória Geral requerer certificados ou cópias de documentos doutras épocas. A desorganização dessa parte do arquivo é motivada e agravada pelo facto de serem precisamente os falecidos mais antigos os que mais próximos estão da área denominada activa, logo a seguir aos vivos, constituindo, segundo a inteligente definição do chefe da Conservatória Geral, um peso duas vezes morto, dado que é raríssimo preocupar-se alguém com eles, só de longe em longe se apresenta aqui algum excêntrico pesquisador de miudezas históricas de escassa relevância. Salvo que venha a ser decidido algum dia separar os mortos dos vivos, construindo noutro local uma nova Conservatória para recolha exclusiva dos defuntos, não há remédio para a situação, como se viu quando um dos subchefes, em hora infeliz, teve a lembrança de propor que a arrumação do arquivo dos mortos passasse a ser feita ao contrário, mais para lá os remotos, mais para cá os de fresca data, em ordem a facilitar, burocráticas palavras suas, o acesso aos defuntos contemporâneos, que, como se sabe, são os autores de testamentos, os provedores de heranças, e portanto fáceis objectos de disputas e contestações enquanto o corpo ainda está quente. Sarcástico, o conservador aprovou a ideia, sob condição de ser o próprio proponente o encarregado de empurrar para o fundo, dia após dia, a massa gigantesca dos processos individuais dos mortos pretéritos, a fim de poderem ir entrando no espaço assim recuperado os de recente defunção. Querendo fazer esquecer a desastrada e inexequível ocorrência, e também para distrair da humilhação o espírito, o subchefe não encontrou melhor recurso que pedir aos auxiliares de escrita que lhe passassem algum trabalho, ferindo assim, tanto para cima como para baixo, a histórica paz da hierarquia. Cresceu com este episódio o desleixo, prosperou o abandono, multiplicou-se a incerteza, a ponto de um dia se ter perdido nas labirínticas catacumbas do arquivo dos mortos um investigador que, meses depois da absurda proposta, se apresentou na Conservatória Geral para efectuar umas pesquisas heráldicas que lhe haviam sido encomendadas. Foi descoberto, quase por milagre, ao cabo de uma semana, faminto, sedento, exausto, delirante, só sobrevivo graças ao desesperado recurso de ingerir enormes quantidades de papéis velhos que, não precisando de ser mastigados porque se desfaziam na boca, não duravam no estômago nem alimentavam. O chefe da Conservatória Geral, que já mandara vir à sua secretária o verbete e o processo do imprudente historiador para o dar por morto, decidiu fazer vista grossa aos estragos, oficialmente atribuídos aos ratos, baixando depois uma ordem de serviço que determinava, sob pena de multa e suspensão de salário, a obrigatoriedade do uso do fio de Ariadne para quem tivesse de ir ao arquivo dos mortos.

Em todo o caso não seria justo esquecer as dificuldades dos vivos. É mais do que certo e sabido que a morte, quer por incompetência de origem quer por má-fé adquirida na experiência, não escolhe as suas vítimas consoante a duração das vidas que viveram, procedimento este, aliás, entre parêntesis se diga, que, a dar crédito à palavra das inúmeras autoridades filosóficas e religiosas que sobre o tema se pronunciaram, acabou por produzir no ser humano, reflexamente, por diferentes e às vezes contraditórios caminhos, o efeito paradoxal duma sublimação intelectual do temor natural de morrer. Mas, indo ao que nos interessa, aquilo de que a morte nunca poderá ser acusada é de ter deixado ficar indefinidamente no mundo algum esquecido velho, apenas para se ir tornando cada vez mais velho, sem merecimento ou outro motivo visível. Já se sabe que por muito que os velhos durem, a hora deles acabará sempre por chegar. Não passa um dia sem que os auxiliares de escrita tenham de retirar processos das prateleiras dos vivos para os levar ao depósito do fundo, não passa um dia em que não tenham de empurrar na direcção do topo das estantes os que permanecem, ainda que às vezes, por capricho irónico do enigmático destino, só até ao dia seguinte. De acordo com a chamada ordem natural das coisas, ter chegado ao topo da estante significa que a sorte já se cansou, que já não haverá muito mais caminho para andar. O fim da prateleira é, em todos os sentidos, o princípio da queda. Acontece, no entanto, haver processos que, não se sabe por que razão, se aguentam na borda extrema do vazio, insensíveis à última vertigem, durante anos e anos além do que está convencionado ser a duração aconselhável duma existência humana. Ao princípio esses processos excitam, nos funcionários, a curiosidade profissional, mas não tarda muito que comecem a despertar neles impaciências, como se a descarada teimosia dos macróbios estivesse a reduzir-lhes, a comer-lhes, a devorar-lhes, as suas próprias perspectivas de vida. Não se enganavam de todo os supersticiosos, se tivermos em consideração os numerosos casos de funcionários de todas as categorias cujos processos tiveram de ser prematuramente retirados do arquivo dos vivos, enquanto os papéis exteriores dos obstinados sobreviventes iam amarelecendo cada vez mais, até se tornarem em manchas escuras e inestéticas nos topos das prateleiras, ofendendo a vista do público. É então que o chefe da Conservatória Geral diz a um dos auxiliares de escrita, Sr. José, substitua-me aquelas capas.

Além do seu nome próprio de José, o Sr. José também tem apelidos, dos mais correntes, sem extravagâncias onomásticas, um do lado do pai, outro do lado da mãe, segundo o normal, legitimamente transmitidos, como poderíamos comprovar no registo de nascimento existente na Conservatória se a substância do caso justificasse o interesse e se o resultado da averiguação pagasse o trabalho de confirmar o que já se sabe. No entanto, por algum desconhecido motivo, se é que não decorre simplesmente da insignificância da personagem, quando ao Sr. José se lhe pergunta como se chama, ou quando as circunstâncias lhe exigem que se apresente, Sou Fulano de Tal, nunca lhe serviu de nada pronunciar o nome completo, uma vez que os interlocutores só retêm na memória a primeira palavra dele, José, a que depois virão a acrescentar, ou não, dependendo do grau de confiança ou de cerimónia, a cortesia ou a familiaridade do tratamento. Que, diga-se já, não vale o de senhor tanto quanto em princípio pareceria prometer, pelo menos aqui na Conservatória Geral, onde o facto de todos se tratarem dessa maneira, desde o conservador ao mais recente dos auxiliares de escrita, não tem sempre o mesmo significado na prática das relações hierárquicas, podendo mesmo observar-se, nos modos de articular a breve palavra e segundo os diferentes escalões de autoridade ou os humores do momento, modulações tão distintas como sejam as da condescendência, da irritação, da ironia, do desdém, da humildade, da lisonja, o que mostra bem a que ponto podem chegar as potencialidades expressivas de duas curtíssimas emissões de voz que, à simples vista, assim reunidas, pareciam estar a dizer uma coisa só. Com as duas sílabas de José, e as duas de senhor, quando estas precedem o nome, sucede mais ou menos o mesmo. Nelas será sempre possível distinguir, ao dirigir-se alguém, na Conservatória e fora dela, ao nomeado, um tom de desdém, ou de ironia, ou de irritação, ou de condescendência. Os restantes tons, os da humildade e da lisonja, embaladores e melodiosos, esses nunca soaram aos ouvidos do auxiliar de escrita Sr. José, esses não têm entrada na escala cromática dos sentimentos que lhe são manifestados habitualmente. Há que esclarecer, no entanto, que alguns destes sentimentos são muitíssimo mais complexos do que os antes enumerados, de certo modo primários e óbvios, feitos de uma peça só. Quando, por exemplo, o conservador deu a ordem, Sr. José, mude-me aquelas capas, um ouvido atento e afinado teria reconhecido na sua voz algo que se poderia classificar, ressalvada a patente contradição dos termos, como indiferença autoritária, isto é, um poder tão seguro de si mesmo que não só tinha mostrado ignorar a pessoa a quem se dirigia, não a olhando sequer, como desde logo deixava claro que não se rebaixaria depois a verificar se a ordem havia sido cumprida. Para alcançar as prateleiras superiores, lá no alto, quase rentes ao tecto, o Sr. José tinha de utilizar uma altíssima escada de mão, e, porque sofria, por desgraça sua, desse perturbador desequilíbrio nervoso a que vulgarmente chamamos atracção do abismo, não lhe restava outro remédio, para não dar com os ossos no lajedo, que atar-se aos degraus com um forte cinturão. Lá em baixo, a nenhum dos seus colegas de categoria, dos superiores nem vale a pena falar, passava pela cabeça a ideia de levantar os olhos para ver se o trabalho lhe estava a correr bem. Dar por entendido que sim era uma outra maneira de justificar a indiferença.

Ao princípio, um princípio que vinha de muitos séculos atrás, os funcionários residiam na Conservatória Geral. Não propriamente dentro dela, em promiscuidade corporativa, mas numas vivendas simples e rústicas construídas no exterior, ao longo das paredes laterais, como pequenas capelas desamparadas que tivessem ido agarrar-se ao corpo robusto da catedral. As casas dispunham de duas portas, a porta normal, que dava para a rua, e uma porta complementar, discreta, quase invisível, que comunicava com a grande nave dos arquivos, o que naqueles tempos e durante muitos anos foi tido como sumamente beneficioso para o bom funcionamento dos serviços, porquanto os funcionários não eram obrigados a perder tempo em deslocações através da cidade nem podiam desculpar-se com o trânsito quando chegavam atrasados à assinatura do ponto. Além destas vantagens logísticas, era facílimo mandar a inspecção verificar se eles estavam a faltar à verdade quando se lembravam de dar parte de doente. Infelizmente, uma mudança nos critérios municipais acerca do ordenamento urbanístico do bairro onde estava situada a Conservatória Geral forçou a deitar abaixo as interessantes casinhas, com excepção de uma, que as autoridades competentes decidiram conservar como documento arquitectónico de uma época e como recordação de um sistema de relações de trabalho que, por muito que pese às levianas críticas da modernidade, também tinha as suas coisas boas. É nesta casa que vive o Sr. José. Não foi de propósito, não o escolheram a ele para ser o depositário residual de um tempo passado, se calhou assim foi só por causa da localização da vivenda, encontrava-se ela num recanto que não prejudicaria o novo alinhamento, logo não se tratou de castigo ou de prémio, que não os merecia o Sr. José, nem a um nem a outro, permitiu-se que continuasse a viver na casa, nada mais. Em todo o caso, como sinal de que os tempos tinham mudado e para evitar uma situação que facilmente seria interpretada como de privilégio, a porta de comunicação com a Conservatória foi condenada, isto é, ordenaram ao Sr. José que a fechasse à chave e avisaram-no de que por ali não poderia passar mais. Esta é a razão por que o Sr. José tem de entrar e sair todos os dias pela porta grande da Conservatória Geral, como outra pessoa qualquer, ainda que sobre a cidade esteja a cair a mais furiosa das tempestades. Há que dizer, no entanto, que o seu espírito metódico se sente desafogado obedecendo a um princípio de igualdade, mesmo indo, neste caso, em desfavor seu, ainda que, a falar verdade, preferisse não ter de ser sempre ele a subir a escada de mão para mudar as capas dos processos velhos, sobretudo sofrendo de pânico das alturas, como já foi dito. O Sr. José tem o louvável pudor daqueles que não andam por aí a queixar-se dos seus transtornos nervosos e psicológicos, autênticos ou imaginados, e o mais provável é nunca ter falado do padecimento aos colegas, caso contrário estes não fariam outra coisa que mirá-lo receosos, quando ele estivesse lá no alto, com medo de que, apesar da segurança do cinto, se despencasse dos degraus e lhes viesse cair em cima da cabeça. Quando o Sr. José regressa enfim ao chão, ainda meio atordoado, disfarçando o melhor que pode os últimos mareios da vertigem, aos outros funcionários, tanto os iguais como os superiores, não lhes aflora sequer ao pensamento o perigo em que haviam estado.

Chegou agora o momento de explicar que, não obstante ter de fazer aquele rodeio todo para entrar na Conservatória

Geral e regressar a casa, ao Sr. José só lhe trouxe satisfação e alívio a condenação da porta. Não era pessoa para receber visitas de colegas no intervalo do almoço, e, se algumas vezes tinha caído à cama, era ele quem de moto próprio se ia mostrar à sala e apresentar-se ao subchefe do seu lado para não haver dúvidas sobre a sua honradez de funcionário e para que não tivessem de mandar-lhe a fiscalização sanitária à cabeceira. Com a proibição de serventia da porta, tinham ficado ainda mais reduzidas as probabilidades de uma intromissão inesperada no seu recato doméstico, por exemplo, quando tivesse deixado exposto em cima da mesa, por casualidade, aquilo que tanto trabalho lhe vinha dando desde há largos anos, a saber, a sua importante colecção de notícias acerca de pessoas do país que, tanto por boas como por más razões, se haviam tornado famosas. Os estrangeiros, fosse qual fosse a dimensão da sua celebridade, não o interessavam, os papéis deles encontravam-se arquivados em conservatórias distantes, se também esse nome lhes dariam por lá, e tinham sido escritos em línguas que ele não saberia decifrar, aprovados por leis que ele não conhecia, nem mesmo usando a mais alta das escadas de mão poderia chegar-lhes. Pessoas assim, como este Sr. José, em toda a parte as encontramos, ocupam o seu tempo ou o tempo que creem sobejar--lhes da vida a juntar selos, moedas, medalhas, jarrões, bilhetes-postais, caixas de fósforos, livros, relógios, camisolas desportivas, autógrafos, pedras, bonecos de barro, latas vazias de refrescos, anjinhos, cactos, programas de óperas, isqueiros, canetas, mochos, caixinhas de música, garrafas, bonsais, pinturas, canecas, cachimbos, obeliscos de cristal, patos de porcelana, brinquedos antigos, máscaras de carnaval, provavelmente fazem-no por algo a que poderíamos chamar angústia metafísica, talvez por não conseguirem suportar a ideia do caos como regedor único do universo, por isso, com as suas fracas forças e sem ajuda divina, vão tentando pôr alguma ordem no mundo, por um pouco de tempo ainda o conseguem, mas só enquanto puderem defender a sua colecção, porque quando chega o dia de ela se dispersar, e sempre chega esse dia, ou seja por morte ou seja por fadiga do coleccionador, tudo volta ao princípio, tudo torna a confundir-se.

Ora, sendo esta mania do Sr. José manifestamente das mais inocentes, não se compreende por que usa ele de tantos cuidados para que ninguém possa chegar a suspeitar que anda a fazer colecções de recortes de jornais e revistas com notícias e imagens de gente célebre, sem outro motivo que essa mesma celebridade, uma vez que lhe é indiferente que se trate de políticos ou de generais, de actores ou de arquitectos, de músicos ou de jogadores de futebol, de ciclistas ou de escritores, de especuladores ou de bailarinas, de assassinos ou de banqueiros, de burlões ou de rainhas de beleza. Nem sempre havia tido este comportamento secreto. É verdade que nunca quis falar do entretenimento aos poucos colegas com quem tinha alguma confiança, mas isso deveu-se ao seu feitio reservado, não a um receio consciente de que o pudessem meter a ridículo. A preocupação de defender tão ciosamente a sua privacidade só veio a surgir pouco tempo depois da demolição das casas em que tinham vivido os funcionários da Conservatória Geral, ou, com mais exactidão, depois de ter sido avisado de que não poderia voltar a usar a porta de comunicação. Pôde tratar-se apenas de uma coincidência acidental, como há tantas, porquanto não se vê que relação imediata ou próxima possa existir entre aquele facto e uma necessidade de segredo tão súbita, mas é por de mais sabido que o espírito humano, muitas vezes, toma decisões cujas causas mostra não conhecer, sendo de supor que o faz depois de ter percorrido os caminhos da mente com tal velocidade que depois não é capaz de os reconhecer e muito menos reencontrar. Assim, ou não, seja a explicação esta ou outra qualquer, numa hora adiantada de certa noite, estando em sua casa a trabalhar tranquilamente na actualização dos papéis de um bispo, o Sr. José teve a iluminação que iria transformar a sua vida. É bem possível que uma consciência subitamente mais inquieta da presença da Conservatória Geral do outro lado da grossa parede, aquelas enormes prateleiras carregadas de vivos e de mortos, a pequena e pálida lâmpada suspensa do tecto por cima da mesa do conservador, acesa todo o dia e toda a noite, as trevas espessas que tapavam os corredores entre as estantes, a escuridão abissal que reinava ao fundo da nave, a solidão, o silêncio, é possível que tudo isto, num instante, pelos perplexos caminhos mentais já mencionados, o tivesse feito perceber que algo de fundamental estava a faltar às suas colecções, isto é, a origem, a raiz, a procedência, por outras palavras, o simples registo de nascimento das pessoas famosas cujas notícias de vida pública se dedicara a compilar. Não sabia, por exemplo, como se chamavam os pais do bispo, nem quem tinham sido os padrinhos que o assistiram no baptismo, nem onde havia nascido exactamente, em que rua, em que prédio, em que andar, e, quanto à data do nascimento, se era certo que por casualidade constava de um recorte destes, só o registo oficial da Conservatória, evidentemente, faria verdadeira fé, nunca uma informação avulsa colhida na imprensa, sabe-se lá até que ponto exacta, podia o jornalista ter ouvido ou copiado mal, podia o revisor ter emendado ao contrário, não seria a primeira vez que na história do deleatur acontecia uma dessas. A solução encontrava-se ao seu alcance. A inabalável convicção que o chefe da Conservatória Geral alimentava sobre o peso absoluto da sua autoridade, a certeza de que qualquer ordem saída da sua boca seria cumprida com o máximo rigor e o máximo escrúpulo, sem o risco de caprichosas sequelas ou de arbitrárias derivações por parte do subalterno que a recebesse, foram a causa de que a chave da porta de comunicação se tivesse mantido na posse do Sr. José. Que nunca se lembraria de a usar, que nunca viria a retirá-la da gaveta onde a tinha guardado, se não fosse haver chegado à conclusão de que os seus esforços de biógrafo voluntário de pouquíssimo serviriam, objectivamente, sem a inclusão duma prova documental, ou sua cópia fiel, da existência, não só real, mas oficial, dos biografados.

Imagine agora quem puder o estado de nervos, a excitação com que o Sr. José abriu pela primeira vez a porta proibida, o calafrio que o fez deter-se à entrada, como se tivesse posto o pé no limiar duma câmara onde se encontrasse sepultado um deus cujo poder, ao contrário do que é tradicional, não lhe adviesse da ressurreição, mas de tê-la recusado. Só os deuses mortos são deuses sempre. Os vultos assombrosos das estantes carregadas de papéis pareciam romper o tecto invisível e subir pelo céu negro, a débil claridade por cima da secretária do conservador era como uma remota e sufocada estrela. Embora conhecesse bem o território por onde iria mover-se, o Sr. José compreendeu, após recobrar suficiente serenidade, que precisaria da ajuda duma luz para não esbarrar nos móveis, mas sobretudo para poder chegar sem demasiada perda de tempo aos documentos do bispo, primeiro ao verbete, depois ao processo pessoal. Tinha uma lanterna de mão na gaveta onde guardara a chave. Foi por ela, e depois, como se levar consigo uma luz lhe tivesse feito nascer no espírito uma nova coragem, avançou quase resoluto por entre as mesas, até ao balcão, debaixo do qual estava instalado o extenso ficheiro dos vivos. Achou rapidamente o verbete do bispo e teve a sorte de não estar a maior distância que a altura do braço a prateleira onde se encontrava arquivado o respectivo processo. Não precisou portanto de usar a escada, mas pensou com apreensão como iria ser a sua vida quando tivesse de subir às regiões superiores das estantes, lá onde o céu negro começava. Abriu o armário dos impressos, tirou um de cada modelo e voltou para casa, deixando aberta a porta de comunicação. Depois sentou-se e, com a mão ainda trémula, começou a copiar para os impressos em branco os dados identificadores do bispo, o nome completo, sem lhe faltar um apelido ou uma partícula, a data e o lugar de nascimento, os nomes dos pais, os nomes dos padrinhos, o nome do pároco que o baptizou, o nome do funcionário da Conservatória Geral que o registou, todos os nomes. Quando chegou ao fim do breve trabalho estava exausto, suavam-lhe as mãos, tinha arrepios nas costas, sabia muito bem que havia cometido um pecado contra o espírito de corpo do funcionalismo, de facto não há nada que mais canse uma pessoa que ter de lutar, não com o seu próprio espírito, mas com uma abstracção. Ao devassar aqueles papéis tinha cometido uma infracção à disciplina e à ética, talvez mesmo à legalidade. Não porque as informações que deles constavam fossem reservadas ou secretas, como não o eram de facto, porquanto qualquer pessoa teria podido apresentar-se na Conservatória a solicitar cópias ou certidões dos documentos do bispo sem precisar de explicar os motivos do pedido e os fins a que as destinava, mas porque havia desrespeitado a cadeia hierárquica procedendo sem a necessária ordem ou autorização de um superior. Ainda pensou em voltar atrás, emendar a irregularidade do acto rasgando e fazendo desaparecer as impertinentes cópias, entregar a chave ao conservador, Senhor chefe, não quero responsabilidades se alguma coisa vier a faltar na Conservatória, e, feito isto, esquecer os minutos por assim dizer sublimes que tinha acabado de viver. Porém, pôde nele mais a satisfação e o orgulho de ter ficado a conhecer tudo, foi esta a palavra que disse, Tudo, da vida do bispo. Olhou o armário onde guardava as caixas com as colecções de recortes e sorriu de íntimo deleite, pensando no trabalho que tinha agora à sua espera, as surtidas nocturnas, a recolha ordenada dos verbetes e dos processos, a cópia com a sua melhor letra, tão feliz se sentia que nem o facto de saber que teria de usar a escada de mão lhe quebrou o ânimo. Voltou à Conservatória e restituiu os documentos do bispo aos seus lugares. Depois, com um sentimento de confiança em si mesmo que nunca havia experimentado em toda a vida, passeou o foco da lanterna em redor, como se estivesse enfim a tomar posse de algo que sempre lhe havia pertencido, mas que só agora tinha podido reconhecer como seu. Parou um momento a olhar a secretária do chefe, nimbada pela luz esquálida que descia do alto, sim, era o que devia fazer, ir sentar-se naquela cadeira, a partir de hoje seria ele o verdadeiro senhor dos arquivos, só ele podia, se quisesse, tendo de passar aqui os dias por obrigação, viver por vontade sua também as noites, o sol e a lua a girarem sem descanso à volta da Conservatória Geral do Registo Civil, mundo e centro do mundo. Para anunciar o começo de algo, fala-se sempre do dia primeiro, quando a primeira noite é que deveria contar, ela é que é a condição do dia, a noite seria eterna se não houvesse noite. O Sr. José está sentado na cadeira do conservador e ali se deixará ficar até ao amanhecer, a ouvir o surdo rumorejar dos papéis dos vivos sobre o silêncio compacto dos papéis mortos. Quando a iluminação da cidade se apagou e as cinco janelas por cima da porta grande apareceram da cor duma cinza escura, levantou-se da cadeira e entrou em casa, fechando a porta de comunicação atrás de si. Lavou-se, barbeou-se, tomou o desjejum, arrumou à parte os papéis do bispo, vestiu o seu melhor fato, e quando eram horas saiu pela outra porta, a da rua, deu a volta ao edifício e entrou na Conservatória. Nenhum dos colegas se apercebeu de quem havia chegado, responderam como de costume à saudação, disseram Bons dias, Sr. José, e não sabiam com quem estavam a falar.

Felizmente a gente famosa não é assim tanta. Ainda que empregando critérios de selecção e de representatividade tão ecléticos e generosos como já se viu que são os do Sr. José, não é fácil, mormente quando se trate de um pequeno país, chegar à centena redonda de personagens realmente célebres sem ter caído no conhecido laxismo das antologias dos cem melhores sonetos de amor ou das cem mais pungentes elegias, perante os quais nos assiste pleno direito de suspeitar que os últimos a serem escolhidos só lá entraram para perfazer a conta. Considerada na sua globalidade, a colecção do Sr. José excedia em muito a centena, mas, para ele, como para o autor das antologias de elegias e sonetos havia sido também, o número cem era uma fronteira, um limite, um nec plus ultra, ou, falando em termos vulgares, como uma garrafa de litro que, por muito que se intente, nunca poderá comportar mais do que um litro de líquido. A este modo de entender o carácter relativo da fama não assentaria mal, cremos, o qualificativo de dinâmico, posto que a colecção do Sr. José, necessariamente dividida em duas partes, isto é, de um lado os cem mais famosos, do outro os que não conseguiram tanto, está em constante movimento naquela área a que convencionámos chamar de fronteira. A fama, ai de nós, é um ar que tanto vem como vai, é um cata-vento que tanto gira ao norte como ao sul, e tal como sucede passar uma pessoa do anonimato à celebridade sem perceber porquê, também não é raro que depois de ter andado a espanejar-se à calorosa aura pública acabe sem saber como se chama. Aplicadas estas tristes verdades à colecção do Sr. José, compreende-se que também nela haja gloriosas subidas e dramáticas descidas, um que saiu do grupo dos suplentes e entrou no grupo dos efectivos, outro que já não cabia na garrafa e teve de ser deitado fora. A colecção do Sr. José parece-se muito com a vida.

 Trabalhando com afinco, avançando algumas vezes pela noite dentro, até de madrugada, com as consequências negativas previsíveis nos índices de produtividade que estava obrigado a satisfazer na duração normal do expediente, o Sr. José concluiu em menos de duas semanas a recolha e transposição dos dados de origem para os processos individuais das cem pessoas mais famosas da sua colecção. Passou por momentos de inenarrável pânico de cada vez que teve de empoleirar-se no último degrau da escada para alcançar as prateleiras superiores, onde, como se não lhe bastasse já o sofrimento das tonturas, parecia que todas as aranhas da Conservatória Geral do Registo Civil haviam decidido ir tecer as teias mais densas, poeirentas e envolventes que alguma vez roçaram rostos humanos. A repugnância, ou, mais cruamente falando, o pavor, fazia-o agitar loucamente os braços para afastar o nojento contacto, o que lhe valia era estar o cinturão atado com firmeza aos degraus da escada, mas houve ocasiões em que pouco faltou para que ele e ela viessem de escantilhão por aí abaixo, de arrasto com uma nuvem de poeira histórica e sob uma chuva triunfal de papéis. Num desses momentos de aflição chegou ao extremo de pensar em desatar-se e aceitar o perigo duma queda desamparada, aconteceu isso quando imaginou a vergonha que mancharia para sempre o seu nome e a sua memória se o chefe entrasse de manhã e desse com ele, Sr. José, entre duas estantes, morto, de cabeça rachada e os miolos de fora, ridiculamente preso à escada por um cinto. Depois reflectiu que desatar-se só poderia salvá-lo do ridículo, mas não da morte, e que sendo assim não valia a pena. Lutando contra a amedrontada natureza com que viera ao mundo, lá para o final da tarefa, e apesar de, em consequência, ter de fazer o trabalho quase às escuras, logrou criar e aperfeiçoar uma técnica de localização e manipulação dos processos que lhe permitia retirar em poucos segundos os documentos de que precisava. A primeira vez que teve a coragem de não usar o cinto foi como se no seu modestíssimo currículo de auxiliar de escrita tivesse inscrito uma vitória imortal. Sentia-se exausto, tresnoitado, com tremuras na boca do estômago, mas feliz como não se lembrava de o ter sido alguma vez, quando a celebridade classificada em centésimo lugar, agora identificada de acordo com todas as regras da Conservatória Geral, foi ocupar o seu lugar na caixa correspondente. Pensou então o Sr. José que depois de um tão grande esforço lhe faria bem um descanso, e, uma vez que o fim de semana ia começar no dia seguinte, decidiu adiar para segunda-feira a seguinte fase do trabalho, isto é, dar estatuto civil regular aos quarenta e tantos famosos de linha atrasada que ainda se encontravam à espera. Não sonhava que estava para lhe acontecer algo muito mais sério que cair simplesmente de uma escada. O efeito da queda poderia ser acabar-se-lhe a vida, o que sem dúvida teria a sua importância de um ponto de vista estatístico e pessoal, mas que representa isso, perguntamos nós, se, sendo a vida biologicamente a mesma, quer dizer, o mesmo ser, as mesmas células, as mesmas feições, a mesma estatura, o mesmo modo aparente de olhar, ver e reparar, e sem que a estatística se tivesse podido aperceber da mudança, essa vida passou a ser outra vida, e outra pessoa essa pessoa.

 Custou-lhe muito suportar a lentidão anormal com que os dois dias se arrastaram, aquele sábado e aquele domingo pareceram-lhe eternos. Gastou o tempo a recortar jornais e revistas, algumas vezes abriu a porta de comunicação para contemplar a Conservatória Geral em toda a sua silenciosa majestade. Sentia que estava a gostar do seu trabalho mais do que nunca, graças a ele pudera penetrar na intimidade de tantas pessoas famosas, saber, por exemplo, coisas que algumas tudo faziam para ocultar, como serem filhas de pai ou de mãe incógnitos, ou incógnitos ambos, que era o caso de uma dessas, ou dizerem que eram naturais da sede de um concelho ou da sede de um distrito quando o que tinham era nascido num lugarejo perdido, numa encruzilhada de bárbara ressonância, se não fora antes num sítio que simplesmente cheirava a estrume e a curral e que podia muito bem passar sem nome. Com estes pensamentos, e outros de teor céptico similar, chegou o Sr. José a segunda-feira bastante recomposto dos tremendos esforços cometidos e, apesar da inevitável tensão nervosa causada por um querer e um temer em permanente conflito, decidido a enfrentar-se com outras excursões nocturnas e outras temerárias ascensões. O dia, porém, azedou-se logo de manhã. O subchefe a cargo de quem estava a responsabilidade do economato foi comunicar ao conservador que vinha notando, nas duas últimas semanas, um gasto de verbetes e de capas de processos que, mesmo tomando em consideração a média de enganos de preenchimento administrativamente admitida, não tinha, esse gasto, correspondência com o número de nascidos novos inscritos na Conservatória. O conservador pretendeu saber que medidas havia tomado o subordinado com vista ao averiguamento das razões do insólito desajuste de consumo e em que outras medidas estava a pensar para que não voltasse a repetir-se o facto. Discretamente, o subchefe explicou que nenhumas por enquanto, que não se permitira ter uma ideia, e ainda menos promover uma iniciativa, antes de expor o caso à consideração superior, como estava a fazer naquele momento. Secamente, como sempre, o conservador respondeu, Já expôs, agora actue, e que eu não tenha de voltar a ouvir falar no assunto. O subchefe foi para a sua mesa pensar, e ao cabo de uma hora levou ao chefe o rascunho duma comunicação interna, segundo a qual o armário dos impressos passaria a estar fechado à chave, que ficaria permanentemente em seu poder, como ecónomo responsável. O conservador escreveu Cumpra-se, o subchefe foi fechar o armário ostensivamente para que toda a gente se apercebesse da mudança, e o Sr. José, depois do primeiro susto, suspirou de alívio por ter tido tempo de terminar a parte mais importante da sua colecção. Pôs-se a tentar recordar quantos verbetes de admissão ainda teria de reserva em casa, talvez uns doze, talvez uns quinze. Não era morte de homem. Quando acabassem copiaria para folhas de papel comum os trinta que ainda faltavam, a diferença só melindraria a estética, Nem sempre se pode ter tudo, pensou para consolar-se.

 Como hipotético autor do desvio dos impressos, não havia motivo para que se suspeitasse mais dele do que de qualquer outro dos seus colegas de categoria, uma vez que só eles, os auxiliares de escrita, preenchiam os verbetes e as capas de processo, mas os frágeis nervos do Sr. José fizeram-no temer todo o dia que os estremecimentos da sua consciência culpada pudessem ser percebidos e registados do lado de fora. Apesar disso, saiu-se airosamente do interrogatório a que foi submetido. Com expressões de rosto e de voz que tentou tornar adequadas à situação, declarou usar do mais rigoroso escrúpulo no aproveitamento dos impressos, em primeiro lugar porque essa maneira de proceder era própria da sua natureza, mas sobretudo porque tinha presente, em todas as circunstâncias, que o papel consumido na Conservatória Geral provinha de impostos públicos, quantas e quantas vezes pagos com sacrifício pelos contribuintes, e que ele, como funcionário consciente, tinha o dever estrito de respeitar e fazer render. Tanto pelo fundo como pela forma, a declaração caiu bem no ânimo dos superiores, ao ponto de os colegas a seguir chamados a perguntas a terem repetido com mínimas modificações de estilo, mas foi a convicção, tácita e generalizada, com o passo do tempo incutida no pessoal pela peculiar personalidade do chefe, de que nada na Conservatória, acontecesse o que acontecesse, poderia ir contra os interesses do serviço, que levou a não reparar que o Sr. José, desde o seu primeiro dia de trabalho, muitos anos atrás, nunca pronunciara tantas palavras seguidas. Fosse o subchefe instruído nos métodos perscrutadores da psicologia aplicada, e em menos de um ai ter-se-ia vindo abaixo o enganoso discurso do Sr. José, como um castelo de cartas onde tivesse falhado o pé ao rei de espadas, ou como uma pessoa atreita a tonturas a quem tivessem sacudido o escadote. Receoso de que uma reflexão a posteriori do subchefe instrutor do inquérito o fizesse suspeitar de que havia ali gato escondido com o rabo de fora, o Sr. José decidiu, para evitar males maiores, que ficaria em casa nessa noite. Não se mexeria do seu canto, não entraria na Conservatória nem que lhe viessem prometer a fortuna inaudita de descobrir o documento que mais procurado tem sido desde que o mundo é mundo, nem mais nem menos que o registo oficial do nascimento de Deus. O sábio é sábio consoante o grau de prudência que o exorne, diz-se, e, ainda que desoladoramente imprecisa e indefinível, há que reconhecer no Sr. José, não obstante as irregularidades que vem cometendo nos últimos tempos, a existência de uma espécie de sabedoria involuntária, daquelas que parecem ter entrado no corpo por via respiratória ou por dar o sol na cabeça, e por isso não são consideradas dignas de particular aplauso. Se agora a prudência lhe aconselhava a retirada, ele, sabiamente, acataria a voz da prudência. Uma ou duas semanas de paragem nas investigações ajudariam a apagar da sua cara qualquer vestígio de temor ou ansiedade que por lá lhe tivesse ficado.

Depois de escassamente jantar, como era seu costume e obrigava a necessidade, o Sr. José achou-se com todo um serão por diante sem ter nada que fazer. Durante meia hora ainda conseguiu distrair-se a folhear algumas das vidas mais famosas da colecção, ainda lhes acrescentou uns quantos recortes recentes, mas o seu pensamento não estava ali, andava a vaguear pela escuridão da Conservatória, como um cão negro que tivesse encontrado o rasto do último segredo. Começou a pensar que não haveria nenhum perigo em usar simplesmente os verbetes que tinha de reserva, nem que fossem apenas três ou quatro deles, apenas para ocupar um pouco da noite e dormir tranquilo depois. A prudência tentava retê-lo, segurá-lo pela manga, mas, como toda a gente sabe, ou devia saber, a prudência só é boa quando se trata de conservar aquilo que já não interessa, que mal podia fazer-lhe abrir a porta, ir rapidamente buscar três ou quatro verbetes, vá lá, cinco, que é conta mais certa, deixaria as capas dos processos para outra ocasião, assim evitava ter de servir-se da escada. Foi sobretudo esta ideia que o decidiu. Alumiando o caminho com a lanterna na mão trémula, penetrou na caverna imensa da Conservatória e aproximou-se do ficheiro. Mais nervoso do que julgara antes, girava a cabeça a um lado e a outro como se desconfiasse de que estava a ser observado por milhares de olhos escondidos na escuridão dos corredores entre as estantes. Ainda não se refizera do choque da manhã. Tão depressa quanto lho permitiram os dedos aflitos, pôs-se a abrir e a fechar gavetas, a procurar nas diferentes letras do alfabeto os verbetes de que precisava, equivocou-se uma vez e outra, até que finalmente conseguiu reunir os primeiros cinco famosos da segunda categoria. Já assustado de verdade, voltou para casa a correr, com o coração aos saltos, como uma criança que tivesse ido à despensa furtar um doce e viesse de lá perseguida por todos os monstros da treva. Bateu com a porta na cara deles e deu duas voltas à chave, não queria pensar que ainda teria de voltar nessa noite à Conservatória para recolocar os malditos verbetes nos seus lugares. Com a intenção de acalmar-se, foi beber um trago da garrafa de aguardente que guardava para as ocasiões, tanto as boas como as más. Por causa da pressa e da falta de costume, dado que na sua insignificante vida até o bom e o mau haviam sido raridade, engasgou-se, tossiu, tornou a tossir, quase sufocado, um pobre auxiliar de escrita segurando cinco verbetes na mão, julgava ele que eram cinco, com os arrancos da tosse tinha acabado por deixá-los cair, e não eram cinco, eram seis, espalhados ali pelo chão, como qualquer pessoa poderá vir ver e contar, um, dois, três, quatro, cinco, seis, um único trago de aguardente nunca fez este efeito.

 Quando conseguiu enfim recuperar o fôlego, baixou-se para apanhar os verbetes, um, dois, três, quatro, cinco, não havia dúvida, seis, à medida que os recolhia ia lendo os nomes que lá estavam, famosos todos, menos um. Com a precipitação e a agitação dos nervos, o verbete intruso viera pegado ao que o precedia, de finos que eram a diferença de espessura mal se notava. Está claro que por muito que se apure e retoque uma caligrafia, copiar cinco registos sumários de nascimento e vida é trabalho que em pouco tempo se despacha. Ao cabo de meia hora já o Sr. José podia dar o serão por terminado e abrir outra vez a porta. De má vontade, reuniu os seis verbetes e levantou-se da cadeira. Não lhe apetecia nada entrar na Conservatória, mas não havia outro remédio, o ficheiro tinha de estar completo e na sua devida ordem na manhã seguinte. Se fosse preciso consultar um destes verbetes e ele não se encontrasse no seu lugar, a situação poderia tornar-se grave. De suspeita em suspeita, de indagação em indagação, alguém acabaria por observar que o Sr. José vive paredes meias com a Conservatória Geral, a qual, como bem sabemos, não goza da elementar protecção de uma vigilância nocturna, alguém se lembraria de perguntar onde estava aquela chave de acesso que não chegara a ser entregue. O que tem de ser, tem de ser, e tem muita força, pensou sem originalidade o Sr. José, e dirigiu-se à porta. A meio caminho, de súbito, parou, É curioso, não me lembro se é de homem ou de mulher o verbete que veio pegado. Voltou atrás, tornou a sentar-se, demoraria assim um pouco mais a obedecer à força do que tem de ser. O verbete é de uma mulher de trinta e seis anos, nascida naquela mesma cidade, e dele constam dois averbamentos, um de casamento, outro de divórcio. Como este verbete há de certeza centenas no ficheiro, senão milhares, portanto não se compreende por que estará o Sr. José a olhar para ele com uma expressão tão estranha, que à primeira vista parece atenta, mas que é também vaga e inquieta, possivelmente é este o modo de olhar de quem, aos poucos, sem desejo nem recusa, se vai desprendendo de algo e ainda não vê aonde poderá deitar a mão para tornar a segurar-se. Não faltará quem venha apontar supostas e inadmissíveis contradições entre inquieto, vago e atento, são pessoas que se limitam a viver assim como assim, pessoas que nunca se encontraram com o destino pela frente. O Sr. José olha e torna a olhar o que se encontra escrito no verbete, a caligrafia, escusado seria dizê-lo, não é sua, tem um desenho passado de moda, há trinta e seis anos um outro auxiliar de escrita escreveu as palavras que aqui se podem ler, o nome da menina, os nomes dos pais e dos padrinhos, a data e a hora do nascimento, a rua, o número e o andar onde ela viu a primeira luz e sentiu a primeira dor, um princípio como o de toda a gente, as grandes e pequenas diferenças vêm depois, alguns dos que nascem entram nas enciclopédias, nas histórias, nas biografias, nos catálogos, nos manuais, nas colecções de recortes, os outros, mal comparando, são como a nuvem que passou sem deixar sinal de ter passado, se choveu não chegou para molhar a terra. Como eu, pensou o Sr. José. Tinha o armário cheio de homens e mulheres de quem quase todos os dias se falava nos jornais, em cima da mesa o registo de nascimento de uma pessoa desconhecida, e era como se os tivesse acabado de colocar nos pratos duma balança, cem neste lado, um no outro, e depois, surpreendido, descobrisse que todos aqueles juntos não pesavam mais do que este, que cem eram iguais a um, que um valia tanto como cem. Se alguém lhe entrasse em casa neste momento e de chofre perguntasse, Acredita, realmente, que o um que você também é vale o mesmo que cem, que os cem do seu armário, para não irmos mais longe, valem tanto como você, responderia sem hesitar, Meu caro senhor, eu sou um simples auxiliar de escrita, nada mais que um simples auxiliar de escrita de cinquenta anos que não foi promovido a oficial, se eu achasse que valia tanto como um só dos que ali tenho guardados, ou como qualquer destes cinco de menos fama, não teria começado a fazer a minha colecção, Então por que é que não pára de olhar para o verbete dessa mulher desconhecida, como se de repente ela tivesse mais importância que todos os outros, Precisamente por isso, meu caro senhor, porque é desconhecida, Ora, ora, o ficheiro da Conservatória está cheio de desconhecidos, Estão no ficheiro, não estão aqui, Que quer dizer, Não sei bem, Nesse caso, deixe-se de pensamentos metafísicos para que a sua cabeça não me pareça ter nascido, vá lá pôr o verbete no lugar, e durma em paz, É o que espero fazer, como todas noites, o tom da resposta foi conciliador, mas o Sr. José ainda tinha alguma coisa a acrescentar, Quanto aos pensamentos metafísicos, meu caro senhor, permita-me que lhe diga que qualquer cabeça é capaz de os produzir, o que muitas vezes não consegue é encontrar as palavras.

Ao contrário do que desejava, o Sr. José não pôde dormir com a relativa paz do costume. Perseguia no labirinto confuso da sua cabeça sem metafísica o rasto dos motivos que o tinham levado a copiar o verbete da mulher desconhecida, e não conseguia encontrar um só que tivesse podido determinar, conscientemente, a inopinada acção. Apenas conseguia recordar o movimento da sua mão esquerda pegando num verbete em branco, logo a mão direita a escrever, os olhos a passarem de um cartão para o outro, como se, na realidade, fossem eles que estivessem a trazer as palavras dali para aqui. Também se lembrava de como, surpreendido consigo mesmo, entrara tranquilamente na Conservatória Geral levando a lanterna na mão firme, sem nervosismo, sem ansiedade, de como colocara os seis verbetes nos seus lugares, de como o último tinha sido o da mulher desconhecida, iluminado até ao derradeiro instante pelo foco da lanterna, depois deslizando para baixo, sumindo-se, desaparecendo entre um cartão de uma letra antes e um cartão de uma letra depois, um nome num verbete, nada mais. A meio da noite, extenuado de não dormir, acendeu a luz. Depois levantou-se, vestiu a gabardina por cima da roupa interior e foi sentar-se à mesa. Adormeceu muito mais tarde, com a cabeça descansando no antebraço direito e a mão esquerda pousada sobre a cópia dum verbete.

A decisão do Sr. José apareceu dois dias depois. Em geral não se diz que uma decisão nos aparece, as pessoas são tão zelosas da sua identidade, por vaga que seja, e da sua autoridade, por pouca que tenham, que preferem dar-nos a entender que reflectiram antes de dar o último passo, que ponderaram os prós e os contras, que sopesaram as possibilidades e as alternativas, e que, ao cabo de um intenso trabalho mental, tomaram finalmente a decisão. Há que dizer que estas coisas nunca se passaram assim. Decerto não entrará na cabeça de ninguém a ideia de comer sem sentir suficiente apetite, e o apetite não depende da vontade de cada um, forma-se por si mesmo, resulta de objectivas necessidades do corpo, é um problema físico-químico cuja solução, de um modo mais ou menos satisfatório, será encontrada no conteúdo do prato. Mesmo um acto tão simples como é o de descer à rua a comprar o jornal pressupõe, não só um suficiente desejo de receber informação, o qual, esclareça-se, sendo desejo, é necessariamente apetite, efeito de actividades físico-químicas específicas do corpo, ainda que de diferente natureza, como pressupõe também, esse acto rotineiro, por exemplo, a certeza, ou a convicção, ou a esperança, não conscientes, de que a viatura de distribuição não se atrasou ou de que o posto de venda de jornais não está fechado por doença ou ausência voluntária do proprietário. Aliás, se persistíssemos em afirmar que as nossas decisões somos nós que as tomamos, então teríamos de principiar por dilucidar, por discernir, por distinguir, quem é, em nós, aquele que tomou a decisão e aquele que depois a irá cumprir, operações impossíveis, onde as houver. Em rigor, não tomamos decisões, são as decisões que nos tomam a nós. A prova encontramo-la em que, levando a vida a executar sucessivamente os mais diversos actos, não fazemos preceder cada um deles de um período de reflexão, de avaliação, de cálculo, ao fim do qual, e só então, é que nos declararíamos em condições de decidir se iríamos almoçar, ou comprar o jornal, ou procurar a mulher desconhecida.

É por estas razões que o Sr. José, mesmo que o submetessem ao mais apertado dos interrogatórios, não saberia dizer como e porquê o tomou a decisão, ouçamos a explicação que daria, Só sei que foi na noite de quarta-feira, estava eu em casa, de tão cansado que me sentia nem tinha querido jantar, ainda tinha a cabeça à roda de ter levado todo o santo dia em cima daquela escada, o chefe devia compreender que já não tenho idade para essas acrobacias, que não sou nenhum rapaz, além do padecimento, Que padecimento, Sofro de tonturas, vertigens, atracção do abismo, ou como quer que lhe queiram chamar, Nunca se queixou, Não gosto de me queixar, É bonito da sua parte, continue, Estava a pensar em meter-me na cama, minto, até já tinha descalçado os sapatos, quando de repente tomei a decisão, Se tomou a decisão, sabe por que a tomou, Acho que não a tomei eu, que foi ela a tomar-me a mim, As pessoas normais tomam decisões, não são tomadas por elas, Até à noite de quarta-feira também eu pensava assim, Que foi que sucedeu na noite de

41

quarta-feira, Isto mesmo que lhe estou a contar, tinha o verbete da mulher desconhecida em cima da mesa de cabeceira, pus-me a olhar para ele como se fosse a primeira vez, Mas já tinha olhado antes, Desde segunda-feira, em casa, quase não fazia outra coisa, Estava portanto a amadurecer a decisão, Ou ela esteve a amadurecer-me a mim, Adiante, adiante, não me venha outra vez com essa, Tornei a calçar os sapatos, vesti o casaco e a gabardina, e saí, nem me lembrei de pôr a gravata, Que horas eram, Aí umas dez e meia, Aonde foi depois, À rua onde a mulher desconhecida nasceu, Com que intenção, Queria ver o sítio, o prédio, a casa, Finalmente está a reconhecer que houve uma decisão e que foi, como teria de ser, tomada por si, Não senhor, simplesmente passei a ter consciência dela, Para auxiliar de escrita não há dúvida de que sabe argumentar, Em geral não se repara nos auxiliares de escrita, não se lhes faz justiça, Prossiga, O prédio estava lá, havia luz nas janelas, Refere-se à casa da mulher, Sim, Que fez a seguir, Fiquei ali uns minutos, A olhar, Sim senhor, a olhar, Só a olhar, Sim senhor, só a olhar, E depois, Depois, mais nada, Não tocou à porta, não subiu, não fez perguntas, Que ideia a sua, nem tal coisa me passou pela cabeça, àquela hora da noite, Que horas eram, Nessa altura seriam umas onze e meia, Foi a pé, Sim senhor, E como foi que voltou, Também a pé, Quer dizer, não tem testemunhas, Que testemunhas, A pessoa que o teria atendido à porta, se tivesse subido, o condutor de um eléctrico ou de um autocarro, por exemplo, E seriam testemunhas de quê, De ter ido realmente à rua da mulher desconhecida, E para que serviriam essas testemunhas, Para provar que tudo isso não foi um sonho, Disse a verdade, só a verdade e nada mais que a verdade, estou sob juramento, a minha palavra deverá bastar, Poderia bastar, talvez, se não houvesse no seu relato um pormenor altamente denunciador, incongruente, por as-

42

sim dizer, Que pormenor, A gravata, Que tem que ver a gravata com este assunto, Um funcionário da Conservatória Geral do Registo Civil não vai a lado nenhum sem a gravata posta, é impossível, seria uma falta contra a própria natureza, Já lhe disse que não estava em mim, que fui tomado pela decisão, Isso será mais uma prova de que se tratou de um sonho, Não estou a ver como, De duas, uma, ou você reconhece que tomou a decisão, como toda a gente, e eu estou disposto a acreditar que foi sem gravata à rua da mulher desconhecida, desvio de conduta profissional censurável que por agora não pretendo examinar, ou insiste em dizer que foi tomado pela decisão, e isso, mais a incontornável questão da gravata, só num estado de sonho é que seria admissível, Repito que não tomei a decisão, olhei o verbete, calcei os sapatos e saí, Então sonhou, Não sonhei, Deitou-se, adormeceu e sonhou que foi à rua da mulher desconhecida, Posso descrever-lhe a rua, Teria de me provar que nunca por lá tinha passado antes, Posso dizer-lhe como é o prédio, Ora, ora, de noite todos os prédios são pardos, Dos gatos é que se costuma dizer que são pardos de noite, Os prédios também, Então não acredita em mim, Não, Porquê, se me autoriza que pergunte, Porque o que afirma ter feito não entra na minha realidade, e o que não entra na minha realidade não tem existência, O corpo que sonha é real, portanto, salvo opinião mais autorizada, também tem de ser real o sonho que ele estiver a sonhar, O sonho só tem realidade como sonho, Quer dizer que a minha única realidade foi essa, Sim, foi essa a sua única realidade vivida, Posso voltar ao trabalho, Pode, mas prepare-se, porque ainda vamos ter de tratar da questão da gravata.

 Tendo-se livrado com felicidade do inquérito administrativo aos impressos desaparecidos, o Sr. José, para não perder os ganhos dialécticos que havia conquistado, inventou na sua cabeça a fantasia deste novo diálogo, do qual, apesar do tom irónico e cominatório do arguente, saiu facilmente vencedor, como uma nova leitura, mais atenta, poderá comprovar. E fê-lo com tal convicção que até foi capaz de mentir a si próprio e logo sustentar a mentira sem qualquer remorso de consciência, como se não fosse ele o primeiro a saber que efectivamente entrou no prédio e subiu a escada, que encostou o ouvido à porta da casa onde, segundo o verbete, a mulher desconhecida nasceu. É certo que não se atreveu a tocar a campainha, neste ponto tinha dito a verdade, mas permaneceu alguns minutos no escuro do patamar, imóvel, tenso, tentando perceber os sons que vinham de dentro, tão curioso que quase esquecia o medo de ser surpreendido e tomado por ladrão de casas. Ouviu o choro rabugento de uma criança de berço, Deve ser o filho, um sussurro doce de embalo feminino, Será ela, de súbito uma voz de homem disse passando do outro lado, Essa criança nunca mais se cala, o coração do Sr. José deu um pulo de susto, se a porta se abrisse, poderia muito bem acontecer, talvez o homem estivesse para sair, Quem é você, que quer daqui, perguntaria, Que devo fazer agora, perguntava-se o Sr. José, coitado dele, não fez nada, ficou ali paralisado, inerme, a sua sorte foi o pai do menino não ser apreciador do antigo hábito masculino de ir até ao café depois de jantar para conversar com os amigos. Então, quando só o choro da criança tornou a ouvir-se, o Sr. José começou a descer a escada devagarinho, sem acender a luz, roçando ao de leve a parede com a mão esquerda para não se desequilibrar, as curvas do corrimão eram demasiado apertadas, em certa altura quase o afogou uma onda de terror ao pensar no que sucederia se uma outra pessoa, silenciosa, invisível aos seus olhos, viesse naquele momento a subir a escada, roçando a parede com a mão direita, não tardariam a chocar, a cabeça do outro batendo contra o seu peito, de certeza iria ser muito pior que estar no alto da escada de mão e vir uma teia de aranha lamber-lhe a cara, também poderia ser alguém da Conservatória Geral que o tivesse seguido até aqui com o fito de surpreendê-lo em flagrante delito e assim poder juntar ao processo disciplinar que provavelmente estaria em curso a peça incriminatória irrespondível que lhe faltava ainda. Quando o Sr. José finalmente chegou à rua as pernas tremiam-lhe, o suor inundava-lhe a testa, Estou feito uma pilha de nervos, repreendeu-se. Depois, disparatadamente, como se o cérebro se lhe tivesse de súbito desgovernado e movido em todas as direcções, como se o tempo houvesse encolhido todo, de trás para diante e de diante para trás, comprimido em um instante compacto, pensou que a criança a quem tinha ouvido chorar por trás da porta era, trinta e seis anos antes, a mulher desconhecida, que ele próprio era um rapaz de catorze anos sem qualquer motivo para andar à procura de alguém, muito menos a estas horas da noite. Parado no passeio, olhou a rua como se não a tivesse visto ainda, há trinta e seis anos os candeeiros de iluminação pública davam uma luz mais pálida, a calçada não era asfaltada, mas de pedras alinhadas, a tabuleta da loja da esquina anunciava sapatos e não comida rápida. O tempo moveu-se, recomeçou a dilatar-se aos poucos, depois mais depressa, parecia que dava sacões violentos, como se estivesse dentro de um ovo e forcejasse por sair, as ruas sucediam-se, sobrepunham-se, os prédios apareciam e desapareciam, mudavam de cor, de feitio, todas as coisas buscavam ansiosas os seus lugares antes que a luz do amanhecer viesse mudar novamente os sítios. O tempo pusera-se a contar os dias desde o princípio, agora usando a tábua de multiplicação para recuperar o atraso, e com tanto acerto o fez que o Sr. José já tinha outra vez cinquenta anos quando chegou a casa. Quanto à criança lacrimosa, essa só estava uma hora mais velha, o que demonstra que o tempo, ainda que os relógios queiram convencer-nos do contrário, não é o mesmo para toda a gente.

O Sr. José passou uma noite difícil, a juntar às últimas que não haviam sido melhores. No entanto, apesar das fortíssimas emoções vividas durante a sua breve excursão nocturna, ainda mal tinha acabado de puxar a dobra do lençol para cima da orelha, conforme era seu hábito, e já havia caído num sono que qualquer pessoa, à primeira vista, denominaria profundo e reparador, mas logo saiu dele, bruscamente, como se alguém, sem respeito nem contemplações, o tivesse sacudido pelo ombro. Despertou-o uma ideia inesperada que lhe irrompeu no meio do sono, de um modo tão fulminante que nem deu tempo a que um sonho se tecesse com ela, a ideia de que talvez a mulher desconhecida, a do verbete, fosse, afinal de contas, aquela que ele ouvira a embalar a criança, a do marido impaciente, nesse caso a sua busca teria terminado, estupidamente terminado, no próprio momento em que deveria começar. Uma angústia súbita apertou-lhe a garganta enquanto a razão afligida tentava resistir, queria que ele mostrasse indiferença, que dissesse, Melhor assim, menos trabalho me dará, mas a angústia não desistia, continuava a apertar, a apertar, e agora era ela que estava a perguntar à razão, E que vai ele fazer, se já não pode realizar o que pensou, Fará o que sempre fez, recortará recortes de jornais, fotografias, notícias, entrevistas, como se não tivesse sucedido nada, Coitado, não acredito que o consiga, Porquê, A angústia, quando chega, não se vai embora com essa facilidade, Poderá escolher outro verbete e ir à procura dessa pessoa, O acaso não escolhe, propõe, foi o acaso que lhe trouxe a mulher desconhecida, só ao acaso compete ter voto nesta matéria, Não lhe faltam desconhecidos no ficheiro, Mas faltam-lhe os motivos para escolher um deles, e não outro, um deles em particular, e não um qualquer de todos os outros, Não creio que seja uma boa regra de vida deixar-se alguém guiar pelo acaso, Boa regra ou não, conveniente ou não, foi o acaso que lhe pôs nas mãos aquele verbete, E se a mulher for a mesma, Se a mulher for a mesma, então o acaso foi esse, Sem outras consequências, Quem somos nós para falar de consequências, se da fila interminável delas que incessantemente vêm caminhando na nossa direcção apenas podemos ver a primeira, Significa isso que algo pode acontecer ainda, Algo, não, tudo, Não compreendo, Só porque vivemos absortos é que não reparamos que o que nos vai acontecendo deixa intacto, em cada momento, o que nos pode acontecer, Quer isso dizer que o que pode acontecer se vai regenerando constantemente, Não só se regenera como se multiplica, basta que comparemos dois dias seguidos, Nunca pensei que fosse assim, São coisas que só os angustiados conhecem bem.

Como se a conversa não lhe dissesse respeito, o Sr. José revolvia-se na cama sem poder entrar no sono, Se a mulher é a mesma, repetia, se depois disto tudo a mulher é a mesma, rasgo o maldito verbete e não penso mais no assunto. Sabia que estava só a tentar disfarçar a decepção, sabia que não suportaria regressar aos gestos e aos pensamentos de sempre, era como se tivesse estado a ponto de embarcar à descoberta da ilha misteriosa, e no último instante, já com o pé na prancha, lhe aparecesse alguém de mapa estendido, Não vale a pena partires, a ilha desconhecida que querias encontrar já está aqui, repara, tanto de latitude, tanto de longitude, tem portos e cidades, montanhas e rios, todos com os seus nomes e histórias, o melhor é que te resignes a ser quem és. Mas o Sr. José não queria resignar-se, continuava a olhar o horizonte que parecia perdido, e de repente, como se uma nuvem negra se tivesse afastado para deixar aparecer o sol, percebeu que a ideia que o despertara era enganosa, lembrou-se que do verbete constavam dois averbamentos, um por casamento, outro por divórcio, e aquela mulher do prédio estava de certeza casada, se fosse a mesma teria de haver no verbete um averbamento novo de casamento, embora seja certo que às vezes a Conservatória se engana, mas nisso o Sr. José não quis pensar.

Alegando razões particulares de irresistível força maior, mas que pediu licença para não explicar, recordando em todo o caso que em vinte e cinco anos de cumpridor e sempre pontual serviço era esta a primeira vez que o fazia, o Sr. José solicitou autorização para sair uma hora mais cedo. Seguindo as disposições que regulavam a complexa relação hierárquica da Conservatória Geral do Registo Civil, começou por formular a pretensão ao oficial da sua ala, de cuja boa ou má disposição de espírito iriam depender os termos em que o pedido seria transmitido ao subchefe correspondente, o qual, por seu turno, omitindo ou acrescentando palavras, acentuando esta sílaba ou apagando aquela, poderia, até certo ponto, influir na decisão final. Sobre esta questão, porém, são muitas mais as dúvidas que as certezas, porquanto os motivos que levam o conservador a conceder ou a negar estas ou outras autorizações só por ele são conhecidos, não existindo memória nem registo, em tantos anos de Conservatória, de um único despacho, escrito ou verbal, dotado da respectiva fundamentação. Ignorar-se-ão, portanto, para sempre, as razões por que o Sr. José foi autorizado a sair meia hora mais cedo em lugar da hora completa que havia requerido. É legítimo imaginar, embora se trate de uma especulação gratuita, não verificável, que o oficial, primeiro, ou o subchefe, depois, ou ambos, tenham aditado que tão demorada ausência afectaria negativamente o serviço, é muito mais provável que o chefe apenas tenha resolvido aproveitar a ocasião para abater novamente os subordinados com uma das suas exibições de autoridade discricionária. Informado da decisão pelo oficial, a quem a transmitira o subchefe, o Sr. José deitou contas ao tempo e concluiu que, se não queria chegar tarde ao seu destino, se não queria que lhe aparecesse pela frente o dono da casa, já regressado do trabalho, teria de tomar um táxi, luxo mais do que raro na sua vida. Ninguém estava à sua espera, podia até suceder que não houvesse ninguém na casa àquela hora, mas o que acima de tudo desejava era não ser obrigado a confrontar-se com a impaciência do homem, ser-lhe-ia muito mais embaraçoso dar satisfação às desconfianças de uma pessoa assim do que responder às perguntas de uma mulher com um filho nos braços.

O homem não apareceu à porta nem depois se lhe ouviu a voz dentro de casa, portanto estaria ainda no emprego ou viria a caminho, e a mulher não trazia o filho nos braços. O Sr. José percebeu logo que a mulher desconhecida, casada fosse ela ou divorciada, nunca poderia ser a que tinha na sua frente. Por muito bem conservada que estivesse, por muito que a houvesse poupado o tempo, não era natural levar alguém trinta e seis anos no corpo e parecer ter menos de vinte e cinco na cara. O Sr. José podia ter virado simplesmente as costas, armar uma explicação rápida, dizer, por exemplo, Desculpe, enganei-me, vinha à procura doutra pessoa, mas, de uma maneira ou outra, a ponta do seu fio de Ariadne, para usar a linguagem mitológica da ordem de serviço, era ali que estava, sem esquecer, também, a razoável probabilidade de viverem outras pessoas na casa, e entre elas se encontrar o objecto da sua busca, embora, como ficámos a saber, o espírito do Sr. José rejeite com veemência tal hipótese. Tirou pois o verbete do bolso, enquanto dizia, Boas tardes, minha senhora, Boas tardes, que deseja, perguntou a mulher, Sou funcionário da Conservatória Geral do Registo Civil e fui incumbido de investigar certas dúvidas que surgiram sobre a inscrição duma pessoa que sabemos haver nascido nesta casa, Nem o meu marido nem eu nascemos aqui, só a nossa filha, que tem agora três meses, suponho que não se tratará dela, Que ideia, a pessoa que ando a procurar é uma mulher de trinta e seis anos, E eu tenho vinte e sete, Não pode ser a mesma, portanto, disse o Sr. José, e logo, Como é o seu nome. A mulher disse-lho, ele fez uma pausa para sorrir, depois perguntou, Vive há muito tempo nesta casa, Há dois anos, Conheceu as pessoas que aqui residiam antes, estas, leu-lhe o nome da mulher desconhecida e os nomes dos pais, Não sabemos nada dessa gente, a casa estava desocupada e o meu marido tratou do arrendamento com o procurador do proprietário, Há no prédio algum inquilino antigo, No rés do chão direito vive uma senhora de muita idade, pelo que tenho ouvido dizer é a inquilina mais antiga, Provavelmente há trinta e seis anos ainda não vivia aqui, as pessoas hoje mudam-se muito, Isso não sei dizer, o melhor será o senhor falar com ela, e agora tenho de ir, o meu marido está por aí a chegar e não gosta de me ver a conversar com estranhos, além disso estava a tratar do jantar, Sou um funcionário da Conservatória Geral do Registo Civil, não posso ser um estranho, e vim aqui em serviço, se a incomodei peço-lhe desculpa. O tom melindrado do Sr. José abrandou a mulher, Ora essa, não me incomodou nada, só queria dizer que se o meu marido cá estivesse tinha-lhe pedido logo de entrada a credencial, Mostro-lhe o meu cartão de funcionário, veja, Ah, muito bem, chama-se Sr. José, mas quando eu disse credencial queria dizer um documento oficial onde se fizesse menção do assunto que está encarregado de investigar, O conservador não pensou que pudesse vir encontrar desconfianças, Cada um tem o seu feitio, e a vizinha do rés do chão direito, dessa então nem se fala, não abre a porta a ninguém, eu sou diferente, gosto de conversar com as pessoas, Agradeço-lhe a amabilidade com que está a atender-me, Tenho pena é de não ter podido ser-lhe mais útil, Pelo contrário, ajudou-me muito, mencionou a senhora do rés do chão e lembrou a questão da credencial, Ainda bem que assim pensa. A conversa tinha jeito de continuar por mais alguns minutos, mas o sossego dentro de casa foi subitamente interrompido pelo choro da criança, que devia ter despertado, É o seu menino, disse o Sr. José, Não é menino, é uma menina, já lho tinha dito, sorriu a mulher, e o Sr. José sorriu também. Nesse momento a porta da rua bateu e a luz da escada acendeu-se, É o meu marido, conheço-lhe a maneira de entrar, sussurrou a mulher, vá-se embora e faça de contas que não falou comigo. O Sr. José não desceu. Sem ruído, nos bicos dos pés, subiu rapidamente até ao patamar de cima e ali se deixou ficar, encostado à parede, com o coração palpitando como se estivesse a viver uma aventura perigosa, enquanto uns passos firmes de homem novo cresciam e se aproximavam. A campainha tocou, entre o abrir e o fechar da porta da casa ainda se ouviu o choro da criança, depois um grande silêncio encheu a espiral da escada. Passado um minuto a luz geral apagou-se. Foi só então que o Sr. José reparou que quase todo o seu diálogo com a mulher havia decorrido, como se um e outro tivessem alguma coisa a ocultar, na penumbra cúmplice do interior do prédio, cúmplice foi a inesperada palavra que lhe veio à cabeça, Cúmplice de quê, cúmplice porquê, perguntou-se, o certo é que ela não tinha voltado a acender a luz que, logo às primeiras palavras trocadas, se havia apagado. Começou finalmente a descer a escada, primeiro com todas as cautelas, depois apressado, só parou um instante à escuta diante da porta do rés do chão direito, ouvia-se lá dentro um som que devia ser de rádio, não pensou em tocar a campainha, deixaria a nova investigação para o fim de semana, para sábado ou domingo, mas nessa altura não o apanhariam em falso, apresentar-se-ia de credencial na mão, investido de uma autoridade formal que ninguém se atreveria a pôr em dúvida. Falsa credencial, claro está, mas que lhe evitaria, com a irresistível força de um timbre oficial e de um selo branco autênticos, o trabalho de ter de dissipar desconfianças antes de entrar no miolo da questão. Quanto à assinatura do chefe, sentia-se absolutamente tranquilo, não era crível que a senhora idosa do rés do chão direito tivesse visto alguma vez a firma do conservador, cujos floreados, pensando bem, graças à sua própria fantasia ornamental, não seriam muito difíceis de imitar. Se tudo corresse bem desta vez, como estava certo de que haveria de correr, continuaria a fazer uso do documento sempre que encontrasse ou previsse dificuldades nas futuras pesquisas, pois estava convencido de que a busca não acabaria no tal rés do chão. Supondo que a inquilina fosse do tempo em que a família da mulher desconhecida tinha vivido no prédio, podia acontecer que não se dessem uns com os outros, que tudo se reduzisse, na memória cansada da anciã, a umas quantas lembranças vagas, dependeria dos anos que tivessem decorrido desde a mudança da família do segundo andar para outro local da cidade. Ou do país, ou do mundo, pensou preocupado, já na rua. As pessoas famosas da sua colecção, por onde quer que andem, têm sempre um jornal ou uma revista a seguir-lhes a pista e a fungar-lhes o cheiro para mais uma fotografia, para mais uma pergunta, mas da gente vulgar ninguém quer saber, ninguém se interessa verdadeiramente por ela, ninguém se preocupa com saber o que faz, nem o que pensa, nem o que sente, mesmo nos casos em que se quer fazer crer o contrário, é fingido. Se a mulher desconhecida tivesse ido viver para o estrangeiro, ficaria fora do seu alcance, seria como se estivesse morta, Ponto final, acabava-se a história, murmurou o Sr. José, mas logo considerou que não seria tanto assim, que ela, ao ir-se de cá, teria deixado ao menos uma vida atrás de si, talvez só uma pequena vida, quatro anos, cinco, quase nada, ou quinze, ou vinte, um encontro, um deslumbramento, uma decepção, uns quantos sorrisos, umas quantas lágrimas, o que à primeira vista é igual para todos e na realidade é diferente para cada um. E diferente também de cada vez. Chegarei aonde puder, rematou o Sr. José com uma serenidade que não parecia ser sua. Como se fosse essa a conclusão lógica do que tinha pensado, entrou numa papelaria e comprou um grosso caderno de folhas pautadas, dos usados pelos estudantes para apontar as matérias de ensino à medida que julgam que as vão aprendendo.

A falsificação da credencial não lhe levou muito tempo. Vinte e cinco anos de quotidiana prática caligráfica sob a vigilância de oficiais zelosos e subchefes exigentes tinham-lhe valido um domínio pleno das falanges, do pulso e da chave da mão, uma firmeza absoluta tanto nas linhas curvas como nas linhas rectas, um quase instintivo sentido dos grossos e dos finos, uma noção perfeita do grau de fluidez e viscosidade das tintas, que, postos à prova nesta ocasião, deram como resultado um documento capaz de resistir às perscrutações da mais potente das lupas. Denunciadoras, só as impressões digitais e as impregnações invisíveis de suor que ficaram no papel, mas a probabilidade de vir a realizar-se qualquer destes exames era, evidentemente, ínfima. O mais competente perito em grafologia, chamado a depor, juraria que o documento sob juízo era de punho e letra do chefe da Conservatória, e tão autêntico como se ele o tivesse escrito em presença de testemunhas idóneas. A redacção da credencial, o estilo, o vocabulário empregado, aduziria por sua vez um psicólogo em reforço do parecer do caro colega, mostram à saciedade que o seu autor é pessoa extremamente autoritária, dotada de carácter duro, sem flexibilidade nem abertura, seguro da sua razão, desprezador da opinião alheia, como mesmo uma criança poderia facilmente concluir da leitura do texto, que assim reza, Em nome dos poderes que me foram conferidos e que debaixo de juramento mantenho, aplico e defendo, faço saber, como Conservador desta Conservatória Geral do Registo Civil, a todos quantos, civis ou militares, particulares ou públicos, vejam, leiam e compulsem esta credencial escrita e firmada de meu punho e letra, que Fulano de Tal, auxiliar de escrita a meu serviço e da Conservatória Geral que dirijo, governo e administro, recebeu directamente de mim a ordem e o encargo de averiguar e apurar tudo quanto diga respeito à vida passada, presente e futura de Fulana de Tal, nascida nesta cidade a tantos de tal, filha de Beltrano de Tal e de Cicrana de Tal, devendo, portanto, sem mais comprovações, serem nele reconhecidos, como seus próprios, e por todo o tempo que a investigação durar, os poderes absolutos que, por esta via e para este caso, delego na sua pessoa. Assim o têm exigido as conveniências do serviço conservatorial e o decidiu a minha vontade. Cumpra-se. Trémula de susto, tendo a duras penas acabado de ler o impressionante papel, a tal criança correu a proteger-se no regaço da mãe, perguntando-lhe como foi possível que um auxiliar de escrita como este Sr. José, tão pacífico de seu natural, tão cordato de costumes, tenha sido capaz de conceber, de imaginar, de inventar na sua cabeça, sem dispor de um modelo anterior por onde guiar-se, uma vez que não é norma nem se verificaram necessidades técnicas para que a Conservatória Geral alguma vez tivesse passado credenciais, a expressão de um poder a tal ponto despótico, que é o mínimo que deste se pode dizer. A assustada criança ainda terá de comer muito pão e muito sal antes de começar a aprender da vida, nessa altura já não a surpreenderá descobrir como, chegada a ocasião, até os bons podem tornar-se duros e prepotentes, mesmo que seja apenas escrevendo uma credencial, falsificada ou não. Dirão eles a desculpar-se, É que esse não era eu, estava só a escrever, a agir em nome doutra pessoa, e no melhor dos casos o que querem é iludir-se a si mesmos, pois, na verdade, a dureza e a prepotência, quando não a crueldade, era dentro deles que estavam a manifestar-se, e não dentro de outro, visível ou invisível. Ainda assim, avaliando o que sucedeu até agora pelos seus efeitos, é pouco provável que das intenções e obras futuras do Sr. José possam advir sérios prejuízos ao mundo, portanto deixemos provisoriamente em suspenso o nosso juízo enquanto outras acções, mais esclarecedoras, tanto no bom sentido como no mau, não desenharem o seu definitivo retrato.

No sábado, vestido o melhor fato, de camisa lavada e passada a ferro, de gravata mais ou menos correcta, quase a condizer, aconchegando num bolso interior do casaco o sobrescrito timbrado com a credencial, o Sr. José tomou um táxi à porta de casa, não para ganhar tempo, o dia era seu, mas porque as nuvens estavam a ameaçar chuva, e ele não queria aparecer à senhora do rés do chão direito a pingar das orelhas e com as bainhas das calças salpicadas de lama, arriscando-se a que ela lhe fechasse a porta na cara antes de poder dizer ao que ia. Sentia-se excitado a imaginar como o receberia a senhora idosa, no efeito que causaria na velha, veio-lhe sem pensar o pejorativo termo, a leitura de um papel como aquele, intimativo e intimidante, há pessoas que reagem ao contrário do que seria de esperar, oxalá não venha a ser este o caso. Talvez tivesse empregado na redacção termos demasiado duros e prepotentes, porém a verosimilhança impunha-lhe que fosse fiel ao carácter do conservador tanto como à caligrafia, além disso toda a gente sabe que sendo certo que não é com vinagre que se apanham moscas, não é menos certo também que algumas nem com mel se deixam apanhar. Veremos, suspirou. A primeira coisa que pôde ver daí a pouco, depois de ter respondido às perguntas insistentes que vinham de dentro, Quem é, Que deseja, Quem o mandou cá, Que tenho eu que ver com isso, foi que a senhora do rés do chão direito, afinal, não era tão idosa quanto havia imaginado, não eram de anciã aqueles olhos vivos, aquele nariz direito, aquela boca delgada mas firme, sem descaimento nos cantos, onde a muita idade se notava era na flacidez da pele do pescoço, provavelmente fixou-se nesse pormenor porque já começava a notar em si próprio este sinal iludível de deterioramento físico, e ainda só contava cinquenta anos. A mulher não abria completamente a porta, dizia e tornava a dizer que os assuntos da vizinhança não lhe interessavam, resposta esta, aliás, com inteiro cabimento, uma vez que o Sr. José, tomando um caminho errado, começara por anunciar que tinha ido à procura de uma pessoa ao segundo andar esquerdo. O equívoco pareceu acabar quando pronunciou enfim o nome da mulher desconhecida, então a porta abriu-se um pouco mais, para tornar logo à posição anterior, Conhece essa senhora, perguntou o Sr. José, Sim, conheci, disse a mulher, É acerca dela que desejaria fazer-lhe algumas perguntas, Mas quem é o senhor, Sou funcionário autorizado da Conservatória Geral do Registo Civil, já lhe tinha dito, E como posso saber eu que isso é verdade, Tenho uma credencial passada pelo meu conservador, Estou na minha casa, não quero ser incomodada, Nestes casos é obrigatório colaborar com a Conservatória Geral,

Que casos, O esclarecimento de dúvidas existentes no Registo Civil, Por que não lhe vão perguntar antes a ela, Não conhecemos a sua direcção actual, se a senhora a conhece, diga-ma, e não a incomodarei mais, Vai para trinta anos, se não me falham as contas, que deixei de ter notícias dessa pessoa, Que era então uma criança, Sim. Com esta única palavra, a mulher deu sinal de considerar a conversa terminada, mas o Sr. José não desistiu, se tinha de perder por cem, então mais valia que perdesse por mil. Tirou o sobrecristo do bolso, abriu-o e extraiu lá de dentro, com uma lentidão que deveria parecer ameaçadora, a credencial, Leia, ordenou. A mulher sacudiu a cabeça, Não leio, não é assunto que me diga respeito, Se não lê, voltarei acompanhado da autoridade policial, depois será pior para si. A mulher resignou-se a receber o papel que ele lhe estendia, acendeu uma luz no corredor, pôs uns óculos que trazia dependurados do pescoço e leu. Depois devolveu-o e franqueou a entrada, É melhor que passe, naquele lado já devem estar a escutar-nos atrás da porta. Perante a aliança não declarada que o pronome pessoal parecia representar, o Sr. José compreendeu que havia ganho o enfrentamento. De um certo indefinível modo, esta era a primeira vitória objectiva da sua vida, é certo que fraudulentíssima vitória, mas se andam tantas pessoas por aí a apregoar que os fins justificam os meios, ele quem era para as desmentir. Entrou sem alarde, como um vencedor cuja generosidade o impedisse de ceder à fácil tentação de humilhar o vencido, mas que, em todo o caso, apreciaria que a sua grandeza fosse notada.

A mulher conduziu-o a uma pequena sala cuidadosamente arrumada e limpa, decorada com um gosto doutra época. Ofereceu-lhe uma cadeira, sentou-se também e, sem dar tempo ao visitante para novas perguntas, disse, Fui a madrinha de nascimento. O Sr. José esperaria todas as revelações, menos esta. Tinha ido ali como um simples funcionário que cumpre ordens dos seus superiores, portanto sem quaisquer envolvimentos de natureza pessoal, assim era necessário que o visse a mulher que estava sentada na sua frente, mas só ele soube o esforço que teve de fazer para não se pôr a sorrir de beatífico deleite. Tirou do outro bolso a cópia do verbete, olhou-a detidamente como se estivesse a decorar todos os nomes que lá se encontravam, finalmente disse, E o seu marido foi o padrinho, Sim, Poderei também falar com ele, Sou viúva, Ah, na surda exclamação houve tanto de alívio autêntico como de sentimento simulado, era menos uma pessoa com quem teria de combater. A mulher disse, Dávamo-nos bem, quer dizer, as duas famílias, a nossa e a deles, éramos mesmo amigos, quando a menina nasceu convidaram-nos para sermos os padrinhos, Que idade tinha a menina quando se mudaram, Creio que ia nos oito anos, Disse há pouco que vai para trinta que não tem notícias dela, Assim é, Quer explicar melhor, Recebi uma carta pouco tempo depois de se terem mudado, De quem, Dela, Que dizia, Nada de especial, era a carta que uma criança que não tem mais que oito anos, com as poucas palavras que sabe, é capaz de escrever à madrinha, Ainda a tem, Não, E os pais, não lhe escreveram nunca, Não, Não achou estranho, Não, Porquê, São assuntos íntimos, não são para devassar, Para a Conservatória Geral do Registo Civil não existem assuntos íntimos. A mulher olhou-o fixamente, Quem é o senhor, A minha credencial acabou mesmo agora de lhe dizer quem sou, Só me disse como se chama, é o Sr. José, Sim, sou o Sr. José, Pode fazer-me as perguntas que quiser, e eu não posso fazer-lhe nenhuma, A mim só tem competência para me interrogar um funcionário da Conservatória de escalão superior, É uma pessoa feliz, pode guardar os seus segredos, Não creio que alguém seja feliz só por guardar segredos, É feliz, O que eu sou não interessa, já lhe expliquei que só a hierarquia está autorizada a fazer-me perguntas, Tem segredos, Não respondo, Mas eu terei de responder, É melhor que o faça, Que quer que lhe diga, Que assuntos íntimos foram esses. A mulher passou a mão pela testa, deixou cair lentamente as pálpebras murchas, depois disse sem abrir os olhos, A mãe da menina suspeitou que eu mantinha uma relação íntima com o marido, E era verdade, Era, desde há muito tempo, Foi por isso que eles se mudaram, Sim. A mulher abriu os olhos e perguntou, Agradam-lhe os meus segredos, Deles, só me interessa o que tiver que ver com a pessoa que ando a procurar, aliás, nem me foi concedida autorização para mais, Então não quer saber o que aconteceu depois, Oficialmente, não, Mas, particularmente, talvez, Não é meu costume andar a espreitar as vidas alheias, disse o Sr. José, esquecido das cento e quarenta e tantas que tinha no armário, depois acrescentou, Mas certamente nada de muito extraordinário terá acontecido, uma vez que me disse ser viúva, Tem boa memória, É uma condição fundamental se se quiser ser funcionário da Conservatória Geral do Registo Civil, o meu chefe, por exemplo, só para que a senhora fique com uma ideia, sabe de cor todos os nomes que existem e existiram, todos os nomes e todos os apelidos, E isso para que serve, O cérebro de um conservador é como um duplicado da Conservatória, Não compreendo, Sendo, como é, capaz de realizar todas as combinações possíveis de nomes e apelidos, o cérebro do meu chefe não só conhece os nomes de todas as pessoas que estão vivas e de todas as que morreram, como poderia dizer-lhe como se chamarão todas as que vierem a nascer daqui até ao fim do mundo, O senhor sabe mais do que o seu chefe, Nem pensar, comparado com ele não valho nada, por isso ele é o conservador e eu não passo de um mero auxiliar de escrita, Ambos sabem o meu nome, É certo, Mas ele não sabe de mim mais do que o meu nome, Nisso tem razão, a diferença está em que ele já o conhecia antes, ao passo que eu só fiquei a conhecê-lo depois de ter recebido esta missão, E de um salto passou-lhe à frente, está aqui na minha casa, pode ver-me a cara, ouviu-me dizer que enganei o meu marido, e é, em todos estes anos, a única pessoa a quem o disse, que mais é preciso para se convencer de que, ao pé de si, o seu chefe não passa de um ignorante, Não diga isso, não é conveniente, Tem mais alguma pergunta a fazer-me, Que pergunta, Por exemplo, se fui feliz no casamento depois do que sucedeu, É um assunto alheio ao processo, Nada é alheio, assim como todos os nomes estão na cabeça do seu chefe, assim o processo de uma pessoa é o processo de todas, A senhora sabe muito, É natural, vivi muito, Cinquenta anos tenho eu já, e à sua vista não sei nada, Não imagina o que se aprende entre os cinquenta e os setenta, E essa a sua idade, Um pouco mais, Foi feliz depois daquilo que sucedeu, Afinal sempre lhe interessa, É que sei pouco da vida das pessoas, Tal como o seu chefe, tal como a sua Conservatória, Suponho que sim, Fui perdoada, se é isso que quer saber, Perdoada, Sim, acontece muitas vezes, perdoai-vos uns aos outros, como é costume dizer-se, A frase conhecida não é assim, é amai-vos uns aos outros, Dá no mesmo, perdoa-se porque se ama, ama-se porque se perdoa, o senhor é uma criança, ainda tem muito que aprender, Vejo que sim, É casado, Não, Nem viveu nunca com uma mulher, Viver, aquilo a que se chama viver, nunca vivi, Só ligações de passagem, temporárias, Nem isso, vivo sozinho, quando a precisão aperta faço o que todos fazem, vou à procura e pago, Já reparou que está a responder a perguntas, Sim, mas agora não me importa, se calhar é assim que se aprende, respondendo, Vou explicar-lhe uma coisa, Diga, Começarei por lhe perguntar se sabe quantas são as pessoas que existem num casamento,

Duas, o homem e a mulher, Não senhor, no casamento existem três pessoas, há a mulher, há o homem, e há o que chamo a terceira pessoa, a mais importante, a pessoa que é constituída pelo homem e pela mulher juntos, Nunca tinha pensado nisso, Se um dos dois comete adultério, por exemplo, o mais ofendido, o que recebe o golpe mais fundo, por muito incrível que isto lhe pareça, não é o outro, mas esse outro outro que é o casal, não é o um, mas o dois, E pode-se viver realmente com esse um feito de dois, a mim já me custa trabalho viver comigo mesmo, O mais comum no casamento é ver-se o homem ou a mulher, ou ambos, cada um por seu lado, a querer destruir esse terceiro que eles são, esse que resiste, esse que quer sobreviver seja como for, É uma aritmética demasiado complicada para mim, Case-se, arranje uma mulher, e depois me dirá, Ora, ora, já se me acabou o tempo, Melhor é que não aposte, sabe-se lá o que irá encontrar quando chegar ao fim da sua missão, ou como lhe chamou, As dúvidas que fui mandado esclarecer são dúvidas da Conservatória Geral, não são as minhas, E que dúvidas são essas, se não é confiado perguntar, Estou sob sigilo oficial, não posso responder, O sigilo aproveita-lhe bem pouco, Sr. José, não tarda que tenha de ir-se embora, e irá daqui a saber o mesmo que quando entrou, nada, Isso é certo, e o Sr. José acenou a cabeça com desalento.

A mulher olhou-o como se o estudasse, depois perguntou, Há quanto tempo anda metido nesta investigação, Propriamente falando, comecei hoje, mas o conservador já vai ficar zangado quando lhe aparecer de mãos a abanar, é uma pessoa muito impaciente, Seria uma grande injustiça para com um funcionário que, pelos vistos, não se importa de trabalhar aos sábados, Não tinha nada de meu para fazer, era uma maneira de adiantar serviço, Pois não adiantou grande coisa, não senhor, Vou ter de pensar, Peça conselho ao seu chefe, para isso é chefe, Não o conhece, ele não admite que lhe façam perguntas, dá as ordens, e basta, E agora, Já disse, vou ter de pensar, Então pense, A senhora não sabe mesmo nada, para onde eles foram viver quando saíram de cá, a carta que recebeu devia trazer a direcção de quem a enviava, Devia ter, sim, mas essa carta já não existe, Não lhe respondeu, Não, Porquê, Entre matar e deixar morrer, preferi matar, falo em sentido figurado, claro, Estou num beco sem saída, Talvez não, Que quer dizer, Dê-me um papel e algo que escreva. Com as mãos a tremer, o Sr. José passou-lhe um lápis, Pode escrever mesmo aqui, nas costas do verbete, é uma cópia. A mulher pôs os óculos e escreveu rapidamente algumas palavras, Aí tem, mas olhe que não é nenhuma direcção deles, é só o nome da rua onde estava a escola que a minha afilhada frequentava quando se mudaram, talvez por aí consiga chegar aonde quer, se é que a escola ainda lá está. O espírito do Sr. José achou-se dividido entre a gratidão pessoal pelo favor e a contrariedade oficial por ele ter demorado tanto. Despachou a gratidão dizendo Obrigado, sem mais, e, embora num tom moderado, deixou que a contrariedade se manifestasse, Não posso compreender por que tardou tanto tempo a dar-me a direcção da escola, sabendo que qualquer informação, por insignificante que parecesse, seria de vital importância para mim, Não seja exagerado, Apesar de tudo, estou-lhe muito grato, e digo-o quer em meu nome pessoal quer em nome da Conservatória Geral do Registo Civil que represento, mas insisto em que me explique por que demorou tanto a dar-me esta direcção, A razão é muito simples, não tenho ninguém com quem falar. O Sr. José olhou a mulher, ela estava a olhá-lo a ele, não vale a pena gastar palavras a explicar a expressão que tinham nos olhos um e outro, só importa o que ele foi capaz de dizer ao cabo de um silêncio, Eu também não. Então a mulher levantou-se da cadeira, puxou uma gaveta do móvel que estava atrás de si e tirou de lá o que parecia um álbum, São fotografias, pensou o Sr. José com alvoroço. A mulher abriu o livro, folheou-o, em poucos segundos encontrou o que queria, a fotografia não estava colada, mantinham-na apenas quatro pequenos encaixes de cartolina pegados à folha, Aqui tem, leve-a, disse, é a única que conservei dela, e agora espero que não me pergunte se também tenho fotografias dos pais, Não perguntarei. O Sr. José estendeu a mão trémula, recebeu o retrato a preto e branco de uma menina de oito ou nove anos, um rostinho que devia ser pálido, uns olhos sérios debaixo de uma franja que roçava as sobrancelhas, a boca quis sorrir mas não pôde, ficou assim. Coração sensível, o Sr. José sentiu arrasarem-se de lágrimas os seus próprios olhos, Não parece um funcionário dessa Conservatória, disse a mulher, É a única coisa que sou, disse ele, Quer uma chávena de café, Viria bem.

Pouco falaram enquanto bebiam o café e trincavam uma bolacha, apenas algumas palavras sobre a rapidez com que o malvado tempo passa, Passa, e nem damos por isso, ainda há pouco era manhã e já a noite aí está, na verdade notava-se que a tarde ia chegando ao fim, mas talvez estivessem a falar da vida, da vida deles, ou da vida em geral, é o que sucede quando assistimos a uma conversa e não prestamos atenção, sempre o mais importante nos escapa. Acabou o café, as palavras tinham acabado, o Sr. José levantou-se e disse, Tenho de me retirar, agradeceu o retrato, a direcção da escola, a mulher disse, Se alguma vez passar por estes lados, depois acompanhou-o à porta, ele estendeu-lhe a mão, tornou a dizer, Muito obrigado, como um cavalheiro doutra época levou a mão dela aos lábios, foi então que a mulher sorriu maliciosamente e disse, Talvez não fosse má ideia procurar na lista telefónica.

O golpe foi tão duro que o Sr. José, postos já na rua os seus desorientados pés, levou tempo a perceber que uma chuvinha miúda, quase diáfana, dessas que molham no sentido vertical e no sentido horizontal, além de em todos os oblíquos, lhe estava a cair em cima. Talvez não fosse má ideia procurar na lista telefónica, dissera maldosamente a velha à despedida, e cada uma destas palavras, em si mesmas inocentes, incapazes de ofender a mais susceptível das criaturas, se tinha transformado num instante em insulto agressivo, em atestado de insofrível estupidez, como se, durante a conversa, tão rica de sentimentos a partir de certa altura, ela o tivesse estado a observar friamente, para concluir que o desajeitado funcionário da Conservatória Geral do Registo Civil, mandado à procura do que estava longe e oculto, era incapaz de ver o que se encontrava diante dos olhos e ao alcance da mão. Sem chapéu nem guarda-chuva, o Sr. José recebia directamente na cara a poalha de água, rodopiante e confusa como os desagradáveis pensamentos que iam e vinham dentro da sua cabeça, todos eles, porém, começou a notá-lo logo, ao redor de um certo ponto central, ainda pouco discernível, mas que pouco a pouco se tornava mais nítido. Era verdade que não se tinha lembrado de fazer algo tão simples e de todos os dias como consultar a lista telefónica quando se quer conhecer tanto o número de um telefone como a direcção da pessoa em nome de quem está. A sua primeira acção, se pretendia averiguar o paradeiro da mulher desconhecida, devia ter sido essa, em menos de um minuto ficaria a saber onde encontrá-la, depois, a pretexto de esclarecer as imaginárias dúvidas da inscrição no Registo Civil, poderia combinar com ela um encontro fora da Conservatória, alegando que desejava poupá-la ao pagamento duma taxa, por exemplo, e logo, nesse momento, arriscando tudo num gesto temerário, ou dias mais tarde, quando tivesse já entrado em confiança, pedir-lhe, Conte-me a sua vida. Não havia procedido assim, e, embora fosse bastante ignorante em artes de psicologia e arcanos do inconsciente, começava agora, com apreciável aproximação, a compreender porquê. Imaginemos um caçador, ia dizendo consigo mesmo, imaginemos um caçador que tivesse preparado carinhosamente o seu equipamento, a espingarda, a cartucheira, o bornal do farnel, o cantil da água, a bolsa de rede para recolher as peças, as botas de campo, imaginemo-lo a sair com os cães, decidido, cheio de ânimo, preparado para uma longa jornada, como é próprio das aventuras cinegéticas, e ao virar da esquina mais próxima, mesmo ao lado de casa, sai-lhe ao caminho um bando de perdizes dispostas a deixar-se matar, que levantam voo mas não se vão dali por mais tiros que as deitem abaixo, com regalo e surpresa dos cães, que nunca em sua vida tinham visto cair o maná do céu em tais quantidades. Qual seria, para o caçador, o interesse duma caçada a este ponto fácil, com as perdizes a virem oferecer-se, por assim dizer, à frente dos canos, perguntou-se o Sr. José, e deu a resposta que a qualquer pareceria óbvia, Nenhum. O mesmo se passou comigo, acrescentou, deve haver na minha cabeça, e seguramente na cabeça de toda a gente, um pensamento autónomo que pensa por sua própria conta, que decide sem a participação do outro pensamento, aquele que conhecemos desde que nos conhecemos e que tratamos por tu, aquele que se deixa guiar por nós para nos levar aonde cremos que conscientemente queremos ir, mas que, afinal de contas, poderá ser que esteja a ser conduzido por outro caminho, noutra direcção, e não para a esquina mais próxima, onde um bando de perdizes nos espera sem que o saibam, mas sabendo nós, enfim, que o que dá o verdadeiro sentido ao encontro é a busca e que é preciso andar muito para alcançar o que está perto. A claridade do pensamento, fosse este ou aquele, o especial ou o do costume, na verdade depois de se ter chegado importa menos como se chegou, foi tão ofuscante, que o Sr. José parou aturdido no meio do passeio, envolvido pelo chuvisco nevoento e pela luz de um candeeiro de iluminação pública que se acendera naquele momento por casualidade. Então, do fundo de uma alma contrita e agradecida, arrependeu-se dos maus e imerecidos pensamentos, esses, sim, muito conscientes, que havia lançado sobre a idosa e benévola senhora do rés do chão direito, quando o certo é que lhe estava a dever, não só o endereço da escola e o retrato, mas também a mais perfeita e acabada explicação de um procedimento que aparentemente não a tinha. E como ela tinha deixado no ar aquele convite para que a voltasse a visitar, Se alguma vez passar por estes lados, foram estas as palavras, claras o suficiente para dispensarem o resto da frase, prometeu a si mesmo que iria bater-lhe à porta um dia destes, tanto para lhe dar conta do andamento das pesquisas como para a surpreender com a revelação do motivo autêntico por que não tinha consultado a lista telefónica. Claro que isso significaria ter de lhe confessar que a credencial era falsa, que a busca não havia sido ordenada pela Conservatória Geral, mas ideia sua, e, inevitavelmente, falar do resto. O resto era a colecção de pessoas famosas, o medo das alturas, os papéis enegrecidos, as teias de aranha, as estantes monótonas dos vivos, o caos dos mortos, o bafio, a poeira, o desânimo, finalmente o verbete que por alguma razão tinha vindo agarrado aos outros, Para que não se esquecessem dele, e o nome, O nome da menina que aqui levo, recordou, e só porque a moinha de água continuava a descer do céu é que não tirou o retrato do bolso para o olhar. Se alguma vez chegasse a dizer a alguém como é a Conservatória Geral por dentro, seria à senhora do rés do chão direito. É assunto que o tempo resolverá, decidiu o Sr. José. Nesse preciso instante o tempo trouxe-lhe o autocarro que o levaria até perto da sua casa, com muita gente molhada dentro, homens e mulheres de idades e figuras várias, uns novos, outros velhos, uns mais cá, outros mais para lá. A Conservatória Geral do Registo Civil conhecia-os a todos, sabia como se chamavam, onde tinham nascido e de quem, contava-lhes e descontava-lhes os dias um a um, aquela mulher, por exemplo, de olhos fechados, aquela que leva a cabeça encostada ao vidro da janela, deve ter os seus quê, trinta e cinco, trinta e seis anos, foi quanto bastou para que o Sr. José soltasse as asas à imaginação, E se é esta a mulher que procuro, impossível, de facto, não se podia dizer que o fosse, pessoas desconhecidas é o que mais se encontra na vida, e há que resignar-se, não podemos andar por aí perguntando a toda a gente, Como se chama, e depois tirar o verbete do bolso para ver se aquela pessoa é a que queremos. Duas paragens adiante a mulher saiu, depois deixou-se ficar parada no passeio à espera de que o autocarro seguisse viagem, com certeza queria atravessar para o outro lado da rua, e, como não levava guarda-chuva, o Sr. José pôde ver-lhe a cara de frente não obstante as gotículas que se agarravam à vidraça, houve um momento em que, talvez impaciente por o autocarro tardar a arrancar, ela levantou a cabeça, foi então que encontrou o olhar dele. Ficaram assim até que o autocarro se pôs em andamento, continuaram assim enquanto puderam ver-se, o Sr. José esticando e virando o pescoço, a mulher seguindo-lhe de lá o movimento, ela porventura a perguntar-se, Quem será este, ele a responder-se, É ela.

Entre a paragem em que o Sr. José devia sair e a Conservatória Geral, atenção muito louvável dos serviços de transportes para com as pessoas que precisavam de vir tratar dos seus papéis ao Registo Civil, a distância não era grande. Apesar disso, o Sr. José entrou em casa molhado de cima a baixo. Despiu rapidamente a gabardina, mudou de calças, de peúgas e de sapatos, esfregou com uma toalha o cabelo que escorria, e enquanto fazia tudo isto prosseguia no seu diálogo interior, É ela, Não é ela, Podia ser, Podia ser, mas não era, E se era, Sabê-lo-ás quando encontrares a do verbete, Se for ela, dir-lhe-ei que já nos conhecíamos, que nos vimos no autocarro, Não se lembrará, Se não demorar muito tempo a encontrá-la, lembra-se de certeza, Mas tu não queres encontrá-la em pouco tempo, talvez nem em muito, se realmente o quisesses terias ido procurar o nome à lista telefónica, é por aí que se começa, Não me lembrei, A lista está lá dentro, Não me apetece entrar agora na Conservatória, Tens medo do escuro, Não tenho medo nenhum, conheço aquela escuridão como a palma das minhas mãos, Diz-me antes que nem a palma das tuas mãos conheces, Se é isso que pensas, deixa-me ficar na minha ignorância, também os pássaros cantam e não sabem porquê, Estás lírico, Estou triste, Com a vida que levas, é natural, Imagina que a mulher do autocarro era mesmo a do verbete, imagina que não a torno a encontrar, que aquela foi a única ocasião, que o destino estava ali e o deixei ir, Só tens uma maneira de tirar o caso a limpo,

Qual, Fazeres o que te disse a inquilina do rés do chão direito, a velha, Mais tento na língua, por favor, É velha, É uma senhora de idade, Deixa-te de hipocrisias, idade temo-la nós todos, a questão está em saber-se quanta, se é pouca, és novo, se é muita, és velho, o resto é conversa, Acabemos com isto, Pois acabemos, Vou ver a lista, É o que te estou a dizer há meia hora. De pijama e chinelos, embrulhado num cobertor, o Sr. José entrou na Conservatória. O indumento insólito fazia-o sentir-se pouco à vontade, como se estivesse a perder o respeito aos veneráveis arquivos, àquela eterna luz amarelada que, igual a um sol moribundo, pairava sobre a secretária do conservador. A lista estava ali, num canto da mesa, não era permitido consultá-la sem autorização, mesmo tratando-se de uma chamada oficial, e agora o Sr. José, como já antes fizera, poderia sentar-se à secretária, é verdade que tinha sido só uma vez, num momento sem par que lhe havia parecido de triunfo e de glória, mas agora não se atrevia, talvez pelo impróprio do traje, pelo temor absurdo de que alguém o viesse surpreender naquela figura, e quem poderia ser, se nunca um ser vivo, a não ser ele, por aqui andou fora das horas de serviço. Pensou que seria conveniente levar a lista consigo, em casa sentir-se-ia mais tranquilo, sem a presença ameaçadora das altíssimas estantes que pareciam querer precipitar-se das sombras do tecto, lá onde as aranhas tecem e devoram. Estremeceu como se as poeirentas e pegajosas teias viessem já a cair sobre ele e por pouco não cometeu a imprudência de deitar a mão à lista telefónica sem antes ter tido a precaução de medir exactamente as distâncias que a separavam, em cima e ao lado, dos bordos da mesa, e quem diz as distâncias, também diria os ângulos, se não se desse a favorável circunstância de as inclinações geométricas e topográficas do conservador tenderem abertamente para os ângulos rectos e para as paralelas. Entrou em casa seguro de que, daí a pouco, ao restituir a lista telefónica ao seu lugar ela ficaria de facto no sítio exacto, sem desvio de um só milímetro, e que o conservador não teria de dar ordem aos subchefes para investigarem quem a tinha utilizado, como, quando e porquê. Até ao último momento ainda esteve à espera de que algo acontecesse que o impedisse de levar a lista, um murmúrio, um estalido suspeito, um clarão vindo subitamente dos fundos mortuários da Conservatória Geral, mas a paz era absoluta, nem mesmo o rangido minúsculo das mandíbulas dos bostriquídeos, os insectos comedores de madeira, se ouvia.

Agora o Sr. José, com o cobertor pelas costas, está sentado à sua própria mesa, tem na frente a lista telefónica, abre-a no princípio e demora-se a percorrer as instruções de uso, os códigos, as tabelas de preços, como se esse fosse o seu objectivo. Ao cabo de minutos, um ímpeto repentino, não pensado, fê-lo saltar rapidamente as páginas, para diante, para trás, até parar na que corresponde ao nome da mulher desconhecida. Ou não está, ou são os seus olhos que se recusam a ver. Não, não está. Devia vir a seguir a este nome, e não vem. Devia estar antes deste nome, e não está. Eu bem dizia, pensou o Sr. José, e não era verdade que o tivesse dito alguma vez, são modos de dar-se razão contra o mundo, de desafogar, neste caso, uma alegria, qualquer investigador da polícia teria manifestado a sua contrariedade dando um soco na mesa, o Sr. José não, o Sr. José arvora o sorriso irónico de quem, tendo sido mandado procurar algo que sabia não existir, regressa da busca com a frase nos lábios, Eu bem dizia, ou ela não tem telefone, ou não quer o nome na lista. A sua satisfação foi tal que, acto contínuo, sem perder tempo a pesar os prós e os contras, procurou o nome do pai da mulher desconhecida, e esse, sim, estava. Nem uma fibra do seu corpo estremeceu. Pelo contrário, decidido agora a queimar todas as pontes atrás de si, arrastado por um impulso que só os autênticos pesquisadores podem experimentar, buscou o nome do homem de quem a mulher desconhecida se havia divorciado, e também o encontrou. Se tivesse aqui um mapa da cidade já poderia assinalar os cinco primeiros pontos de passagem averiguados, dois na rua onde a menina do retrato nasceu, outro no colégio, agora estes, o princípio de um desenho como o de todas as vidas, feito de linhas quebradas, de cruzamentos, de intersecções, mas nunca de bifurcações, porque o espírito não vai a lado nenhum sem as pernas do corpo, e o corpo não seria capaz de mover-se se lhe faltassem as asas do espírito. Tomou nota das moradas, depois apontou o que teria de comprar, um mapa grande da cidade, um cartão grosso do mesmo tamanho onde fixá-lo, uma caixa de alfinetes de cabeça colorida, vermelhos para serem percebidos à distância, que as vidas são como os quadros, precisaremos sempre de olhá-las quatro passos atrás, mesmo se um dia chegámos a tocar-lhes a pele, a sentir-lhes o cheiro, a provar-lhes o gosto. O Sr. José estava tranquilo, não o perturbava o facto de ter ficado a saber onde moravam os pais e o antigo marido da mulher desconhecida, este, curiosamente, bastante perto da Conservatória Geral, claro que mais tarde ou mais cedo iria bater-lhes à porta, mas só quando sentisse que tinha chegado o momento, só quando o momento ordenasse, Agora. Fechou a lista telefónica, foi devolvê-la à secretária do chefe, ao lugar exacto donde a tirara, e voltou para casa. Pelo relógio, eram horas de jantar, mas as emoções do dia deviam ter-lhe distraído o estômago, que não dava sinais de impaciência. Tornou a sentar-se, aconchegou a manta ao corpo, puxando-lhe as pontas para cobrir as pernas, e aproximou o caderno que comprara na papelaria. Era tempo de começar a tomar notas sobre o andamento da busca, os encontros, as conversas, as reflexões, os planos e as tácticas duma investigação que se anunciava complexa, Os passos de alguém à procura de alguém, pensara, e, na verdade, embora a procissão ainda fosse no princípio, já tinha muito para contar, Se isto fosse um romance, murmurou enquanto abria o caderno, só a conversa com a senhora do rés do chão direito daria um capítulo. Tomou a caneta para principiar, mas, no meio do gesto, os seus olhos encontraram o papel onde tinha escrito as direcções, havia algo em que não pensara antes, a hipótese, muito plausível, de que a mulher desconhecida, depois de se divorciar, tivesse ido viver com os pais, a hipótese, igualmente possível, de que fosse o marido a deixar a casa, conservando-se o telefone em seu nome. Se este tivesse sido o caso, e considerando que a rua em questão se encontrava nas proximidades da Conservatória Geral, quem sabe se a mulher do autocarro não seria mesmo a tal. O diálogo interior pareceu querer recomeçar, Era, Não era, Era, Não era, mas o Sr. José não lhe deu ouvidos desta vez, e, inclinando-se sobre o papel, começou a escrever as primeiras palavras, assim, Entrei no prédio, subi a escada até ao segundo andar e escutei à porta da casa onde a mulher desconhecida nasceu, então ouvi o choro duma criança de berço, pensei que podia ser o filho, e ao mesmo tempo um embalo de mulher, Será ela, depois vim a saber que não.

Ao contrário do que quase sempre se pensa, vendo as coisas de fora, não costuma ser fácil a vida nas repartições oficiais, menos ainda nesta Conservatória Geral do Registo Civil, onde, desde tempos a que só não poderemos chamar imemoriais porque de tudo e de todos se encontra registo nela, por obra do esforço persistente de uma linha ininterrupta de grandes conservadores, sumamente se reuniram todas as excelsitudes e pequenezas do ofício público, aquelas que fazem do funcionário um ser à parte, usufruidor e ao mesmo tempo dependente do espaço físico e mental delimitado pelo alcance do seu aparo. Em termos simples, e com vista a uma mais exacta compreensão dos factos gerais abstractamente considerados neste preâmbulo, o que o Sr. José tem é um problema para resolver. Sabendo quão custoso lhe foi arrancar às relutâncias regulamentares da hierarquia aquela mísera meia hora de dispensa do serviço, graças à qual pôde não ser surpreendido em flagrante pelo marido da jovem senhora do segundo andar esquerdo, podemos imaginar as aflições por que anda a passar agora, noite e dia, à procura da justificação útil que lhe permita solicitar, não uma hora, mas duas, não duas, mas três, que provavelmente são as de que irá precisar para levar a cabo, com proveito suficiente, a visita à escola e a indispensável pesquisa nos seus arquivos. Os efeitos desta inquietação, constante, obsessiva, não tardaram a manifestar-se em erros no trabalho, em faltas de atenção, em súbitas sonolências diurnas devidas à insónia nocturna, em resumo, o Sr. José, até aqui apreciado pelos seus vários superiores como um funcionário competente, metódico e dedicado, começou a ser objecto de avisos severos, de admoestações, de chamadas à ordem, que só serviram para o confundir ainda mais, sem contar que, pelo caminho que ia, podia ter como certíssima uma resposta negativa se alguma vez chegasse a requerer a ansiada dispensa. Atingiu a situação uns extremos tais que, depois de ter sido analisada, sem resultado, sucessivamente por oficiais e subchefes, não houve outro remédio que fazê-la subir à consideração do conservador, o qual, nos primeiros momentos, não conseguiu compreender o que se passava, tão absurdo lhe parecia. Que um funcionário tivesse desmazelado àquele ponto as suas obrigações, era algo que tornava impossível qualquer benevolente inclinação que ainda pudesse existir para uma decisão exculpatória, era algo que ofendia seriamente as tradições operativas da Conservatória Geral, algo que só uma doença muito grave poderia justificar. Levado o delinquente à sua presença, foi isto mesmo o que o conservador perguntou ao Sr. José, Está doente, Julgo que não, senhor, Se não está doente, como explica então o mau trabalho que tem andado a fazer nos últimos dias, Não sei, senhor, talvez seja porque tenho dormido mal, Nesse caso, está mesmo doente, Apenas durmo mal, Se dorme mal, é porque está doente, uma pessoa saudável dorme sempre bem, a não ser que tenha algum peso na consciência, uma falta censurável, daquelas que a consciência não perdoa, a consciência é muito importante, Sim senhor, Se os seus erros de serviço são causados pela insónia e se a insónia está a ser causada por acusações da consciência, então há que descobrir a falta cometida, Não cometi nenhuma falta, senhor, Impossível, a única pessoa, aqui, que não comete faltas, sou eu, e agora que se passa, por que é que está a olhar para a lista dos telefones, Distraí-me, senhor, Mau sinal, sabe que tem de olhar sempre para mim quando lhe falo, é do regulamento disciplinar, eu sou o único que tem direito a desviar os olhos, Sim senhor, Qual foi a falta, Não sei, senhor, Nesse caso ainda é mais grave, as faltas esquecidas são as piores, Tenho sido cumpridor dos meus deveres, As informações de que disponho a seu respeito eram satisfatórias, mas isso, precisamente, só serve para demonstrar que a sua má conduta profissional destes dias não foi consequência duma falta esquecida, mas duma falta recente, duma falta de agora, A consciência não me acusa, As consciências calam-se mais do que deviam, por isso é que se criaram as leis, Sim senhor, Tenho de tomar uma decisão, Sim senhor, E já a tomei, Sim senhor, Aplico-lhe um dia de suspensão, E a suspensão, senhor, é só de salário, ou também é de serviço, perguntou o Sr. José, vendo acender-se um vislumbre de esperança, De salário, de salário, o serviço não pode ser mais prejudicado do que já foi, ainda há pouco tempo lhe dei meia hora de folga, não me diga que esperava que o seu mau comportamento fosse premiado com um dia inteiro, Não senhor, Desejo, para seu bem, que lhe sirva de emenda, que volte rapidamente a ser o funcionário correcto que era antes, no interesse desta Conservatória Geral, Sim senhor, Nada mais, regresse ao seu lugar.

Desesperado, levando os nervos desfeitos, quase em lágrimas, o Sr. José foi para onde o mandaram. Durante os poucos minutos que havia durado a difícil conversação com o chefe, o trabalho acumulara-se na sua mesa, como se os outros auxiliares de escrita, seus colegas, aproveitando-se da periclitante situação disciplinar em que o viam, tivessem também querido, por sua própria conta, castigá-lo. Além disso, umas quantas pessoas esperavam a sua vez de serem atendidas. Todas se tinham postado na sua frente, e não havia sido por acaso, ou por terem pensado, quando na Conservatória Geral entraram, que o funcionário ausente talvez fosse mais simpático e acolhedor do que os que estavam à vista ao longo do balcão, mas porque esses mesmos lhes haviam apontado que era ali que deveriam dirigir-se. Como o regulamento interno determinava que o atendimento das pessoas teria prioridade absoluta sobre o trabalho de mesa, o Sr. José foi para o balcão, sabendo que atrás de si iriam continuar a chover papéis. Estava perdido. Agora, depois da advertência agastada do conservador e da subsequente punição, mesmo que inventasse o nascimento impossível de um filho ou a morte duvidosa de um parente, podia tirar da cabeça qualquer esperança de que o autorizassem nos tempos próximos a sair mais cedo ou a entrar mais tarde uma hora, meia hora, um minuto, que fosse. A memória, nesta casa de arquivos, é tenaz, lenta a esquecer, tão lenta que nunca chegará a olvidar nada por completo. Tenha o Sr. José, daqui a dez anos, uma distracção, por muito insignificante que seja, e verá como alguém lhe recordará logo todos os pormenores destes desafortunados dias. Provavelmente era a isto que o conservador se referia quando disse que as piores faltas são aquelas que aparentemente estão esquecidas. Para o Sr. José, o restante deste dia foi como um penoso calvário, forçado de trabalhos, angustiado de pensamentos. Enquanto uma parte da sua consciência ia dando acertadamente explicações ao público, preenchendo e carimbando documentos, arquivando verbetes, a outra parte, monotonamente, maldizia a sorte e o acaso que tinham acabado por transformar em mórbida curiosidade algo que não chegaria sequer a tocar ao de leve a imaginação duma pessoa sensata, equilibrada de cabeça. O chefe tem razão, pensava o Sr. José, os interesses da Conservatória devem ser postos por cima de tudo, vivesse eu duma maneira ajuizada, normal, e certamente não me teria posto, com esta idade, a fazer colecções de actores, bailarinas, bispos e jogadores de futebol, é estúpido, é inútil, é ridículo, bonita herança aquela que vou deixar quando morrer, felizmente que não tenho descendentes, o mau de tudo isto, se calhar, vem de viver eu sem companhia, se tivesse uma mulher. Chegado a este ponto, o pensamento interrompeu-se, depois tomou por outra via, um caminho estreito, confuso, à entrada do qual se pode ver o retrato de uma menina pequena, ao fim do qual deverá estar, se estiver, a pessoa real duma mulher feita, adulta, que tem agora trinta e seis anos, divorciada, E para que a quererei eu, para quê, que faria eu com ela depois de a ter encontrado. O pensamento cortou-se outra vez, desandou bruscamente os passos que dera, E como crês tu que a encontrarás, se não te deixam ir procurá-la, perguntou-lhe, e ele não respondeu, naquela altura estava ocupado a informar a última pessoa da fila de que a certidão de óbito que tinha pedido estaria pronta no dia seguinte.

Contudo, há perguntas tenazes, que não desistem, e esta voltou a atacá-lo quando ele, cansado de corpo, exaurido de ânimo, entrou enfim em casa. Tinha-se atirado para cima da cama como um trapo, queria dormir, esquecer a cara do chefe, o castigo injusto, mas a pergunta foi deitar-se ao lado dele, deslizando sussurrante, Não a podes procurar, não te deixam, desta vez era impossível fingir que estava distraído a falar com o público, ainda tentou fazer-se desentendido, disse que havia de encontrar uma maneira, e se não a encontrasse desistiria de tudo, porém a pergunta teimava, Deixas-te vencer com facilidade, para isso não valia a pena teres falsificado uma credencial e obrigado aquela infeliz e simpática senhora do rés-do-chão direito a falar do seu pecaminoso passado, é uma falta de respeito pelos outros entrar-lhes assim pela porta dentro para lhes devassar o íntimo. A alusão à credencial fê-lo sentar-se na cama de repente, assustado. Tinha-a no casaco, andara com ela durante todos estes dias, imagine-se que por uma razão ou por outra a deixava cair, ou que, com o destrambelho dos nervos, o acometia uma síncope, dessas que deixam uma pessoa sem acordo de si, e um colega qualquer, sem nenhuma má intenção, ao desabotoá-lo para que pudesse respirar, via o sobrescrito branco com o timbre da Conservatória Geral, e dizia, Que é isto, e depois um oficial, e depois um subchefe, e depois o chefe. O Sr. José nem quis pensar no que viria a seguir, levantou-se de um salto, foi ao casaco que estava dependurado nas costas duma cadeira, tirou a credencial, e ansioso, olhando em redor, perguntou-se aonde diabo poderia ir escondê-la. Nenhum dos móveis tinha chave, todos os seus escassos pertences se encontravam ao alcance de qualquer espírito bisbilhoteiro que entrasse. Foi então que reparou nas colecções alinhadas no armário, ali devia estar o remédio para a dificuldade. Procurou a pasta do bispo e entalou-lhe dentro o sobrescrito, um bispo não excita a curiosidade por muita fama de piedade que tenha, não é um ciclista nem um corredor de automóveis de fórmula um. Voltou para a cama, aliviado, mas a pergunta tinha lá ficado à sua espera, Não adiantaste nada, o problema não é a credencial, tanto faz que a escondas como a mostres, não será isso que te levará à mulher, Já disse que encontrarei uma maneira, Duvido, o chefe atou-te bem atado, de pés e mãos, não te permite que dês um passo, Esperarei que as coisas se acalmem, E depois, Não sei, há-de aparecer-me uma ideia, Podias resolver o assunto agora mesmo, Como, Telefonas aos pais, dizes que falas em nome da Conservatória, pedes que te deem a direcção, Isso não faço, Amanhã vais a casa da mulher, não sou capaz de imaginar que conversa será a vossa, mas ao menos tirarás daí o sentido, Provavelmente não quererei falar-lhe quando a tiver diante, Sendo assim, por que é que a procuras, por que é que andas a investigar-lhe a vida, Também ando a juntar papéis sobre o bispo e nem por isso estou interessado em falar algum dia com ele, Parece-me absurdo, É absurdo, mas já era tempo de fazer algo absurdo na vida, Queres tu dizer-me que se chegas a encontrar a mulher, ela não vai saber que a procuraste, É o mais certo, Porquê, Não sei explicar, De todo o modo, nem à escola da garota conseguirás ir, as escolas são como a Conservatória Geral, estão fechadas nos fins de semana, Na Conservatória posso entrar sempre que quiser, Não se pode dizer que seja uma proeza realmente extraordinária, a porta da tua casa dá para lá, Vê-se que nunca tiveste de lá ir por ti mesma, Vou aonde tu fores, assisto ao que fizeres, Podes continuar, Continuarei, mas tu, na escola, não entrarás, Veremos. O Sr. José levantou-se, eram horas de jantar, se é que mereciam tal nome as ligeiríssimas refeições que costumava tomar à noite. Enquanto comia, ia pensando, depois lavou o prato, o copo e o talher, recolheu as migalhas que tinham caído na toalha, sempre pensando, e, como se o gesto tivesse sido a inevitável conclusão do que havia pensado, abriu a porta que dava para a rua. Defronte, no outro lado da calçada, estava uma cabina telefónica, por assim dizer à mão de semear, em vinte passos chegaria à ponta do fio que lhe levaria a voz, o mesmo fio lhe traria uma resposta, e ali, fosse num sentido, fosse noutro, se acabariam as buscas, já poderia voltar para casa tranquilo, recuperar a confiança do chefe, depois, rolando no seu próprio e invisível rasto, o mundo retomaria a órbita de sempre, a calma profunda de quem simplesmente espera a hora em que todas as coisas se hão-de cumprir, se é que estas palavras, tantas vezes ditas e repetidas, têm algum significado real. O Sr. José não atravessou a rua, foi vestir o casaco e a gabardina, e saiu.

Teve de mudar duas vezes de autocarro antes de chegar ao seu destino. A escola era um edifício comprido, de dois andares e águas-furtadas, que uma grade alta separava da rua. O espaço intermédio, uma faixa de terreno onde se viam, dispersas, algumas árvores de pequeno porte, devia servir para o recreio dos alunos. Não havia nenhuma luz. O Sr. José olhou em redor, a rua estava deserta apesar de não ser tarde, é o que têm de bom estes bairros excêntricos, mormente se o tempo não vai para estar de janela aberta, os vizinhos recolhem-se ao interior do lar, e além disso não há nada para ver lá fora. O Sr. José caminhou até ao fim da rua, mudou de passeio, agora vem andando na direcção da escola, devagar, como alguém que gosta de sair a tomar o fresco nocturno e não tem pessoas à sua espera. Rente ao portão, baixou-se com o trejeito de corpo de quem acaba de reparar que leva o cordão de um sapato desapertado, o truque é velho e gasto, não engana ninguém, mas usa-se à falta de melhor, quando a imaginação não dá para mais. Com o cotovelo, empurrou o portão, que se moveu um pouco, não estava fechado à chave. Metodicamente, o Sr. José deu um segundo nó sobre o primeiro, levantou-se e bateu com o pé no chão para comprovar a solidez dos laços, e prosseguiu o seu caminho, agora mais rapidamente, parecia que de repente se tinha lembrado de que afinal sempre havia alguém à sua espera.

Os dias que faltavam da semana viveu-os o Sr. José como se estivesse a assistir aos seus próprios sonhos. Na Conservatória não o viram cometer um único erro, não se distraiu, não trocou um papel por outro, despachou quantidades ingentes de trabalho que noutra altura o teriam feito protestar, em silêncio, naturalmente, contra o tratamento desumano de que os auxiliares de escrita desde sempre são vítimas, e tudo isto foi feito e suportado sem uma palavra, sem um murmúrio. O conservador olhou-o por duas vezes lá de longe, sabemos que esse não é o seu costume, olhar para os subordinados, muito menos de baixa categoria, mas a concentração espiritual do Sr. José atingia um tal grau de intensidade que era impossível não a perceber na atmosfera perenemente suspensa da Conservatória Geral. Na sexta-feira, no momento de encerrar o serviço, e sem que alguma coisa o fizesse prever, o conservador infringiu todos os regulamentos, desrespeitou todas as tradições, pôs em estado de assombro os funcionários todos, quando, ao sair, e passando ao lado do Sr. José, lhe perguntou, Está melhor. Respondeu o Sr. José que sim, que estava muito melhor, que não voltara a ter insónias, e o conservador disse, Fez-lhe bem a conversa que tivemos, pareceu que ia acrescentar algo mais, alguma ideia que subitamente lhe tivesse ocorrido, mas fechou a boca e saiu, não faltaria mais nada, anular o castigo imposto seria uma subversão da disciplina. Os outros auxiliares de escrita, os oficiais, e mesmo os subchefes, olharam o Sr. José como se o vissem pela primeira vez, as poucas palavras do chefe tinham feito dele uma pessoa diferente, mais ou menos o que sucede quando se leva uma criança a baptizar, leva-se uma e traz-se outra. O Sr. José acabou de arrumar a mesa, depois esperou a sua vez de sair, estava regulamentado que o primeiro a retirar-se seria o subchefe mais antigo, depois os oficiais, logo os auxiliares de escrita, sempre segundo a ordem dos tempos de serviço, ao outro subchefe competia fechar a porta. Contra o costume, o Sr. José não deu a volta à Conservatória Geral para entrar em casa, meteu-se antes pelas ruas ao redor, foi a três lojas diferentes e em cada uma delas fez uma compra, meio quilo de banha de porco numa, uma toalha de pano turco noutra, e também um pequeno objecto, coisa de nada, que cabia na palma da mão, e que meteu num bolso exterior do casaco, porque não precisava de ser embrulhado. Depois é que foi para casa. Passava já muito da meia-noite quando saiu. Àquela hora eram poucos os autocarros em circulação, só de longe em longe é que aparecia um, por isso o Sr. José, pela segunda vez desde que o verbete da mulher desconhecida lhe aparecera, decidiu tomar um táxi. Sentia uma espécie de vibração na boca do estômago, como um zumbido, um frenesi, mas a cabeça permanecia calma, ou, simplesmente, era incapaz de pensar. Houve um momento em que o Sr. José, encolhido no assento do táxi como se tivesse medo de ser visto, ainda tentou imaginar o que lhe poderia suceder, as consequências que poderia vir a ter na sua vida, se o acto que estava a ponto de cometer corresse mal, mas o pensamento escondeu-se atrás duma parede, Daqui não saio, disse de lá, e ele compreendeu, porque se conhecia bem, que o pensamento o queria proteger, não do medo, mas da cobardia. Perto do destino, mandou parar o táxi, faria a pé o pouco que ainda lhe faltava de caminho. Levava as mãos nos bolsos, segurando, debaixo da gabardina abotoada, os embrulhos que continham a banha e a toalha. No momento em que ia a virar uma esquina para entrar na rua onde se encontrava a escola, caíram-lhe em cima umas gotas soltas de chuva, logo substituídas, quando já se aproximava do portão, por uma grossa bátega que varreu ruidosamente a calçada. Diz-se, desde os tempos clássicos, que a fortuna protege os audaciosos, neste caso de agora o intermediário encarregado da protecção foi a chuva, ou, por outras palavras, o céu directamente, se alguma pessoa por aqui andasse a estas horas tardias estaria com certeza mais preocupada em resguardar-se da súbita molha do que em observar os manejos de um sujeito de gabardina que, julgando pela idade que parecia ter, se tinha escapado ao aguaceiro com uma rapidez de todo inesperada, ainda agora estava ali, e já não está. Abrigado debaixo duma das árvores da cerca, o coração a bater como doido, o Sr. José respirava ansiosamente, assombrado pela agilidade com que se tinha movido, ele que em matéria de exercícios físicos não ia além de trepar ao topo da escada da Conservatória Geral, e sabe Deus com que vontade. Estava a salvo das vistas da rua, e acreditava que, passando cautelosamente de árvore em árvore, poderia alcançar a entrada da escola sem que ninguém de fora se apercebesse. Convencera-se de que não havia guarda dentro, em primeiro lugar pela ausência de luz, tanto no outro dia como agora, e depois porque as escolas, salvo razões muito particulares e excepcionais, não são coisa que valha a pena assaltar. Excepcionais e particulares, eram-no as suas razões, e por isso ali tinha ido, armado de meio quilo de banha, uma toalha e um corta-vidros, que este foi o objecto que não precisou de ser embrulhado. Tinha no entanto de pensar bem no que ia fazer. Entrar pela frente seria uma imprudência, um vizinho que morasse num dos andares altos do outro lado da rua podia lembrar-se de vir espreitar a chuva que continuava a cair forte, e ver aquele homem a arrombar a janela da escola, há muitas pessoas que não mexeriam um dedo para evitar a consumação do acto violento, pelo contrário, deixariam cair a cortina e voltariam para a cama, dizendo, É lá com eles, mas há outras pessoas que se não salvam o mundo é só porque o mundo não se deixa salvar, essas chamariam imediatamente a polícia e viriam à varanda gritar, Acudam que é ladrão, dura palavra que o Sr. José não merece, quando muito falsificador, mas isto só nós é que sabemos. Dou a volta ao prédio, talvez lá seja mais fácil, pensou o Sr. José, e possivelmente tem razão, tantas são as vezes que sucede estarem as traseiras dos prédios mal cuidadas, com trastes velhos amontoados, caixotes à espera de um novo uso, latões que serviram a tinta, tijolos partidos duma obra, o melhor que pode desejar quem quer que pretenda improvisar uma escada, alcançar uma janela e entrar por aí. De facto, algumas destas utilidades foi o Sr. José encontrar, mas estava tudo arrumado debaixo de um alpendre encostado à parede, meticulosamente segundo parecia apalpando aqui e ali, seria preciso muito trabalho e tempo para escolher e retirar, às escuras, o que melhor se adequasse às necessidades estruturais da pirâmide por onde haveria de ascender, Se eu conseguisse subir ao tecto, murmurou, e a ideia em princípio era excelente, uma vez que havia uma janela logo dois palmos acima da junção da parte superior do alpendre com a parede, Mesmo assim, não vai ser fácil, o tecto é muito inclinado e com esta chuva deve estar escorregadio, resvaladiço, pensou. O Sr. José sentiu-se a perder o ânimo, é o que acontece a quem não tem experiência de assaltos, a quem não beneficiou das lições de mestres escaladores, nem sequer se tinha lembrado de vir inspeccionar antes o local, podia ter aproveitado o outro dia quando percebeu que o portão não estava fechado à chave, a sorte deve ter-lhe parecido tanta nessa ocasião que preferiu não abusar. Tinha no bolso a pequena lanterna eléctrica que usara na Conservatória Geral para iluminar os verbetes, mas não queria acendê-la aqui, uma coisa é um vulto no meio da escuridão, que pode passar mais ou menos despercebido, outra coisa, muito diferente, e pior, é uma rodela de luz a passear e a denunciar-se, Ora vejam onde eu estou. Abrigara-se debaixo do alpendre, ouvia a chuva rufando incansável na chapa do tecto, e não sabia que fazer. Deste lado também havia árvores, mais altas e frondosas que as da frente, se por trás delas se escondiam alguns prédios não os podia ver donde estava, Portanto, também eles não podem ver-me a mim, pensou o Sr. José, e, depois de ter hesitado ainda um momento, acendeu a lanterna e moveu-a de um lado a outro, numa rápida passagem. Não se tinha enganado, o depósito de ferro-velho da escola estava disposto e acondicionado com critério, como se fossem peças de maquinaria encaixadas umas nas outras. Tornou a acender a lanterna, desta vez apontando o foco para cima. Deitado sobre a trastaria, solto do resto, como peça de vez em quando necessária, havia um escadote. Ou fosse pelo inesperado do descobrimento, ou fosse por uma recordação súbita e desgovernada das altitudes da Conservatória Geral, ao Sr. José como que lhe passou uma coisa pela vista, modo expressivo e corrente de dizer que dispensa, com comunicativa vantagem, o uso da palavra vertigem por bocas populares que não nasceram para isso. O escadote não era tão alto que alcançasse a janela, mas daria para subir ao alpendre, e, a partir daí, fosse o que Deus quisesse.

Assim invocado, Deus decidiu ajudar o Sr. José no transe, o que nada tem de extraordinário se considerarmos a quantidade enorme de assaltantes que, desde que o mundo é mundo, tiveram a sorte de regressar dos seus assaltos, não só forrados de bens, como também inteiros de corpo, isto é, sem castigo divino. Quis pois a providência que as chapas onduladas de cimento que formavam o tecto do alpendre, além de serem rugosas de acabamento, tivessem nas arestas inferiores um rebordo saliente a cujo atractivo ornamental o desenhador da fábrica, imprudentemente, não soubera resistir. Graças a isso, e não obstante a forte inclinação do alpendre, pé aqui, mão acolá, a gemer, a suspirar, raspando com as unhas, esfolando as biqueiras dos sapatos, o Sr. José conseguiu arrastar-se até lá acima. Agora não faltava mais que entrar. Ora, é a altura de dizer que, como escalador e arrombador, o Sr. José usa métodos absolutamente desactualizados, para não dizer antigos, e mesmo arcaicos. Em tempos, nem ele sabe quando nem em que livro ou papel, leu que a banha de porco e uma toalha de felpa são os complementos obrigatórios de um corta-vidros sempre que se pretenda entrar com malícia de intenção por uma janela, e desses insólitos auxílios, com cega fé, se havia munido. Podia, evidentemente, para abreviar a tarefa, dar um simples soco na vidraça, mas temera, ao congeminar o assalto, que o inevitável estilhaçar, subsequente à pancada, alarmasse a vizinhança, e se era certo que o mau tempo, com os seus naturais rumores, viera afinal diminuir o risco, o melhor ainda seria cingir-se estritamente à disciplina do método. Apoiados portanto os pés no rebordo providencial, fincados os joelhos na aspereza das chapas, o Sr. José pôs-se a cortar a vidraça com o diamante, rente ao caixilho. A seguir, com o lenço, arfando por causa do esforço e da má postura, enxugou como pôde o vidro, a fim de não vir a ser prejudicada a desejada aderência da banha, ou do que restava dela, posto que os violentos esforços que tivera de cometer para subir o plano inclinado haviam feito do embrulho uma massa informe e pegajosa, com as consequências que se imaginam na integridade da roupa que trazia posta. Mesmo assim, conseguiu espalhar por toda a vidraça uma camada aceitavelmente espessa da gordura, sobre a qual, depois, com a minúcia possível, se aplicou a colar a toalha turca que, ao cabo de mil contorções, lograra extrair do bolso da gabardina. Agora teria de calcular com precisão a força da pancada, que não devia ser nem tão fraca que tivesse de repeti-la, nem tão forte que pudesse reduzir a nada a aderência dos vidros ao pano. Comprimindo com a mão esquerda, contra o caixilho, para que não escorregasse, a parte superior da toalha, o Sr. José cerrou o punho direito, levou o braço atrás e desferiu um golpe seco que felizmente resultou, surdo, abafado, como o disparo de uma arma munida de silenciador. Tinha acertado à primeira, proeza notável para aprendiz. Um ou dois pequenos fragmentos de vidro caíram para o interior, nada mais, mas isso não tinha importância, lá dentro não havia ninguém. Durante alguns segundos, apesar da chuva, o Sr. José deixou-se ficar estendido sobre o alpendre, a recobrar as forças e a saborear o triunfo. Depois, aprumando o corpo, introduziu o braço na abertura, procurou e encontrou o fecho da janela, meu Deus, quanto custa a vida aos assaltantes, abriu-a de par em par, e, agarrando-se ao peitoril, com a ajuda aflita dos pés, que tinham deixado de encontrar pontos de apoio, conseguiu içar-se, alçar uma perna, depois outra, enfim cair do outro lado, suavemente, como uma folha que se tivesse desprendido da árvore.

O respeito pela realidade dos factos e a simples obrigação moral de não ofender a credulidade de quem se tenha disposto a aceitar como plausíveis e coerentes as peripécias de tão inaudita busca reclamam o imediato esclarecimento de que o Sr. José não tombou suavemente do peitoril da janela, como uma folha que se tivesse soltado do ramo. Pelo contrário, o que lhe aconteceu foi cair desamparado, como cairia a árvore inteira, quando tão fácil teria sido escorregar pouco a pouco do seu momentâneo assento até tocar com os pés no chão. A queda, pela dureza do choque e pela sucessão de contactos dolorosos, e antes mesmo que os olhos o tivessem podido confirmar, mostrou-lhe que o lugar onde se encontrava era como um prolongamento do alpendre exterior, ou com mais probabilidade inversamente, ambos os sítios destinados à guarda de coisas fora de uso, mas primeiro este, e só depois, faltando aqui espaço, o de fora. O Sr. José deixou-se ficar sentado durante uns minutos, à espera de que a respiração se normalizasse e deixassem de tremer-lhe os braços e as pernas. Ao cabo desse tempo, acendeu a lanterna, tendo o cuidado de iluminar apenas o chão na sua frente, e viu que, entre os móveis apinhados de um lado e do outro, havia sido deixado um corredor que ia até à porta. Inquietou-se ao pensar que talvez ela estivesse fechada à chave, caso em que teria de arrombá-la sem os utensílios adequados e com o consequente e inevitável ruído. Lá fora continuava a chover, a vizinhança devia estar toda a dormir, mas não podemos fiar-nos muito nisso, há pessoas com um sono tão leve que mesmo o zumbido de um mosquito chega para acordá-las, depois levantam-se, vão à cozinha beber um copo de água, olham casualmente para fora e veem um buraco rectangular negro na parede do colégio, talvez comentem, Que poucos cuidados têm os da escola, com um tempo destes deixam a janela aberta, ou então, Se bem me lembro, aquela janela estava fechada, deve ter sido a força do vento, ninguém se vai pôr a pensar que pode estar um ladrão lá dentro, além disso errariam redondamente, porque o Sr. José, lembremo-lo uma vez mais, não veio aqui para roubar. Agora acaba de ocorrer-lhe que deveria fechar a janela para que de fora não se apercebam da efracção, mas a seguir tem dúvidas, pergunta-se se não será melhor deixá-la como está, Pensarão que a causa foi o vento ou o desmazelo de algum empregado, se eu a fechasse notar-se-ia imediatamente a falta da vidraça, tanto mais que os vidros da janela são foscos, quase brancos. Fiado de que o resto do mundo usa o espírito que tem de uma maneira tão dedutora como a sua própria, o Sr. José decidiu deixar ficar a janela aberta e logo se pôs a gatinhar por entre os móveis até alcançar a porta. Que não estava fechada à chave. Respirou de alívio, a partir daqui não deverá haver mais obstáculos. Precisava agora duma cadeira confortável, um sofá ainda seria melhor, para passar descansando o resto da noite, se os nervos lho consentissem até poderia dormir. Como um jogador de xadrez experiente, havia calculado os lances, na verdade não é muito difícil, quando se está bastante seguro das causas objectivas imediatas, avançar prospectivamente pelo leque dos efeitos prováveis e possíveis e da sua transformação em causas, tudo a gerar em sucessão efeitos causas efeitos e causas efeitos causas, até ao infinito, mas já sabemos que o caso do Sr. José não será para ir tão longe. Aos prudentes terá parecido uma insensatez vir meter-se o auxiliar de escrita assim na boca do lobo, e agora, como se fosse pequena a ousadia, querer deixar-se ficar tranquilamente durante o que ainda falta desta noite e todo o dia de amanhã, com risco de o apanhar em flagrante delito alguém mais dedutivo do que ele em matéria de janelas abertas. Reconheça-se, porém, que muito maior insensatez teria sido andar ali de sala em sala a acender luzes. Juntar janela aberta e luz acesa, quando se sabe que estão ausentes os legítimos usuários duma casa ou dum colégio, é operação mental ao alcance de qualquer pessoa, por pouco desconfiada que seja, em geral chama-se a polícia.

O Sr. José sentia dores pelo corpo todo, devia ter os joelhos esfolados, talvez em sangue, o incómodo produzido pela roçadura das calças não queria dizer outra coisa, além disso estava molhado e sujo da cabeça aos pés. Despiu a gabardina, que escorria, pensou, Se houvesse por aqui uma divisão interior, poderia acender a luz, e uma casa de banho, uma casa de banho onde possa lavar-me, ao menos as mãos. Apalpando o caminho, abrindo e fechando portas, encontrou o que procurava, primeiro uma pequena divisão sem janela, com prateleiras onde havia material escolar e de escritório, lápis, cadernos, folhas soltas, esferográficas, borrachas de apagar, frascos de tinta, réguas, esquadros, duplos decímetros, transferidores, estojos de desenho, tubos de cola, caixinhas de agrafes, e o mais que não chegou a ver. Com a luz acesa pôde examinar enfim os estragos causados pela aventura. Os ferimentos dos joelhos não pareciam tão maus quanto chegara a supor, as esfoladuras eram superficiais, ainda que dolorosas. À luz do dia, quando já não tivesse que acender luzes, procuraria o que em todas as escolas se encontra, o armário branco dos primeiros socorros, o desinfectante, o álcool, a água oxigenada, o algodão, a ligadura, a compressa, o penso rápido, nem tanto iria ser preciso. À gabardina é que esses remédios não poderão ajudar, o seu mal é a porcaria, é a banha de porco que impregna o tecido, Talvez com álcool consiga tirar-lhe a maior, pensou o Sr. José. Foi depois à procura da casa de banho, e teve sorte, não precisou de andar muito para dar com uma que, a ajuizar pelo arranjo e pela limpeza, devia ser utilizada pelos professores. A janela, que dava também para as traseiras da escola, além dos vidros foscos, obviamente mais necessários aqui do que na arrecadação por onde havia entrado, tinha portadas interiores de madeira, graças às quais o Sr. José pôde enfim acender a luz e lavar-se olhando para o que fazia. Depois, retemperado de forças e mais ou menos asseado, foi à procura de um sítio para dormir. Embora nos seus tempos de estudante não tivesse passado por um colégio assim, com este aparato e estas dimensões, sabia que todas as escolas têm o seu director, que todos os directores têm o seu gabinete, que todos os gabinetes têm o seu sofá, precisamente aquilo que o corpo lhe estava a pedir. Continuou pois a abrir e a fechar portas, olhou para dentro de salas a que a difusa luz exterior dava um ar fantasmático, onde as carteiras dos alunos pareciam túmulos alinhados, onde a mesa do professor era como um sombrio espaço de sacrifício, e o quadro-negro o lugar onde se faziam as contas de todos. Viu, suspensos das paredes, como se fossem as manchas confusas que o tempo vai deixando atrás de si na pele dos seres e das coisas, os mapas do céu, do mundo e dos países, as cartas hidrográficas e orográficas do ser humano, a canalização do sangue, o trânsito digestivo, a ordenação dos músculos, a comunicação dos nervos, a armação dos ossos, o fole dos pulmões, o labirinto do cérebro, o corte do olho, o enredo dos sexos. As salas de aula sucediam-se umas às outras, ao longo dos corredores que davam a volta ao colégio, respirava-se por toda a parte o cheiro do giz, quase tão antigo como o dos corpos, não falta mesmo quem sustente que Deus, antes de se pôr a amassar o barro com que depois os fabricou, começou por desenhar com um pau de giz o homem e a mulher na superfície da primeira noite, daí é que nos veio a única certeza que temos, a de que fomos, somos e seremos pó, e que em uma noite tão profunda como aquela nos perderemos. Em alguns sítios a escuridão era espessa, completa, como se a tivessem envolvido em panos negros, mas em outros pairava uma reverberação oscilante de aquário, uma fosforescência, uma luminosidade azulada que não podia vir da luz dos candeeiros da rua, ou, se deles vinha, ao atravessar as vidraças se transfigurava. Lembrando-se da pálida luz eternamente suspensa sobre a mesa do conservador, que as trevas rodeavam e pareciam estar a ponto de devorar, o Sr. José murmurou, A Conservatória Geral é diferente, depois acrescentou, como se precisasse de responder a si próprio, Provavelmente, quanto maior é a diferença, maior será a igualdade, e quanto maior é a igualdade, maior a diferença será, naquele momento ainda não sabia até que ponto estava na razão.

Neste andar só havia salas de aula, o gabinete do director seria com certeza no de cima, afastado das vozes, dos ruídos incómodos, do tumulto da entrada e saída das classes. A escada de acesso tinha no alto uma claraboia, ao subir por ela ascendia-se progressivamente da escuridão à luz, o que, nesta circunstância, não tem outro significado que prosaicamente podermos ver onde pomos os pés. Quis o acaso da nova busca que, antes de encontrar o gabinete do director, o

Sr. José tivesse entrado na secretaria do colégio, uma sala com três janelas que davam para o lado da rua. O mobiliário era o do costume em serviços desta natureza, havia umas quantas secretárias, um número igual de cadeiras, armários, arquivos, ficheiros, o coração do Sr. José sobressaltou-se ao vê-los, era disto que tinha vindo à procura, fichas, verbetes, registos, averbamentos, anotações, a história da mulher desconhecida na época em que tinha sido menina e adolescente, supondo que depois deste não houve outros colégios na sua vida. O Sr. José abriu uma gaveta de ficheiro ao acaso, mas a luz que vinha da rua não era bastante para que percebesse que tipo de registo continham os verbetes. Tenho muito tempo, pensou o Sr. José, agora preciso é de dormir. Saiu da secretaria e duas portas adiante deu finalmente com o gabinete do director. Comparando com a austeridade da Conservatória Geral, aqui não seria exagero falar de luxo. O chão estava alcatifado, a janela tinha um cortinado de grossos panos, agora fechados, a secretária, de estilo antigo, era ampla, o cadeirão de pele negra, moderno, tudo isto o ficou a saber o Sr. José porque, ao abrir a porta e encontrar-se com uma obscuridade total, não teve dúvidas em acender primeiro a lanterna, e, logo a seguir, o candeeiro do tecto. Uma vez que, estando dentro, não via luz vinda de fora, alguém que estivesse fora também não veria a luz de dentro. O cadeirão do director era cómodo, poderia dormir ali, mas muito melhor seria o comprido e profundo sofá de três lugares que parecia estar a abrir-lhe caridosamente os braços para neles acolher e neles reconfortar o fatigado corpo. O Sr. José olhou o relógio, faltavam poucos minutos para as três. Vendo o tarde que era, nem tinha dado pela passagem do tempo, sentiu-se subitamente muito cansado, Não aguento mais, pensou, e sem se poder conter, de pura exaustão nervosa, começou a soluçar, um choro desatado, quase convulsivo, ali, de pé, como se tivesse voltado a ser, noutra escola, o rapazinho das primeiras classes que cometeu uma travessura e foi chamado ao director para receber o merecido castigo. Largou a gabardina molhada para o chão, tirou o lenço do bolso das calças e levou-o aos olhos, mas o lenço estava tão molhado como o resto, toda a sua pessoa, desde a cabeça aos pés, percebia-o agora, era como se estivesse a ressumbrar água, como se todo ele não fosse mais do que um esfregão torcido, sujo o corpo, magoado o espírito, e ambos infelizes, Que faço eu aqui, perguntou-se, mas não quis responder, teve medo de que o motivo que o tinha trazido a este lugar, posto assim a descoberto, lhe aparecesse absurdo, disparatado, coisa de louco. Sacudiu-o subitamente um arripio, Querem ver que me constipei, disse em voz alta, logo a seguir deu dois espirros, e depois, enquanto se assoava, achou-se a recordar, pelos caminhos caprichosos de um pensamento que vai aonde quer sem dar explicações, aqueles actores de cinema que sempre estão a cair à água vestidos ou a aparecer encharcados pelo dilúvio, e nunca apanham uma pneumonia, nem ao menos um simples resfriado, como na vida real acontece todos os dias, o que fazem, quando muito, é embrulhar-se numa manta por cima da roupa molhada, ideia que seria de todo estúpida se nós não soubéssemos que a filmagem vai ser já interrompida para que o actor recolha ao camarim, tome um banho quente e vista o roupão de monograma. O Sr. José começou por tirar os sapatos, depois despiu o casaco e a camisa, desenfiou as calças, que foi dependurar num cabide de pé alto que se encontrava a um canto, agora só faltava que pudesse tapar-se com a manta do filme, acessório difícil de encontrar no gabinete de um director de colégio, salvo se o director deste for pessoa idosa, dessas a quem se lhes arrefecem os joelhos quando estão muito tempo sentadas. O espírito dedutivo do Sr. José conduziu-o mais uma vez à conclusão certa, a manta estava cuidadosamente dobrada sobre a almofada do cadeirão. Não era grande, não chegava para cobri-lo por completo, mas seria melhor que ter de ficar toda a noite ao léu. O Sr. José apagou a luz do tecto, guiou-se com a lanterna e, suspirando, estendeu-se no sofá, para logo se encolher de modo a caber todo debaixo da manta. Continuava a tremer, a roupa interior que havia conservado no corpo estava húmida, provavelmente seria do suor, do esforço, a chuva não podia ter penetrado tanto. Sentou-se no sofá, despiu a camisola e as cuecas, descalçou as meias, depois envolveu-se na manta como se quisesse fazer com ela uma segunda pele, e, enrolado como um bicho-de--conta, deixou-se afundar na escuridão do gabinete, à espera de um pouco de misericordioso calor que o transportasse à misericórdia do sono. Tardou um, tardou o outro, afastados por um pensamento que não queria ir-se-lhe da cabeça, E se vem alguém, e se me apanham neste estado, queria dizer nu, chamariam a polícia, pôr-lhe-iam algemas, perguntar-lhe--iam o nome, a idade e a profissão, primeiro viria o director do colégio, depois apareceria o chefe da Conservatória Geral, e entre os dois olhá-lo-iam com severa condenação, Que faz aqui, perguntariam, e ele não teria voz para responder, não poderia explicar-lhes que andava à procura duma mulher desconhecida, o mais certo era que desatassem todos à gargalhada, e depois tornariam a perguntar, Que faz aqui, e não se calariam com a pergunta até que ele confessasse tudo, a prova disto é que continuaram a repeti-la no sonho quando, finalmente, já a manhã estava a chegar ao mundo, o Sr. José pôde abandonar a extenuante vigília, ou ela o abandonou a ele.

 Acordou tarde, a sonhar que estava outra vez no alpendre, com a chuva a desabar-lhe em cima com um estrondo de catarata, e que a mulher desconhecida, em figura de uma actriz de cinema da sua colecção, sentada no peitoril da janela e com a manta do director dobrada no regaço, esperava que ele acabasse de subir, ao mesmo tempo que lhe dizia, Teria sido melhor chamares à porta principal, ao que ele, ofegando, respondia, Não sabia que cá estavas, e ela, Estou sempre, nunca saio, depois parecia que ia debruçar-se para o ajudar a subir, mas de repente desapareceu, o alpendre desapareceu com ela, só a chuva ficou, caindo, caindo sem parar sobre a cadeira do chefe da Conservatória Geral, onde o Sr. José se viu a si mesmo sentado. Doía-lhe um tanto a cabeça, mas não parecia que o resfriamento se tivesse agravado. Entre os panos do cortinado coava-se uma lâmina finíssima de luz cinzenta, o que queria dizer que, ao contrário do que lhe havia parecido, não tinham sido fechados completamente. Ninguém deve ter dado por isso, pensou, e tinha razão, deslumbrante a mais não poder ser é a luz das estrelas, e não só a maior parte dela se vai perder no espaço, como basta uma simples névoa para tapar aos nossos olhos a luz que sobejou. Um vizinho do outro lado da rua, mesmo que tivesse vindo espreitar à janela, a ver como estava o tempo, pensaria que era uma cintilação da própria chuva aquele fio luminoso que ondulava entre as gotas que deslizavam pela vidraça. Envolvido na manta, o Sr. José afastou de leve as cortinas, era a sua vez de saber como estava o tempo. Naquele momento não chovia, mas o céu mostrava-se tapado por uma única nuvem escura, tão baixa que parecia tocar os telhados, como uma imensa lousa. Melhor assim, pensou, quanto menos gente ande pela rua, melhor. Foi apalpar a roupa que despira, verificar se estaria já em condições de ser posta. A camisa, a camisola interior, as cuecas e as meias estavam aceitavelmente secas, as calças bastante menos, mas o casaco e a gabardina, esses ainda tinham para muitas horas. Vestiu tudo excepto as calças, para evitar a roçadura do pano endurecido pela humidade nos joelhos esfolados, e pôs-se à procura do posto médico. Pela lógica, teria de estar instalado no rés do chão, perto do ginásio e dos acidentes que lhe são próprios, ao lado da cerca do recreio, onde nos intervalos das aulas, em jogos de maior ou menor grau de violência, os alunos vão desafogar as energias, e sobretudo o tédio e a ansiedade provocados pelo estudo. Acertou. Depois de lavar os ferimentos com água oxigenada, pincelou-os com um desinfectante que cheirava a iodo e vendou-os cuidadosamente, com um tal exagero de pensos e adesivos que mais parecia ter enfiado umas joelheiras. Apesar disso, podia flectir as articulações o suficiente para caminhar. Vestiu as calças e sentiu-se outro homem, porém não tanto que o fizesse esquecer o mal-estar generalizado do seu pobre corpo. Há-de haver por aqui alguma coisa contra este resfriamento e esta dor de cabeça, pensou, e daí a pouco, tendo encontrado o que necessitava, já estava com dois comprimidos no estômago. Não precisara de tomar precauções para não ser visto de fora, uma vez que a janela do posto médico, como seria de esperar, tinha também as vidraças foscas, mas a partir de agora teria de dar toda a atenção aos movimentos que fizesse, nada de distracções, evitar sair do fundo das salas, mover-se de gatas no caso de ser obrigado a aproximar-se duma janela, comportar-se, enfim, como se nunca tivesse feito outra coisa na vida que assaltar casas. Um ardor súbito no estômago lembrou-lhe o erro que havia cometido ao tomar os comprimidos sem o acompanhamento de um pouco de comida, uma simples bolacha que fosse, Muito bem, e onde é que há bolachas por aqui, perguntou-se, percebendo que tinha agora um novo problema para resolver, o problema da comida, uma vez que não poderia sair do edifício antes que se fizesse noite, E noite fechada, precisou. Ainda que, como sabemos, se trate de pessoa fácil de contentar em questões de alimentação, com algo teria de adormecer o apetite até ao regresso a casa, porém o Sr. José respondeu à necessidade com estas palavras estoicas, Ora, um dia não são dias, não se morre por passar umas horas sem comer. Saiu do posto médico, e embora a secretaria, onde iria fazer as suas buscas, estivesse no segundo andar, decidiu, por mera curiosidade, dar uma volta pelas instalações do rés do chão. Encontrou logo o ginásio, com os seus vestiários, os seus espaldares e outros aparelhos, a trave, o plinto, as argolas, o cavalo de arções, o trampolim, os colchões, nas escolas do seu tempo não se viam destes aperfeiçoamentos atléticos, nem ele os teria desejado para si, sendo, como havia sido então e hoje continuava a ser, o que geralmente se chama uma fraca figura. O ardor do estômago acentuava-se, subiu-lhe à boca uma onda ácida que lhe picou a garganta, se ao menos servisse para lhe aliviar a dor de cabeça, E o resfriamento, provavelmente tenho febre, pensou no momento em que abria mais uma porta. Era, abençoado seja o espírito de curiosidade, o refeitório. Então o pensamento do Sr. José ganhou asas, precipitou-se velocíssimo atrás da comida, Se há refeitório, há cozinha, se há cozinha, não precisou de continuar a pensar, a cozinha ali estava, com o seu fogão, os seus tachos e panelas, os seus pratos e copos, os seus armários, o seu enorme frigorífico. Foi para ele que se dirigiu, abriu-o de par em par, os alimentos apareceram iluminados por um resplendor, uma vez mais seja louvado o deus dos curiosos, e também o dos assaltantes, em alguns casos não menos merecedor. Um quarto de hora depois, o Sr. José era definitivamente outro homem, recomposto de corpo e alma, com a roupa quase seca, os joelhos curados, o estômago a trabalhar sobre algo mais alimentício e consistente que dois amargos comprimidos contra o resfriamento. Lá pela hora do almoço, voltaria a esta cozinha, a este humanitário frigorífico, agora tratava-

-se de ir investigar os ficheiros da secretaria, avançar mais um passo, já saberia se largo, se curto, na averiguação dos casos da vida da desconhecida mulher que há trinta anos, quando era apenas uma menina de olhos sérios e franja a tocar-lhe as sobrancelhas, se sentara naquele banco para comer a sua merenda de pão com marmelada, talvez triste por causa do borrão que deixou cair na cópia, talvez feliz porque a madrinha lhe prometeu uma boneca.

O rótulo da gaveta era explícito, Alunos por Ordem Alfabética, outras gavetas apresentavam diferentes dísticos, Alunos da Primeira Classe, Alunos da Segunda Classe, Alunos da Terceira Classe, e assim sucessivamente, até ao último ano do curso. O espírito profissional do Sr. José apreciou com agrado o sistema de arquivo, organizado de modo a facilitar o acesso aos verbetes dos alunos por duas vias convergentes e complementares, uma geral, a outra particular. Uma gaveta à parte continha as fichas dos professores, conforme se podia ler no rótulo que lhe estava aposto, Professores. Olhar para ele pôs em movimento, acto contínuo, no espírito do Sr. José, as engrenagens do seu eficaz mecanismo dedutivo, Se, como é logicamente presumível, pensou, os professores que estão na gaveta são os que prestam actualmente serviço, então os verbetes dos estudantes, por simples coerência arquivística, têm de referir-se à população escolar actual, aliás, qualquer pessoa veria que as fichas dos alunos de trinta anos lectivos, isto fazendo as contas por baixo, nunca poderiam caber nesta meia dúzia de gavetas, por muito fina que fosse a cartolina empregada. Sem nenhuma esperança, apenas para sossego de consciência, o Sr. José abriu a gaveta onde, de acordo com a ordem alfabética, teria de encontrar-se o verbete da mulher desconhecida. Não estava. Fechou a gaveta, olhou em redor, Deve haver um outro ficheiro com os verbetes dos alunos antigos, pensou, é impossível que os destruam quando eles chegam ao fim do curso, seria um atentado contra as regras mais elementares da arquivística. Se tal ficheiro existia, não se encontrava ali. Nervoso, e apesar de adivinhar que a busca seria inútil, abriu os armários e as gavetas das secretárias. Nada. A cabeça, como se não tivesse podido suportar a decepção, começou a doer-lhe mais. E agora, José, perguntou-se. Agora procurar, respondeu. Saiu da secretaria, olhou para um lado e para outro do comprido corredor. Aqui não havia salas de aula, portanto os compartimentos deste andar, além do gabinete do director, deveriam ter outras aplicações, um deles, como viu logo, era uma sala de professores, outro servia de arrecadação ao que parecia material escolar já fora de uso, e os dois restantes continham, enfim, o que, aparentemente, devia ser, arrumado em caixas nas grandes prateleiras, o arquivo histórico da escola. Exultou o Sr. José, mas, essa é a vantagem de quem tem experiência no seu ofício, ou, do ponto de vista da esperança que se acabou de perder, a penosa desvantagem, poucos minutos lhe bastaram para verificar que também ali não se encontrava o que procurava, o arquivo era meramente de expediente burocrático, estavam as cartas recebidas, estavam os duplicados das cartas escritas, havia estatísticas, mapas de frequência, gráficos de aproveitamento, encadernações de legislação. Rebuscou uma vez, duas vezes, inutilmente. Desesperado, saiu para o corredor, Tanto esforço para nada, disse, e depois, mais uma vez, obrigando-se a obedecer à lógica, É impossível, os malditos verbetes têm de estar em algum lugar, se esta gente não destruiu a correspondência de tantos anos, uma correspondência que já não serve para nada, menos iria destruir as fichas dos alunos, são documentos importantíssimos para as biografias, a mim não me admiraria nada que tivessem andado neste colégio alguns dos que tenho na minha colecção. Noutras circunstâncias, talvez o Sr. José tivesse pensado que, assim como lhe havia ocorrido a ideia de enriquecer os seus recortes com as cópias dos verbetes de nascimento, também seria interessante poder juntar-lhes a documentação referente à frequência e ao aproveitamento escolar. De qualquer modo, nunca passaria de um sonho de realização impossível. Uma coisa era ter os papéis de nascimento ali mesmo à mão de semear, na Conservatória Geral, outra coisa seria andar pela cidade a assaltar escolas só para saber se fulana teve um oito ou um quinze na matemática do quarto ano e se fulano era tão indisciplinado como gostava de declarar nas entrevistas. E se para entrar em cada uma dessas escolas ia ter de sofrer tanto como já havia sofrido nesta, então seria melhor que se deixasse ficar no remanso da sua casa, resignado a conhecer do mundo apenas aquilo que as mãos podem alcançar sem dela sair, palavras, imagens, ilusões.

Resolvido a tirar o caso a limpo definitivamente, o Sr. José tornou a entrar no arquivo, Se a lógica ainda é deste mundo, os verbetes aqui é que têm que estar, disse. As prateleiras do primeiro compartimento, caixa por caixa, maço por maço, foram passadas a pente fino, maneira de dizer que deve ter tido a sua origem no tempo em que as pessoas precisavam de pentear-se com ele, também denominado pente dos bichos, para conseguirem caçar o que o pente normal deixava escapar, mas a busca resultou outra vez nula, verbetes não havia. Isto é, havia-os, sim, metidos sem cuidado numa caixa grande, mas só dos últimos cinco anos. Convencido agora de que todos os outros verbetes, afinal, haviam sido destruídos, rasgados, atirados ao lixo, senão queimados, foi já sem esperança, com a indiferença de quem vai limitar-se a cumprir uma obrigação inútil, que o Sr. José entrou no segundo compartimento. Porém, os seus olhos, se o verbo não é de todo impróprio nesta oração, sentiram grande pena dele, por mais que se procure não se encontrará outra explicação para o facto de lhe terem posto diante, imediatamente, aquela porta estreita entre duas prateleiras, como se soubessem, desde o princípio, que ela estava ali. Acreditou o Sr. José que havia chegado ao termo dos seus trabalhos, à coroação dos seus esforços, reconheça-se, na verdade, que o inverso disto seria uma inadmissível dureza do destino, alguma razão o povo há-de ter para persistir em afirmar, não obstante as contrariedades da vida, que a má sorte nem sempre há-de estar atrás da porta, atrás desta, pelo menos, como nos antigos contos, deve de haver um tesouro, mesmo que, para chegar a ele, ainda seja preciso combater o dragão. Este não tem as fauces a babarem-se-lhe de fúria, não jorra fumo e fogo pelas ventas, não despede rugidos como tremores de terra, é simplesmente uma escuridão parada à espera, espessa e silenciosa como o fundo do mar, há pessoas com fama de valentes que não teriam coragem para passar daqui, algumas, mesmo, fugiriam logo, apavoradas, com medo de que o imundo bicho lhes deitasse as garras à garganta. Não sendo embora pessoa a quem se possa apontar como exemplo ou modelo de bravura, o Sr. José, depois dos anos de Conservatória Geral que leva, adquiriu um conhecimento de noite, sombra, escuro e treva que acabou por compensar a sua timidez natural e que agora lhe permite, sem excessivo temor, estender o braço por dentro do corpo do dragão à procura do interruptor da electricidade. Encontrou-o, fê-lo funcionar, mas nenhuma luz se acendeu. Arrastando os pés para não tropeçar, avançou um pouco até ir bater com a canela da perna direita numa aresta dura. Baixou-se para apalpar o obstáculo e, ao mesmo tempo que percebia tratar-se de um degrau metálico, sentiu no bolso o volume da lanterna, de que, em meio de tantas e tão contrárias emoções, se havia esquecido. Tinha diante de si uma escada de caracol que subia na direcção de uma treva ainda mais espessa que a do limiar da porta e que engolia o foco de luz antes que ele pudesse mostrar o caminho em cima. A escada não tem corrimão, justamente o que menos estava a convir a alguém que padece tanto de vertigens, no quinto degrau, se lá conseguir chegar, o Sr. José perderá a noção da altura real a que se encontra, sentirá que vai cair desamparado, e cairá. Não foi assim. O Sr. José está a ser ridículo, mas não se importa, só ele é que sabe a que ponto é absurdo e disparatado o que está a fazer, ninguém o poderá ver a arrastar-se por esta escada acima como um lagarto ainda mal acordado da hibernação, agarrado ansiosamente aos degraus, um após outro, o corpo procurando acompanhar a curva helicoidal que parece nunca mais acabar, os joelhos outra vez martirizados. Quando as mãos do Sr. José, enfim, tocaram o chão liso do sótão, as forças do seu corpo já há muito tinham perdido a batalha com o espírito assustado, por isso não pôde levantar-se logo, ficou estendido, assim, de bruços, a camisa e a cara assentes na poeira que cobria o soalho, as pernas penduradas para os degraus, por quantos sofrimentos têm de passar as pessoas que saíram da tranquilidade dos seus lares para se meterem em loucas aventuras.

Ao cabo de uns minutos, ainda deitado de bruços, porque não era tão falto de sensatez que cometesse a imprudência de se pôr de pé no meio da escuridão, com o risco de dar um passo em falso e cair desastradamente no abismo de onde viera, o Sr. José, com esforço, torcendo o corpo, conseguiu sacar outra vez a lanterna que havia guardado no bolso traseiro das calças. Acendeu-a e passeou a luz pelo chão à sua frente. Havia papéis espalhados, caixas de cartão, algumas delas rebentadas, tudo coberto de pó. Uns metros adiante distinguiu o que se lhe figurou serem os pés duma cadeira. Subiu ligeiramente o foco, era de facto uma cadeira. Parecia em bom estado, o assento, o espaldar, e por cima dela, pendendo do tecto baixo, havia uma lâmpada sem quebra-luz, Como na Conservatória Geral, pensou o Sr. José. Dirigiu o foco para as paredes em redor, apareceram-lhe vultos fugidios de estantes que pareciam dar a volta a todo o compartimento. Não eram altas, nem o poderiam ser por causa da inclinação do telhado, e estavam sobrecarregadas de caixas e de maços informes de papéis. Onde estará o interruptor da luz, perguntou-se o Sr. José, e a resposta foi a que devia esperar, Está lá em baixo e não funciona, Só com esta lanterna não creio que consiga encontrar os verbetes, além disso começo a ter a impressão de que a pilha está a dar as últimas, Devias ter pensado nisso antes, Talvez tenham colocado aqui outro interruptor, Mesmo que assim seja, já vimos que a lâmpada está fundida, Não sabemos, Ter-se-ia acendido se não estivesse fundida, A única coisa que sabemos é que accionámos o interruptor e a luz não se acendeu, Aí está, Pode significar outras coisas, Quê, Que em baixo não haja lâmpada, Então continuo a ter razão, esta daqui está fundida, Nada nos diz que não existam dois interruptores e duas lâmpadas, uma da escada e outra do sótão, a de baixo estará fundida, a de cima ainda não sabemos, Uma vez que foste capaz de deduzir isso, descobre o interruptor desta. O Sr. José deixou a incómoda posição em que ainda se encontrava e sentou-se no chão, Vou sair daqui com a roupa num estado miserável, pensou, e apontou o foco à parede mais próxima da abertura da escada, Se existe, aqui terá de estar. Descobriu-o no preciso instante em que se aproximava da conclusão desanimadora de que o único interruptor era o de baixo. Ao espalmar casualmente a mão livre no soalho para se apoiar melhor, a luz do tecto acendeu-se, o interruptor, desses de botão, tinha sido instalado no soalho, de modo a ficar ao alcance imediato de quem subisse a escada. A luz amarelada da lâmpada mal alcançava a parede do fundo, no pavimento não se viam sinais de passos. Lembrando-se dos verbetes que tinha visto no andar de baixo, o Sr. José disse em voz alta, Há pelo menos seis anos que ninguém aqui entra. Quando o eco das palavras se desvaneceu, o Sr. José reparou que se tinha criado no sótão um grande silêncio, como se o silêncio que havia antes contivesse um silêncio maior, seriam os bichos da madeira que tinham interrompido a sua actividade escavadora. Do tecto pendiam teias de aranha negras de pó, as proprietárias deviam ter morrido há muito tempo por falta de comida, não havia aqui nada que pudesse atrair uma mosca perdida, de mais a mais com a porta fechada em baixo, e as traças do papel, os peixinhos-de-prata, tal como o caruncho nos vigamentos, não tinham qualquer motivo para trocar pelo mundo exterior as galerias de celulose onde viviam. O Sr. José levantou-se, inutilmente tentou sacudir o pó das calças e da camisa, a cara parecia a de um palhaço extravagante, com uma grande mancha num lado só. Foi sentar-se na cadeira, debaixo da lâmpada, e começou a falar consigo mesmo, Raciocinemos, disse, raciocinemos, se os verbetes antigos estão aqui, e tudo indica que sim, não é nada provável que os vá encontrar reunidos aluno por aluno, isto é, que os verbetes de cada aluno estejam todos juntos de modo a que se pudesse seguir num relance toda a sua trajectória escolar, o mais certo é que a secretaria, no fim de cada ano lectivo, fizesse um atado de todos os verbetes correspondentes a esse ano e os arrumasse aqui, não creio que se dessem sequer ao trabalho de guardá-los em caixas, ou talvez sim, é caso a ver, espero, se assim foi, que ao menos tivessem tido a lembrança de escrever por fora o ano a que se referiam, de uma maneira ou outra será só uma questão de tempo e paciência. A conclusão não tinha acrescentado grande coisa às premissas, desde o princípio da sua vida que o Sr. José sabe que só precisa de tempo para usar a paciência, desde o princípio que espera que à paciência não venha a faltar-lhe o tempo. Levantou-se, e, fiel à regra de que em todas as operações de busca o melhor é começar sempre por uma ponta e avançar com método e disciplina, atacou o trabalho pelo extremo de uma das fileiras de estantes, resolvido a não deixar papel sobre papel sem verificar se, entre o de baixo e o de cima, outro papel não estaria escondido. Abrir uma caixa, desatar um maço, cada movimento que fazia levantava uma nuvem de pó, a tal ponto que, para não acabar asfixiado, teve de atar o lenço sobre o nariz e a boca, um processo preventivo que os auxiliares de escrita eram aconselhados a seguir de cada vez que tinham de ir ao arquivo dos mortos da Conservatória Geral. Em poucos minutos as mãos ficaram-lhe negras, o lenço perdeu o pouco que ainda tinha de brancura, o Sr. José tornara-se num mineiro de carvão à espera de encontrar no fundo da mina o carbono puro de um diamante.

O primeiro verbete apareceu ao cabo de meia hora. A menina deixara de usar franja, mas os olhos, nesta fotografia tirada aos quinze anos, conservavam o mesmo ar de gravidade dorida. Cuidadosamente, o Sr. José foi pô-lo em cima da cadeira e continuou a busca. Trabalhava numa espécie de sonho, minucioso, febril, debaixo dos seus dedos escapavam-se as traças espavoridas pela luz, e, pouco a pouco, como se andasse a remexer os restos de um túmulo, o pó agarrava-se-lhe à pele, tão fino que atravessava a roupa. Ao princípio, quando lhe aparecia um maço de verbetes ia imediatamente ao que lhe interessava, depois começou a demorar-se em nomes, em imagens, por nada, só porque ali estavam e mais ninguém voltaria a entrar neste sótão para afastar a poeira que os cobria, centenas, milhares de rostos de rapazes e raparigas, olhando de frente a objectiva, o outro lado do mundo, à espera não sabiam de quê. Na Conservatória

Geral não era assim, na Conservatória Geral só existiam palavras, na Conservatória Geral não se podia ver como tinham mudado e iam mudando as caras, quando o mais importante era precisamente isso, o que o tempo faz mudar, e não o nome, que nunca varia. Quando o estômago do Sr. José deu sinal, estavam em cima da cadeira sete verbetes, dois deles com retratos iguais, a mãe devia ter dito, Leva este do ano passado, não precisas de ir ao fotógrafo, e ela levou o retrato, com pena de não poder ter este ano uma fotografia nova. Antes de descer à cozinha, o Sr. José entrou na casa de banho do director para lavar as mãos, ficou assombrado quando se viu ao espelho, não imaginara que pudesse ter a cara naquele estado, sujíssima, sulcada de riscos de suor, Este não pareço eu, pensou, e provavelmente nunca o havia sido tanto. Quando acabou de comer, subiu ao sótão tão depressa quanto os joelhos lho permitiram, ocorrera-lhe que se a luz faltasse, hipótese a ter em conta com estas chuvas, não poderia terminar a busca. Supondo que não tivesse havido nenhuma repetição de ano, só lhe restava encontrar cinco verbetes, e se ficasse agora às escuras o seu esforço seria em parte perdido, uma vez que não poderia voltar a entrar na escola. Absorto no trabalho, esquecera-se da dor de cabeça, do resfriamento, e agora apercebia-se de que estava pior. Tornou a descer para tomar outros dois comprimidos, subiu fazendo já das fraquezas forças, e retomou o trabalho. A tarde aproximava-se do fim quando encontrou o último verbete. Apagou a luz do sótão, fechou a porta, e, como um sonâmbulo, vestiu o casaco e a gabardina, limpou o melhor que pôde os sinais da sua passagem e sentou-se a esperar a noite.

Na manhã seguinte, mal a Conservatória Geral tinha começado o expediente, já sentados os funcionários nos seus lugares, o Sr. José entreabriu a porta de comunicação e fez pst-pst para chamar a atenção do colega auxiliar de escrita que se encontrava mais perto. O homem virou a cabeça e viu uma cara congestionada, de olhos a piscar, Que deseja, perguntou, em voz baixa para não perturbar o serviço, mas deixando assomar às palavras um tom de recriminação irónica, como se o escândalo da falta só tivesse vindo dar razão a quem o atraso já tinha escandalizado, Estou doente, disse o Sr. José, não posso ir trabalhar. O colega levantou-se contrariado, deu três passos na direcção do oficial da sua ala, e informou-o, Desculpe, senhor, está ali o Sr. José a dizer que se encontra doente. Por sua vez, o oficial levantou-se, deu quatro passos na direcção do subchefe respectivo, e informou-o, Desculpe, senhor, está ali o auxiliar de escrita Sr. José a dizer que se encontra doente. Antes de dar os cinco passos que o separavam da secretária do conservador, o subchefe foi averiguar a natureza da doença, De que se queixa, perguntou, Estou constipado, respondeu o Sr. José, Uma constipação nunca foi motivo para faltar ao trabalho, Tenho febre,

Como sabe que tem febre, Usei o termómetro, Algumas décimas acima da temperatura normal, Não senhor, estou com trinta e nove, Uma simples constipação nunca sobe a tanto, Então sou capaz de ter gripe, Ou uma pneumonia, Longe vá o agoiro, Estou só a admitir uma hipótese, não estou a agoirá-lo, Desculpe, era uma maneira de falar, E como foi que chegou a esse estado, Acho que foi da muita chuva que apanhei, As imprudências pagam-se, Tem razão, Doenças contraídas por causas alheias ao serviço não deveriam ser consideradas, De facto não estava em serviço, Vou dar conhecimento ao chefe, Sim senhor, Não feche a porta, pode ser que ele lhe queira dar algumas instruções, Sim senhor. O conservador não deu instruções, limitou-se a olhar por cima das cabeças inclinadas dos funcionários e a fazer um gesto com a mão, um gesto breve, como se desprezasse o assunto por insignificante ou como se adiasse para mais tarde a atenção que tencionava dar-lhe, àquela distância o Sr. José não seria capaz de distinguir a diferença, supondo que os seus olhos chorosos e inflamados conseguissem dar alcance. De todo o modo, imagina-se que amedrontado pelo olhar, o Sr. José, sem dar pelo que fazia, abriu um pouco mais a porta, mostrando-se de corpo inteiro à Conservatória Geral, com um roupão velho por cima do pijama, os pés metidos nuns chinelos acalcanhados, o ar emurchecido de quem apanhou uma bruta constipação, ou uma gripe maligna, ou uma broncopneumonia das mortais, nunca se sabe, tantas têm sido as vezes na vida que uma pequena viração acabou em furacão destruidor. O subchefe vinha aí para lhe dizer que hoje ou amanhã seria visitado pelo médico oficial, mas logo a seguir, ó maravilha, pronunciou umas palavras que nenhum funcionário inferior da Conservatória Geral, ele ou outro qualquer, tivera a felicidade de escutar alguma vez, O chefe deseja-lhe as melhoras, e o próprio subchefe não parecia acreditar no que estava a dizer. Estupefacto, o Sr. José ainda teve presença de espírito suficiente para olhar na direcção do conservador a fim de lhe agradecer o inesperado voto, mas ele tinha a cabeça baixa, como se estivesse aplicado ao trabalho, o que, conhecendo nós os costumes laborais desta Conservatória Geral, é mais do que duvidoso. Devagar, o Sr. José fechou a porta e, a tremer de emoção e de febre, foi-se meter na cama.

Não tinha apanhado só aquela chuva que lhe caíra em cima enquanto, a resvalar do alpendre, forcejava por entrar no colégio. Quando, chegada a noite, saiu finalmente pela janela e alcançou a rua, não podia imaginar, pobre dele, o que o esperava. As mais do que penosas circunstâncias da escalada, mas sobretudo o pó acumulado no arquivo do sótão, tinham-no deixado, desde a cabeça até aos pés, num estado de sujidade impossível de descrever, com a cara e o cabelo empastados de negro, as mãos como cepos encarvoados, isto para não falar da roupa, a gabardina empapada em gordura e feita num farrapo, as calças como se tivessem andado a esfregar-se em alcatrão, a camisa que parecia ter servido à limpeza duma chaminé com séculos de fuligem, qualquer vagabundo, mesmo vivendo na mais extrema das penúrias, teria saído com mais dignidade à rua. Quando o Sr. José, dois quarteirões adiante da escola, nessa altura deixara de chover, mandou parar um táxi para regressar a casa, aconteceu o que tinha de acontecer, o condutor, vendo aquela figura negra surgida de repente das entranhas da noite, assustou-se e acelerou, e esta não foi a única vez, três táxis a que o Sr. José depois fez sinal desapareceram no virar da esquina como se os perseguisse o diabo. Resignou-se o Sr. José a voltar para casa andando, nem mesmo num autocarro se atreveria agora a entrar, paciência, será mais uma fadiga a juntar a esta que mal o deixa arrastar os pés, mas o pior foi que daí a pouco a chuva recomeçou a cair e não parou durante todo o interminável caminho, ruas, calçadas, praças, avenidas, por uma cidade que era como se estivesse deserta, e aquele homem sozinho, a escorrer água, sem ao menos um guarda-chuva que o proteja da maior, compreende-se porquê, ninguém vai de guarda-chuva para um assalto, é como na guerra, poderia recolher-se a um vão de porta e esperar uma pausa do céu, mas não vale a pena, mais molhado do que já está não é possível. Quando o Sr. José chegou a casa, a única parte sofrivelmente seca da sua roupa era um bolso do casaco, o interior do lado esquerdo, onde tinha metido os verbetes escolares da rapariga desconhecida, viera todo o tempo com a mão direita sobre eles, a defendê-los da chuva, quem assim o visse pensaria, de mais com a cara de sofrimento que levava, que tinha coisa má no coração. Tiritando, despiu-se todo, perguntando-se confusamente como iria resolver o problema da limpeza daquela roupa amontoada no chão, não estava tão provido de fatos, sapatos, meias e camisas ao ponto de poder mandar para a tinturaria, de uma só vez, como se fosse pessoa de teres, um conjunto completo, de certeza que lhe iria faltar alguma destas peças quando amanhã tivesse de vestir-se com o que lhe restava. Resolveu deixar a preocupação para depois, agora tratava-se de tirar esta porcaria do corpo, o pior era que o esquentador funcionava defeituosamente, a água tanto saía lá de dentro a ferver como fria de enregelar, só de o ter pensado arripiou-se todo, depois, como quem desejasse convencer-se a si próprio, murmurou, Talvez me faça bem à constipação, um jorro quente, um jorro frio, tenho ouvido dizer. Entrou no cubículo que lhe servia de casa de banho, olhou-se no espelho e deu razão ao susto dos condutores dos táxis, no lugar deles teria feito o mesmo, fugir desta avantesma de órbitas encovadas e boca a escorrer dos cantos uma espécie de baba negra. O esquentador não se portou mal desta vez, desferiu-lhe apenas duas vergastadas frias ao princípio, o resto foi reconfortantemente tépido, um rápido escaldão de vez em quando até ajudou a dissolver a sujidade. Ao sair do banho, o Sr. José sentia-se retemperado, como novo, mas assim que se enfiou na cama voltaram-lhe as tremuras, foi nessa altura que se lembrou de abrir a gaveta da mesa de cabeceira, onde guardava o termómetro, daí a pouco dizia, Trinta e nove, se amanhã de manhã estiver como estou agora não poderei ir trabalhar. Fosse por efeito da febre ou da fadiga, ou de ambos, este pensamento não o inquietou, não lhe pareceu estranha a irregular ideia de faltar ao serviço, neste momento o Sr. José não parecia ser o Sr. José, ou eram dois os Srs. Josés que se encontravam deitados na cama, com o cobertor puxado até ao nariz, um Sr. José que perdera o sentido das responsabilidades, outro Sr. José para quem isso se tornara totalmente indiferente. Com a luz acesa, esteve a modorrar durante uns minutos, e logo despertou em sobressalto ao sonhar que abandonava os verbetes em cima da cadeira do sótão, que deliberadamente os abandonava, como se em toda a sua aventura não tivesse havido outro fito que procurá-los e encontrá-los. E também sonhava que alguém entrava no sótão depois de ele ter saído, que via o montinho dos treze verbetes e perguntava, Que mistério é este. Meio entontecido, levantou-se e foi buscá-los, tinha-os posto sobre a mesa quando esvaziara as algibeiras do casaco, e voltou para a cama. Os verbetes estavam sujos de dedadas negras, alguns mostravam até, com absoluta nitidez, as suas impressões digitais, teria de limpá-las amanhã para iludir qualquer intento de identificação, Que estupidez, pensou, tudo em que tocamos fica com as impressões digitais, limpo estas e deixo outras, a diferença é umas serem visíveis e outras não. Fechou os olhos e daí a pouco reentrou na sonolência, a mão que já mal retinha os verbetes descaiu sobre a colcha, alguns

113

deles escorregaram para o chão, ali estavam os retratos duma rapariga em diferentes idades, de menina a adolescente, abusivamente trazidos para aqui, ninguém tem o direito de apropriar-se de retratos que não lhe pertençam, salvo se lhe foram oferecidos, levar o retrato duma pessoa no bolso é como levar-lhe um pouco da alma. O sonho do Sr. José, mas deste não despertou, era agora outro, via-se a si mesmo limpando as impressões digitais que tinha deixado na escola, havia-as por toda a parte, na janela por onde entrara, no posto médico, na secretaria, no gabinete do director, no refeitório, na cozinha, no arquivo, com as do sótão achou que não valia a pena preocupar-se, ali ninguém entraria para depois perguntar, Que mistério é este, o mal é que as mãos que limpavam o rasto visível iam deixando atrás de si um rasto invisível, se o director do colégio apresentar queixa do assalto à polícia e houver uma investigação a sério, o Sr. José irá parar à cadeia, tão certo como dois e dois serem quatro, imagina-se o descrédito e a vergonha que para sempre ficariam a manchar a reputação da Conservatória Geral do Registo Civil. A meio da noite o Sr. José acordou a arder em febre, parecia que delirava, e a dizer, Não roubei nada, não roubei nada, e era verdade que, propriamente falando, nada roubara, por mais que o director busque e indague, por mais verificações, contagens e conferências que venha a realizar, de inventário em punho, descarregando um item após outro, a sua conclusão acabará por ser a mesma, Roubo, aquilo a que se pode chamar roubo, não houve, sem dúvida a encarregada da cozinha aparecerá a dizer que falta comida no frigorífico, mas, supondo que esse tenha sido o único delito cometido, roubar para comer, segundo uma opinião mais ou menos generalizada, não é roubo, nisso até o director está concorde, a polícia é que cultiva por princípio uma opinião diferente, mas agora não terá outro remédio que ir-se embora resmungando, Ali há mistério, ninguém assalta uma casa só para tomar o pequeno-almoço. Em todo o caso, como a declaração formal do director, posta por escrito, era de que nada de valor ou sem ele faltava na escola, os agentes decidiram não levantar as impressões digitais, como mandava a rotina, Trabalho já nós temos de sobra, disse o que mandava no grupo investigador. Não obstante estas palavras tranquilizadoras, o Sr. José não conseguiu dormir em todo o resto da noite, com medo de que o sonho se repetisse e a polícia voltasse com as lupas e os pozinhos.

Não há nada em casa para atalhar esta febre e o médico só pela tarde é que deverá aparecer, talvez nem sequer venha hoje, e não trará remédios com ele, limitar-se-á a escrever a receita do costume para casos de constipação e gripe. A roupa suja ainda está amontoada no meio da casa e o Sr. José olha-a da cama, com ar perplexo, como se aquilo não lhe pertencesse, só um resto de senso comum o impede de perguntar, Quem será que veio para aqui despir-se, e foi o mesmo senso comum que o forçou a pensar, enfim, nas complicações, tanto de natureza pessoal como profissional, que resultariam de entrar-lhe um colega pela porta dentro a informar-se do seu estado, por mandado do chefe ou por sua própria iniciativa, e encontrar-se pela frente com aquela porcaria. Quando se pôs de pé sentiu-se como se o tivessem atirado de repente para o alto da escada, mas esta tontura não era igual às outras, provinha da febre, e algo também devia ser da debilidade, pois o que comera no colégio, parecendo suficiente de cada vez, servira-lhe mais para enganar os nervos do que para alimentar a carne. Com dificuldade, amparando-se à parede, conseguiu alcançar uma cadeira e sentar-se. Esperou que a cabeça voltasse ao seu normal para pensar onde conviria esconder a roupa suja, na casa de banho não, os médicos têm sempre de lavar as mãos à saída, debaixo da cama impossível, era daquelas armações antigas, alta de patas, qualquer pessoa, mesmo sem ter de se curvar, daria pelos trapos, no armário da gente famosa não caberia nem seria próprio, a triste verdade é que a cabeça do Sr. José continuava a funcionar mal apesar de ter deixado de dar voltas, o único sítio onde evidentemente a roupa suja estaria a salvo de indiscrições era aquele onde estava quando limpa, isto é, atrás da cortina que tapava o desvão utilizado como guarda-fato, seria preciso que o colega ou o médico fossem muito mal-educados para lá irem meter o nariz. Satisfeito consigo mesmo por ter concluído, após tão demorada ponderação, o que noutras circunstâncias seria mais do que óbvio, o Sr. José pôs-se a empurrar a roupa com o pé para não sujar o pijama, na direcção da cortina. No chão ficou uma grande mancha de humidade que iria precisar de algumas horas para evaporar-se por completo, se alguém entrasse antes disso e fizesse perguntas explicaria que tinha entornado água por descuido ou que havia uma nódoa no soalho e a tentara limpar. O estômago do Sr. José, desde que se levantara, estava a implorar-lhe a caridade de uma chávena de café com leite, de uma bolacha, de uma fatia de pão com manteiga, qualquer coisa que lhe apaziguasse o apetite subitamente acordado, agora que as preocupações com o destino imediato da roupa haviam desaparecido. O pão estava duro e seco, a manteiga era mínima, o leite tinha-se acabado, não havia senão café, e de medíocre qualidade, já se sabe que um homem a quem nenhuma mulher quis tanto que aceitasse vir viver para este tugúrio, um homem desses, salvo pouquíssimas excepções sem lugar nesta história, nunca passará de um pobre diabo, é curioso que se diga sempre pobre diabo e nunca se diga pobre deus, mormente quando se teve a má sorte de sair tão desajeitado como este, atenção, era do homem que estávamos a falar, não de qualquer deus. Apesar da pouca e desconsoladora comida, ao Sr. José ainda lhe sobrou ânimo para barbear-se, operação de que depois acreditou ter saído com melhor cara, tanto que no fim disse para o espelho, Parece que estou com menos febre. Esta reflexão levou-o a pensar se não seria de boa e prudente política apresentar-se voluntário ao trabalho, em meia dúzia de passos estaria lá dentro, O serviço da Conservatória acima de tudo, seriam as suas palavras, o conservador, certamente, tendo em conta o frio que fazia lá fora, perdoar-lhe-ia não ter dado a volta pela rua como estava obrigado, e até talvez registasse na folha de cadastro do Sr. José uma prova tão clara de espírito de corpo e de dedicação ao trabalho. Pensou, mas não o fez. Doía-lhe todo o corpo, como se o tivessem rolado, batido e sacudido, doíam-lhe os músculos, doíam-lhe as articulações, e não era por causa dos muitos esforços que tivera de fazer como escalador e arrombador, qualquer pessoa seria capaz de perceber que se trata de dores diferentes, O que eu tenho é gripe, concluiu.

Acabara de se meter na cama quando ouviu bater à porta que dava para a Conservatória, seria algum colega caritativo, a tomar a sério o preceito cristão de visitar os enfermos e os encarcerados, não, um colega não podia ser, o intervalo do almoço ainda vinha longe, obras de misericórdia só fora das horas de serviço, Entre, disse, está fechada no trinco, a porta abriu-se e no limiar apareceu o subchefe a quem tinha dado parte da sua enfermidade, O chefe manda saber se está a tomar algum remédio enquanto não vem o médico, Não senhor, não disponho de nada em casa para o efeito, Então tem aqui umas pastilhas, Muito obrigado, se não se importa, para não ter de me levantar, pago-lhe depois, quanto lhe devo, Foi ordem do chefe, ao chefe não se pergunta quanto se lhe deve, Bem sei, desculpe, Seria conveniente que tomasse já um comprimido, e o subchefe entrou sem esperar resposta, Pois sim, muito obrigado, é muita bondade sua, o Sr. José não podia cortar-lhe o passo, dizer Alto lá, o senhor aqui não entra, isto é uma casa particular, em primeiro lugar porque não se fala nesses termos a um superior, em segundo lugar porque não havia memória na tradição oral nem registo escrito nos anais da Conservatória de alguma vez um chefe se ter interessado pela saúde de um auxiliar de escrita ao ponto de lhe mandar um portador com pastilhas. O próprio subchefe estava perplexo com a novidade, por iniciativa sua nunca o teria feito, em todo o caso não perdeu o norte, como quem soubesse perfeitamente ao que vinha e conhecesse os cantos à casa, não há que estranhar, antes das alterações urbanísticas do bairro viveu numa casa como esta. A primeira coisa que notou foi a grande mancha húmida no chão, Isto que é, alguma infiltração, perguntou, o Sr. José esteve tentado a responder que sim para não ter de dar outras explicações, mas preferiu falar de um descuido seu, como pensara primeiro, não faltaria mais vir-lhe o canalizador a casa e fazer depois um relatório ao chefe a declarar que os canos, apesar de antigos, não tinham qualquer responsabilidade no aparecimento da mancha de humidade. O subchefe vinha lá com o copo de água e o comprimido, a missão de enfermeiro designado adoçava-lhe um pouco a habitual expressão autoritária da cara, mas ela voltou subitamente, acentuada por algo que poderia ser classificado como uma surpresa ofendida, quando, ao aproximar-se da cama, reparou nos verbetes escolares da rapariga desconhecida em cima da mesa de cabeceira. O Sr. José deu pela estranheza do outro no instante em que ela se produziu e foi como se o mundo todo se tivesse vindo abaixo. O cérebro despachou instantaneamente uma ordem aos músculos do braço desse lado, Tira isso daí, meu estúpido, mas logo, com a mesma rapidez, impulso eléctrico atrás de impulso eléctrico, emendou por assim dizer a mão, como quem acaba de reconhecer a sua própria estupidez, Por favor, não lhes toques, disfarça, disfarça. Por isso, com uma presteza totalmente inesperada em quem se achava no estado de depressão física e mental que é a primeira consequência conhecida da gripe, o Sr. José sentou-se na cama fingindo querer facilitar a caridade do subchefe, estendeu um braço para receber o comprimido, que levou à boca, e a água para o fazer passar pela oprimida e angustiada garganta, ao mesmo tempo que, aproveitando o facto de o colchão em que jazia se encontrar à altura da mesa de cabeceira, tapava os verbetes com o cotovelo do outro braço, deixando depois descair para a frente o antebraço, com a palma da mão aberta, imperativa, como se estivesse a ordenar ao subchefe Pare aí. O que lhe valeu foi a fotografia colada na ficha, é a diferença mais notável entre os verbetes escolares e os de nascimento e vida, não faltaria receber a Conservatória Geral todos os anos um retrato dos viventes inscritos, e quem diz todos os anos, diria todos os meses, ou todas as semanas, ou todos os dias, ou uma fotografia por hora, meu Deus, como o tempo passa, e o trabalho que iria dar, quantos auxiliares de escrita seria preciso recrutar, uma fotografia cada minuto, cada segundo, a quantidade de cola, o gasto em tesouras, o cuidado na selecção do pessoal, de modo a excluir os sonhadores capazes de ficar eternamente a olhar para um retrato, devaneando como idiotas a ver uma nuvem passar. A cara do subchefe mostrava a expressão dos seus piores dias, quando os papéis se acumulavam em todas as secretárias e o chefe o chamava para lhe perguntar se tinha realmente a certeza de estar a cumprir a sua obrigação. Graças ao retrato, não pensou que os verbetes que estavam em cima da mesa de cabeceira do subordinado pertencessem à Conservatória Geral, mas a pressa com que o Sr. José os havia tapado, ainda por cima procedendo como se estivesse a fazê-lo por acaso ou distraidamente, pareceu-lhe suspeita. Já a mancha de humidade no chão lhe provocara desconfiança, agora eram uns verbetes de modelo desconhecido com retrato colado, de criança, como ainda pudera perceber. Não podia contar as fichas, dispostas umas sobre as outras, mas, pelo volume, não deviam ser menos de dez, Dez fichas com retratos de crianças, caso raro, que fará isto aqui, pensou intrigado, e muito mais intrigado ficaria se pudesse saber que os verbetes, afinal, pertenciam todos à mesma pessoa e que os retratos dos dois últimos já eram de uma rapariga adolescente, de cara séria, mas simpática. O subchefe deixou a caixa das pastilhas em cima da mesa de cabeceira e retirou-se. Quando ia a sair, olhou para trás e viu o subordinado ainda com o cotovelo a tapar as fichas, Tenho de falar ao chefe, disse consigo mesmo. Mal a porta acabou de ser fechada, o Sr. José, num movimento brusco, como se tivesse medo de ser apanhado em falta, enfiou os verbetes debaixo do colchão. Não havia ali ninguém para lhe dizer que era demasiado tarde, e ele não queria pensar nisso.

É gripe, disse o médico, leva três dias de baixa para começar. Esvaído de cabeça, mal seguro de pernas, o Sr. José tinha-se levantado da cama para ir abrir a porta, Desculpe tê-lo feito esperar lá fora, senhor doutor, é o resultado de viver sozinho, o médico entrou a resmungar, Está um tempo infame, fechou o guarda-chuva que escorria, deixou-o à entrada, Então de que é que se queixa, perguntou quando o Sr. José, a bater os dentes, acabou de se meter entre os lençóis, e, sem esperar que ele lhe respondesse, disse, É gripe. Tomou-lhe o pulso, mandou-o abrir a boca, aplicou-lhe velozmente o estetoscópio no peito e nas costas, É gripe, tornou a dizer, está com muita sorte, podia ser pneumonia, mas é gripe, leva três dias de baixa para começar, depois logo veremos. Tinha acabado de se sentar à mesa para escrever a receita quando a porta de comunicação com a Conservatória se abriu, estava fechada apenas no trinco, e o chefe apareceu, Boa tarde, senhor doutor, Diga antes má tarde, senhor conservador, boa tarde seria eu estar agora no quentinho do consultório, em vez de andar aí por essas ruas com o desgraçado tempo que faz, Como vai o nosso doente, perguntou o conservador, e o médico respondeu, Dei-lhe três dias de baixa, é só uma gripe. Naquele momento não era só uma gripe. Tapado até ao nariz, o Sr. José tremia como se estivesse com um ataque de sezões, ao ponto de fazer abanar a cama de ferro em que jazia, porém o tremor, irreprimível, não era da febre que vinha, mas de uma espécie de pânico, de um total desnorte do espírito, O chefe, aqui, pensava, o chefe na minha casa, o chefe que lhe perguntava, Como se sente, Melhor, senhor, Tomou os comprimidos que lhe mandei, Sim senhor, Fizeram-lhe efeito, Sim senhor, Agora deixará de tomar esses e passará a tomar os remédios que o doutor tiver receitado, Sim senhor, A não ser que sejam os mesmos, ora deixe-me ver, de facto são os mesmos, só tem a mais umas injecções, eu trato-lhe disso. O Sr. José mal podia acreditar que a pessoa que, diante dos seus olhos, estava a dobrar a receita e a guardá-la cuidadosamente no bolso fosse realmente o chefe da Conservatória Geral. O chefe que ele a duras penas aprendera a conhecer nunca se comportaria desta maneira, não viria em pessoa interessar-se pelo seu estado de saúde, e a hipótese de querer, ele próprio, encarregar-se da compra dos medicamentos de um auxiliar de escrita, seria simplesmente absurda. Depois precisará de um enfermeiro que lhe venha dar as injecções, lembrou o médico deixando a dificuldade para quem estivesse disposto e fosse capaz de resolvê-la, não o pobre diabo engripado, escanzelado de magro, com a barba cinzenta a aparecer, não lhe bastava o evidente desconforto da casa, aquela mancha de humidade no soalho com todo o aspecto de ter sido causada por canalizações deficientes, quantas tristezas um médico poderia contar da vida, se não fosse o segredo profissional, O que lhe proíbo é que saia à rua nesse estado, rematou, Eu trato de tudo, senhor doutor, disse o conservador, telefono ao enfermeiro da Conservatória, ele compra os remédios e vem cá dar as injecções, Já não se encontram muitos chefes como o senhor, disse o médico. O Sr. José acenou debilmente a cabeça, era o máximo que conseguiria fazer, obediente e cumpridor, sim, sempre o havia sido, e com certo paradoxal orgulho de o ser, mas não rasteiro e subserviente, nunca diria, por exemplo, lisonjas imbecis do género, É o melhor chefe de Conservatória, Não há no mundo outro igual, Partiu-se a forma depois de o terem feito, Por ele, apesar das minhas tonturas, até subo aquela maldita escada. O Sr. José tem agora outra preocupação, outra ansiedade, que o chefe se vá embora já, que se retire antes do médico, treme de imaginar-se sozinho com ele, à mercê das perguntas fatais, Que significa a mancha de humidade, Que verbetes eram esses que estavam aí na mesa de cabeceira, Donde os trouxe, Onde os escondeu, De quem é o retrato. Fechou os olhos, deu ao rosto uma expressão de insuportável sofrimento, Deixem-me em paz no meu leito de dor, parecia suplicar, mas abriu-os de repente, espavorido, o médico havia dito, Cá vou à vida, chamem-me se piorar, em todo o caso podemos ficar razoavelmente descansados, de pneumonia não se trata, Mantê-lo-ei ao corrente, senhor doutor, disse o conservador, enquanto acompanhava o médico. O Sr. José tornou a fechar os olhos, ouviu bater a porta, É agora, pensou. Os passos firmes do chefe aproximavam-se, vinham na direcção da cama, detiveram-se, Agora está com certeza a olhar para mim, o Sr. José não sabia que fazer, poderia fingir que tinha adormecido, adormecido devagarinho como adormece um doente cansado, mas o tremor das pálpebras já estava a denunciar a falsidade, também poderia, melhor ou pior, fabricar na garganta um gemido lastimoso, desses de cortar o coração, mas uma gripe comum nunca deu para tanto, só um tolo se deixaria enganar, não este conservador, que conhece os reinos do visível e do invisível de cor e salteado. Abriu os olhos e ele estava ali, a dois passos da cama, sem nenhuma expressão no rosto, simplesmente a observá-lo. Então o Sr. José julgou ter tido uma ideia salvadora, devia agradecer os cuidados da Conservatória Geral, agradecer com eloquência, com efusão, talvez dessa maneira conseguisse evitar as perguntas, mas no justo momento em que ia abrir a boca para pronunciar a frase consabida, Não sei como hei-de agradecer, o chefe virou-lhe as costas, ao mesmo tempo que pronunciava uma palavra, uma simples palavra, Trate-se, foi o que disse num tom que tinha tanto de condescendente como de imperativo, só os melhores chefes são capazes de unir de forma harmoniosa sentimentos tão contrários, por isso vai para eles a veneração dos subordinados. O Sr. José tentou, ao menos, dizer Muito obrigado, senhor, mas o chefe já tinha saído, fechando delicadamente a porta atrás de si, como num quarto de doente se deve fazer. O Sr. José tem uma dor de cabeça, mas a dor é quase nada se a compararmos com o tumulto que lá vai dentro. O Sr. José encontra-se num estado de confusão tal que o seu primeiro movimento, depois de o conservador ter saído, foi meter a mão por debaixo do colchão para certificar-se de que os verbetes ainda lá estavam. Mais ofensivo do senso comum foi o seu segundo movimento, que o fez levantar-se da cama para ir dar duas voltas à chave na porta de comunicação com a Conservatória, como quem desesperadamente põe trancas depois de lhe haverem roubado a casa. Tornar a deitar-se foi apenas o quarto movimento, o terceiro tinha sido quando voltou atrás pensando, E se o chefe se lembra de voltar cá, nesse caso o mais prudente, para evitar suspeitas, seria deixar a porta fechada só no trinco. Decididamente, ao Sr. José, se de um lado lhe sopra, do outro lhe faz vento.

Quando o enfermeiro apareceu era já noite. Cumprindo a ordem que tinha recebido do conservador, trazia consigo os comprimidos e as ampolas que o médico havia receitado, mas, para surpresa do Sr. José, trazia igualmente um embrulho que foi colocar com todo o cuidado em cima da mesa enquanto dizia, Ainda está quente, espero não ter entornado nada, o que significava que vinha comida ali dentro, como as palavras seguintes logo confirmaram, Sirva-se antes que arrefeça, mas primeiro vamos à nossa injecçãozinha. Ora, o Sr. José não gostava de injecções, muito menos na veia do braço, donde sempre tinha de apartar a vista, por isso ficou tão satisfeito quando o enfermeiro lhe disse que a picadinha ia ser no glúteo, este enfermeiro é uma pessoa educada, doutro tempo, acostumou-se a usar o termo glúteos em vez de nádegas para não chocar os escrúpulos das senhoras, e quase acabou por esquecer a designação corrente, pronunciava glúteo mesmo quando tinha de tratar com doentes para quem nádega não passava de um ridículo preciosismo de linguagem e preferiam a variante grosseira de nalga. O inesperado aparecimento da comida e o alívio de não ir ser picado no braço desarmaram as defesas do Sr. José, ou simplesmente não se lembrou, ou mais simplesmente ainda não havia notado até aí que tinha as calças do pijama manchadas de sangue à altura dos joelhos, consequência das suas proezas nocturnas de escalador de colégios. O enfermeiro, já com a seringa preparada no ar, em vez de dizer Volte-se, perguntou, Que é isso, e o Sr. José, convertido por esta lição da vida à bondade definitiva das injecções no braço, respondeu instintivamente, Caí, Homem, você anda com azar, primeiro cai, depois apanha uma gripe, o que lhe vale é ter o chefe que tem, vire-se lá, depois dou uma vista de olhos nesses joelhos. Debilitado de corpo, alma e vontade, crispado até ao último nervo, pouco faltou ao Sr. José para desatar a chorar como uma criança quando sentiu a picada da agulha e a lenta e dolorosa entrada do líquido no músculo, Estou feito um farrapo, pensou, e era verdade, um pobre animal humano febril, deitado numa pobre cama de uma pobre casa, com a roupa suja do delito escondida e uma mancha de humidade no chão que nunca mais acaba de secar. Ponha-se de costas, vamos ver essas feridas, disse o enfermeiro, e o Sr. José, suspirando, tossindo, obedeceu, deu trabalhosamente a volta ao corpo, e agora, inclinando a cabeça para a frente, pode ver como o enfermeiro lhe arregaça as perneiras das calças enrolando-as até acima do joelho, como lhe retira os pensos sujos, pingando sobre eles água oxigenada e descolando-os aos poucos com extremo cuidado, felizmente é um profissional de primeira, a malinha de mão que transporta consigo é um perfeito pronto-socorro, tem remédios para quase tudo. A vista dos ferimentos, fez cara de quem não estava a acreditar na explicação que o Sr. José havia dado, aquela de ter caído, a sua experiência de esfoladuras e contusões levou-o mesmo a comentar com inconsciente perspicácia, Ó homem, você até parece que andou a esfregar uma parede com os joelhos, Já lhe disse que caí, Deu conhecimento disto ao chefe, Não é assunto de serviço, uma pessoa pode dar uma queda sem ter de comunicar aos superiores, Excepto se o enfermeiro chamado para dar uma injecção teve de fazer um curativo suplementar, Que eu não pedi, Sim senhor, de facto não pediu, mas se amanhã viesse a ter um infecção grave causada por estas feridas, quem depois carregava com a culpa, por comportamento desleixado e falta de profissionalismo, era eu, além disso, o chefe gosta de saber tudo, é a maneira que ele tem de fazer de conta que não liga importância a nada, Dir-lhe-ei amanhã, Aconselho-o vivamente a que o faça, assim o relatório ficará confirmado, Qual relatório, O meu, Não vejo que importância podem ter umas simples feridas, ao ponto de terem de ser mencionadas num relatório, Mesmo a ferida mais simples tem importância, As minhas, depois de saradas, vão deixar umas cicatrizes insignificantes que com o tempo desaparecerão, Sim, no corpo as feridas cicatrizam, mas no relatório ficam sempre abertas, nem fecham nem desapareçam, Não percebo, Há quanto tempo está você a trabalhar na Conservatória Geral, Vai para vinte e seis anos, Quantos foram os chefes que conheceu até agora, Contando com este, três, Pelos vistos, nunca notou nada, Notar o quê, Pelos vistos, nunca deu por nada, Não compreendo aonde quer chegar, É ou não é verdade que os conservadores têm pouco trabalho, É verdade, toda a gente fala disso, Pois fique então a saber que a ocupação principal deles, nas muitas horas vagas de que gozam, enquanto o pessoal está a trabalhar, é coligir informações sobre os subordinados, toda a espécie de informações, fazem-no desde que a Conservatória Geral existe, um após outro, desde sempre. O estremecimento do Sr. José não passou despercebido ao enfermeiro, Teve um arripio, perguntou, Sim, tive um arripio, Para você ficar com uma ideia mais clara do que lhe estou a dizer, até esse arripio deveria constar do meu relatório, Mas não constará, De facto, não constará, Calculo porquê, Diga, Porque então teria de escrever que o estremecimento se deu quando me estava a contar que os chefes coleccionam informações sobre os funcionários da Conservatória Geral, e o chefe haveria de querer saber a que propósito veio ter esta conversa comigo, e também como conseguiu um enfermeiro ter conhecimento de um assunto reservado, tão reservado que em vinte e cinco anos de serviço na Conservatória Geral nunca tinha ouvido falar dele, Há muito de confidente nos enfermeiros, embora bastante menos que nos médicos, Pretende insinuar que o chefe lhe costuma fazer confidências, Nem ele mas faz, nem eu estou a insinuar que as faça, simplesmente recebo ordens, Então só tem de cumpri-las, Engana-se, tenho de fazer muito mais do que cumpri-las, tenho de interpretá-las, Porquê, Porque entre o que ele manda e o que ele quer há geralmente diferença, Se o mandou vir cá foi para me dar uma injecção, Essa é a aparência, Que foi que viu neste caso, além da aparência que tem, Você não é capaz de imaginar a quantidade de coisas que se descobrem olhando para umas feridas, Ter visto estas foi uma pura casualidade, Há que contar sempre com as puras casualidades, ajudam muito, Que coisas descobriu então nas minhas feridas, Que andou a raspar uma parede com os joelhos, Caí, Já mo havia dito, Uma informação como essa, supondo que fosse exacta, não iria aproveitar muito ao chefe, Que lhe aproveite ou que não lhe aproveite, não é da minha conta, eu limito-me a fornecer os relatórios, Da gripe que apanhei já ele estava informado, Mas não das feridas nos joelhos, Daquela mancha de humidade no chão, também, Mas não do arripio, Se não lhe resta mais que fazer aqui, rogo-lhe que se vá embora, estou cansado, preciso de dormir, Terá de comer antes, não se esqueça, oxalá o seu jantar, com a conversa, não tenha arrefecido de todo, Corpo deitado aguenta muita fome, Mas não pode aguentá-la toda, Foi o chefe que lhe mandou trazer-me a comida, Conhece mais alguma pessoa que o quisesse ter feito, Sim, se soubesse onde eu moro, Quem é essa pessoa, Uma mulher de idade que mora num rés do chão, Ferimentos nos joelhos, um súbito e inexplicado estremecimento, uma velha num rés do chão, Direito, Este seria o relatório mais importante da minha vida, se eu o escrevesse, Não vai escrevê-lo, afinal, Sim, vou escrevê-lo, mas só para informar que lhe dei uma injecção no glúteo esquerdo, Obrigado por me ter tratado das feridas, Do muito que me ensinaram, foi o que aprendi melhor. Depois de o enfermeiro ter saído, o Sr. José ficou deitado ainda uns minutos, sem se mexer, a recuperar a serenidade e as forças. O diálogo fora difícil, com alçapões e portas falsas surgindo a cada passo, o mais pequeno deslize poderia tê-lo arrastado a uma confissão completa se não fosse estar o seu espírito atento aos múltiplos sentidos das palavras que cautelosamente ia pronunciando, sobretudo aquelas que parecem ter um sentido só, com elas é que é preciso mais cuidado. Ao contrário do que em geral se crê, sentido e significado nunca foram a mesma coisa, o significado fica-se logo por aí, é directo, literal, explícito, fechado em si mesmo, unívoco, por assim dizer, ao passo que o sentido não é capaz de permanecer quieto, fervilha de sentidos segundos, terceiros e quartos, de direcções irradiantes que se vão dividindo e subdividindo em ramos e ramilhos, até se perderem de vista, o sentido de cada palavra parece-se com uma estrela quando se põe a projectar marés vivas pelo espaço fora, ventos cósmicos, perturbações magnéticas, aflições.

Enfim, o Sr. José saiu da cama, enfiou os pés nos chinelos, vestiu o roupão que lhe servia também de manta suplementar nas noites frias. Apesar de apertado pela fome, abriu a porta para olhar a Conservatória. Percebia dentro de si um desgarro estranho, uma impressão de ausência, como se tivessem decorrido muitos dias desde a última vez que lá havia estado. Nada mudara, no entanto, ali estava o balcão corrido onde se atendiam os requerentes e impetrantes, por baixo dele as gavetas que guardavam os verbetes dos vivos, depois as oito mesas dos auxiliares de escrita, as quatro dos oficiais, as duas dos subchefes, a grande secretária do chefe com a luz acesa suspensa do alto, as enormes estantes subindo até ao tecto, a escuridão petrificada do lado dos mortos. Apesar de não haver ninguém na Conservatória Geral, o Sr. José fechou a porta à chave, não estava ninguém na Conservatória Geral, mas ele fechou a porta à chave. Graças aos pensos novos que o enfermeiro lhe pusera nos joelhos, podia andar melhor, não sentia as feridas a serem repuxadas. Sentou-se à mesa, desfez o embrulho, havia dois tachos sobrepostos, o de cima com sopa, o de baixo com batatas e carne, morno ainda tudo. Comeu a sopa sofregamente, depois, sem pressa, deu conta da carne e das batatas. O que me vale é ser este chefe o que é, murmurou, recordando as palavras do enfermeiro, se não fosse ele, ficaria eu para aqui a morrer de fome e abandono, igual a um cão perdido. Sim, foi o que me valeu, repetiu, como se precisasse de convencer-se do que acabara de dizer. Já reconfortado, depois de ter passado pelo cubículo que servia de casa de banho, acolheu-se à cama. Estava prestes a cair no sono quando se lembrou do caderno de apontamentos em que narrara os primeiros passos da sua busca. Escrevo amanhã, disse, mas esta nova urgência era quase tão premente como a de comer, por isso foi buscar o caderno. Depois, sentado na cama, com o roupão vestido, o casaco do pijama abotoado até ao pescoço, aconchegado nos cobertores, continuou o relato a partir do ponto em que tinha ficado. O chefe disse-me, Se não está doente, como explica então o mau trabalho que andou a fazer nos últimos dias, Não sei, senhor, talvez seja porque tenho dormido mal. Com a ajuda da febre, continuou a escrever pela noite dentro.

Não três dias, mas uma semana, foi quanto o Sr. José precisou para que se lhe reduzisse a febre e remitisse a tosse. O enfermeiro veio todos os dias dar a injecção e trazer a comida, o médico um dia sim, um dia não, mas esta assiduidade extraordinária, referimo-nos à do médico, não deverá levar-nos a juízos apressados sobre uma suposta eficácia habitual dos serviços oficiais de saúde e assistência ao domicílio, porquanto ela era consequência, simplesmente, da claríssima ordem do chefe da Conservatória Geral, Senhor doutor, trate-me aquele homem como se estivesse a tratar-me a mim, é importante. O médico não atinava com as razões do óbvio tratamento de favor que lhe estava a ser recomendado e muito menos com a falta de objectividade da opinião valorativa expressa, conhecia de alguma visita profissional a casa do conservador, a sua maneira confortável e civilizada de viver, um mundo interior sem qualquer semelhança com o tugúrio tosco deste Sr. José permanentemente mal barbeado e que parecia não ter lençóis para mudar. Sim, lençóis tinha-os o Sr. José, não era pobre a tal ponto, mas, por motivos que só ele conhecia, rejeitou secamente a proposta do enfermeiro, quando este se lhe ofereceu para dar ar ao colchão e substituir os lençóis, que fediam a suor e a febre, Em menos de cinco minutos deixo-lhe a cama fresca, Estou bem assim, não se incomode, Ora essa, faz parte do meu trabalho, Já lhe disse que estou bem assim. O Sr. José não podia descobrir aos olhos de ninguém que escondia entre o colchão e o enxergão os verbetes escolares de uma mulher desconhecida e um caderno de apontamentos com o relato do seu assalto ao colégio em que ela tinha estudado no tempo de menina e moça. Guardá-los noutro sítio, no meio das pastas dos recortes da gente famosa, por exemplo, resolveria de imediato a dificuldade, mas a impressão de estar a defender um segredo com o seu próprio corpo era demasiado forte, e mesmo exaltante, para que o Sr. José se dispusesse a renunciar a ela. Para não ter de discutir outra vez o assunto com o enfermeiro, ou com o médico, que, embora sem fazer qualquer comentário, já tinha lançado um olhar repreensivo aos lençóis amarrotados e franzido ostensivamente o nariz ao bafo que desprendiam, o Sr. José levantou-se numa dessas noites e, fazendo das fraquezas forças, mudou ele próprio os lençóis. E para que nem o médico nem o enfermeiro pudessem encontrar o menor pretexto para repisar o assunto e, quem sabe, ir dar parte ao conservador do incorrigível desmazelo do auxiliar de escrita, enfiou-se na casa de banho, fez a barba, lavou-se o melhor que conseguiu, depois desencantou duma gaveta um pijama velho, mas limpo, e tornou a meter-se na cama. Tão satisfeito e reposto se sentia que, como quem brinca consigo mesmo, decidiu descrever no caderno de apontamentos, explicadamente, com todos os pormenores, os higiénicos arranjos e cuidados por que acabara de fazer-se passar. Era a saúde que já queria volver, como o médico não tardou a ir anunciar ao conservador, O homem está curado, com mais dois dias poderá voltar ao serviço sem perigo de recaída. O conservador só disse, Muito bem, mas com um ar distraído, como se estivesse a pensar noutra coisa.

Curado o Sr. José estava, mas perdera muito peso, não obstante o pão e o conduto que o enfermeiro lhe trazia regularmente, é certo que só uma vez ao dia, porém em quantidade mais do que suficiente para a manutenção de um corpo adulto não sujeito a esforços. Há que levar em consideração, no entanto, o efeito desgastador da febre e dos suores sobre os tecidos adiposos, em particular quando já não abundavam antes, como era o caso. Não estavam bem vistas na Conservatória Geral do Registo Civil as observações de carácter pessoal, mormente as que tivessem que ver com o estado de saúde, por isso a magreza e o mau parecer do Sr. José não foram objecto de qualquer comentário por parte de colegas e superiores, comentário oral, quer-se dizer, já que os olhares de todos eles foram bastante eloquentes na comum expressão de uma espécie de comiseração desdenhosa, que outras pessoas, desconhecedoras dos costumes do local, teriam erroneamente interpretado como uma discreta e silenciosa reserva. Para que se notasse como lhe dava cuidado ter estado ausente do serviço durante tantos dias, o Sr. José foi o primeiro a ir colocar-se de manhã à porta da Conservatória, esperando a chegada do subchefe mais novo no cargo, que era quem estava encarregado de a abrir, como encarregado estava de a deixar fechada ao fim da tarde. A chave original, obra de arte de um antigo cinzelador barroco e símbolo material de autoridade, de que a chave do subchefe era apenas uma cópia austera e subalterna, encontrava-se na posse do conservador, que aparentemente nunca a usava, quer por causa do peso e da complexidade dos ornatos, que a tornavam incómoda de transportar, quer porque, segundo um protocolo de hierarquias não escrito e em vigor desde tempos remotos, era obrigatório que fosse ele o último a entrar no edifício. Um dos muitos mistérios da vida da Conservatória Geral, que realmente valeria a pena averiguar se o caso do Sr. José e da desconhecida mulher não tivesse absorvido em exclusivo as nossas atenções, era como se arranjavam os funcionários para, apesar dos embaraços do trânsito que atormentam a cidade, chegarem ao trabalho sempre pela mesma ordem, primeiro os auxiliares de escrita, sem ligar à antiguidade, depois o subchefe que abre a porta, a seguir os oficiais, guardando a precedência, a seguir o subchefe mais antigo, e finalmente o conservador, que chega quando tem de chegar e não dá satisfações a ninguém. De todo o modo fica registado o facto.

O sentimento de desdenhosa comiseração que, como foi dito, tinha recebido o regresso do Sr. José ao trabalho, durou até à entrada do conservador, meia hora depois da abertura dos serviços, sendo, acto contínuo, substituído por um sentimento de inveja, compreensível no fim de contas, mas felizmente não manifestado por palavras ou actos. Sendo a alma humana o que sabemos, e não podemos gabar-nos de saber tudo, outra coisa não era de esperar. Já nestes dias correra na Conservatória a notícia, introduzida por portas travessas e rumorejada pelos cantos, de que o chefe se preocupara de uma maneira inusual com a gripe do Sr. José, chegando ao extremo de lhe mandar comida pelo enfermeiro, além de o ir ver a casa pelo menos uma vez, e essa dentro das horas de serviço, diante de toda a gente, faltava saber se não teria repetido a visita. É fácil portanto de imaginar o escândalo surdo do pessoal, sem distinção de categorias, quando o conservador, mesmo antes de se dirigir ao seu lugar, se deteve ao lado do Sr. José e lhe perguntou se já se encontrava completamente restabelecido da doença. Maior foi ainda o escândalo porque esta era a segunda vez que tal acontecia, todos tinham presente na memória aquela outra ocasião, não há tanto tempo assim, em que o chefe havia perguntado ao Sr. José se estava melhor das insónias, como se as insónias do Sr. José fossem, para o funcionamento regular da Conservatória Geral, uma questão de vida ou de morte. Mal podendo acreditar no que ouviam, os funcionários assistiram a uma conversa de igual para igual, absurda de todos os pontos de vista, com o Sr. José a agradecer as bondades do chefe, tendo chegado mesmo a referir-se abertamente à comida, o que, no ambiente estrito da Conservatória, tinha forçosamente de soar como uma grosseria, como uma obscenidade, e o chefe a explicar que não podia deixá-lo abandonado à mofina sorte dos que vivem sozinhos, sem terem quem lhes chegue ao menos uma tigela de caldo e lhes componha a dobra do lençol, A solidão, Sr. José, declarou com solenidade o conservador, nunca foi boa companhia, as grandes tristezas, as grandes tentações e os grandes erros resultam quase sempre de se estar só na vida, sem um amigo prudente a quem pedir conselho quando algo nos perturba mais do que o normal de todos os dias, Eu, triste, o que se chama propriamente triste, senhor, não creio que o seja, respondeu o Sr. José, talvez a minha natureza seja um pouco melancólica, mas isso não é defeito, e quanto às tentações, bom, há que dizer que nem a idade nem a situação me inclinam a elas, quer dizer, nem eu as procuro nem elas me procuram a mim, E os erros, Está a referir-se, senhor, aos erros do serviço, Estou a referir-me aos erros em geral, os erros do serviço, mais tarde ou mais cedo, o serviço os fez, o serviço os resolve, Nunca fiz mal a ninguém, pelo menos em consciência, é tudo quanto lhe posso dizer, E erros contra si próprio, Devo ter cometido muitos, se calhar por isso é que me encontro sozinho, Para cometer outros erros, Só os da solidão, senhor. O Sr. José, que, como era seu dever, se tinha levantado à aproximação do chefe, sentiu subitamente as pernas frouxas e uma onda de suor a inundar-lhe o corpo. Empalideceu, as mãos buscaram ansiosas o amparo da mesa, mas esse apoio não foi suficiente, o Sr. José teve de sentar-se na cadeira enquanto murmurava, Desculpe, senhor, desculpe. O conservador olhou-o com expressão impenetrável durante alguns segundos e dirigiu-se ao seu lugar. Chamou o subchefe responsável pela ala do Sr. José, deu-lhe uma ordem em voz baixa, acrescentando, de forma audível, Sem passar pelo oficial, o que significava que as instruções que o subchefe tinha acabado de receber, destinadas a um auxiliar de escrita, deviam, contra as regras, o costume e a tradição, ser por ele próprio executadas. Já antes, quando o conservador mandara este mesmo subchefe levar os comprimidos ao Sr. José, a cadeia hierárquica havia sido subvertida, mas essa infracção ainda poderia justificar-se pela desconfiança de que o oficial respectivo fosse incapaz de desempenhar a contento a missão, que não consistia tanto em levar pastilhas contra a gripe a um doente como em deitar uma vista de olhos à casa e vir contar depois. Um oficial acharia perfeitamente admissível, isto é, explicada por si mesma e pelo tempo invernoso que então fizera, a mancha de humidade no chão, e, não dando provavelmente atenção aos verbetes que estavam em cima da mesa de cabeceira, regressaria à Conservatória com a satisfação do dever cumprido para comunicar ao chefe, Tudo normal. Há que dizer, no entanto, que os dois subchefes, e este em particular, por se encontrar, mais directamente, implicado no processo pela participação activa nele a que fora chamado, percebiam que o procedimento do conservador estava a ser determinado por um objectivo, por uma estratégia, por uma ideia central. Não poderiam imaginar em que consistiria essa ideia e qual o seu objectivo, mas a experiência e o conhecimento da pessoa do chefe diziam-lhes que todas as palavras e todos os actos dele, neste lance, tinham fatalmente de apontar a um fim, e que o Sr. José, colocado, por si mesmo ou por circunstâncias do acaso, no caminho para lá chegar, de duas uma, ou não passava de um inconsciente instrumento útil, ou era, ele próprio, a sua inesperada e, a todos os títulos, surpreendente causa. Raciocínios tão opostos, sentimentos tão contraditórios, fizeram com que a ordem, pelo tom em que depois foi comunicada ao Sr. José, se parecesse muito mais com um favor que o conservador lhe mandara pedir do que com as claras e terminantes instruções que efectivamente havia dado, Sr. José, disse o subchefe, o chefe é de opinião que o estado da sua saúde ainda não é bastante seguro para que tenha vindo trabalhar, haja vista o desmaio de há pouco, Não foi um desmaio, não cheguei a perder os sentidos, foi apenas uma fraqueza momentânea, Fraqueza ou desmaio, momentâneo ou para durar, o que a Conservatória Geral quer é que o senhor se restabeleça por completo, Trabalharei sentado o mais possível, em poucos dias estarei como antes, O chefe pensa que o melhor para si seria requerer uma pequena licença de férias, não os vinte dias de uma assentada, claro, mas talvez uns dez, dez dias a repousar, com boa alimentação, descanso, dando pequenos passeios pela cidade, estão aí os jardins, os parques, e o tempo que se pôs de rosas, uma convalescença a sério, enfim, quando voltar nem o vamos reconhecer. O Sr. José olhou espantado o subchefe, na verdade não era conversa que se tivesse com um auxiliar de escrita, havia mesmo algo de indecente neste discurso. Obviamente, o chefe queria que ele fosse de férias, o que, só por si, já era intrigante, mas, como se tal fosse pouco, mostrava uma preocupação insólita e desproporcionada com a sua saúde. Nada disto correspondia aos padrões de comportamento da Conservatória Geral, onde os planos de férias eram sempre milimetricamente calculados, de modo a lograr-se, pela ponderação de múltiplos factores, alguns só conhecidos pelo chefe, uma distribuição justa do tempo reservado ao ócio anual. Que, saltando por cima do plano já elaborado para o ano que corria, o chefe mandasse sem mais nem menos um auxiliar de escrita para casa, era coisa que nunca se vira. O Sr. José estava confundido, notava-se-lhe na cara. Sentia nas costas os olhares perplexos dos colegas, notava a impaciência crescente do subchefe diante do que devia parecer-lhe uma indecisão sem fundamento, e estava a ponto de dizer Sim senhor como quem obedece simplesmente a uma ordem, quando de súbito a cara se lhe iluminou toda, acabara de ver o que poderiam significar para si dez dias de liberdade, dez dias para investigar sem estar obrigado à servidão das horas de serviço, ao horário de trabalho, quais parques, quais jardins, qual convalescença, no céu esteja quem inventou as gripes, foi portanto a sorrir que o Sr. José disse, Sim senhor, devia ter sido mais discreto na expressão, nunca se sabe o que um subchefe é capaz de ir dizer ao chefe, Na minha opinião, reagiu de um modo estranho, primeiro dava-me a ideia de estar contrariado, ou então não teria compreendido bem o que eu lhe dizia, depois foi como se lhe tivesse saído o primeiro prémio na lotaria, nem parecia a mesma pessoa, Tem conhecimento de que ele joga, Acho que não, foi só uma maneira de falar, Então o motivo terá sido outro. O Sr. José estava já a dizer ao subchefe, Realmente esses dias fazem-me muito jeito, devo agradecer ao senhor conservador, Eu transmito-lhe o seu agradecimento, Talvez devesse fazê-lo eu pessoalmente, Sabe muito bem que não é esse o costume, Apesar disso, considerando a excepcionalidade do caso, ditas estas palavras, burocraticamente das mais pertinentes, o Sr. José virou a cabeça para onde estava o conservador, não esperava que ele estivesse a olhar na sua direcção, e menos ainda que tivesse percebido toda a conversa, que era o que sem dúvida estava a pretender mostrar com aquele gesto seco da mão, ao mesmo tempo displicente e imperioso, Deixe-se de agradecimentos ridículos, faça esse requerimento e vá-se embora.

Em casa, os primeiros cuidados do Sr. José tiveram de ser para a roupa guardada no desvão que lhe servia de guarda-fato. Se antes estivera suja, agora transformara-se em completa imundície, soltando um cheiro azedo misturado com o relento do bafio, até bolores verdes se lhe viam nas dobras, imagine-se, uma trouxa húmida, casaco, camisa, calças, peúgas, roupa interior, tudo envolvido numa gabardina que na altura escorria água, como teria de estar isto depois de passar uma semana. Meteu a roupa ao acaso num saco grande de plástico, certificou-se de que os verbetes e o caderno de apontamentos continuavam entalados entre o colchão e o enxergão, à cabeceira o caderno, aos pés os verbetes, comprovou que a porta de comunicação com a Conservatória se encontrava fechada à chave, e finalmente, fatigado mas levando tranquilo o espírito, saiu para ir a uma lavandaria próxima de que era freguês, ainda que não dos mais assíduos. A empregada não pôde ou não quis evitar uma expressão reprovadora quando despejou e espalhou o conteúdo do saco em cima do balcão, Desculpe, se isto não esteve de molho em lama, até parece, Quase que acertou, o Sr. José, tendo de mentir, decidiu fazê-lo respeitando a lógica das possibilidades, Há duas semanas, quando lhe trazia esta roupa para limpar, rompeu-se-me o saco de repente e foi tudo ao chão, precisamente num sítio onde havia um lamaçal por causa dumas obras na rua, recorda-se de que choveu muito nesses dias, E por que não veio trazer a roupa depois, Depois caí à cama com gripe, seria arriscado sair de casa, podia apanhar uma pneumonia, Vai-lhe custar bastante mais caro, isto terá de ir duas vezes à máquina, e mesmo assim, Paciência, E estas calças, veja em que estado deixou estas calças, não sei se quer realmente que lhas limpe, repare nas joelheiras, até dá a ideia de que andou a esfregar com elas numa parede. O Sr. José não tinha reparado na miséria a que a escalada reduzira as suas pobres calças, meio puídas à altura dos joelhos, com um pequeno rasgão em uma das perneiras, um prejuízo sério para uma pessoa como ele, tão mal provida de guarda-roupa. Não tem remédio, perguntou, Remédio, tem, será questão de as mandar a uma cerzideira, Não conheço nenhuma, Podemos tratar-lhe disso, mas olhe que não lhe vai sair nada barato, as cerzideiras fazem-se pagar bem, Sempre será melhor que ficar eu sem um par de calças, Ou pôr-lhes um remendo, Remendadas, só se fosse para as usar por casa, nunca poderia vesti-las para ir ao trabalho, Claro, Sou funcionário da Conservatória Geral do Registo Civil, Ah, o senhor é funcionário da Conservatória, disse a empregada da lavandaria com uma modulação nova de respeito na voz que o Sr. José achou melhor deixar passar por alto, arrependido de se ter descaído a dizer pela primeira vez onde trabalhava, um profissional de assaltos nocturnos a sério não andaria por aí a semear pistas, imaginemos que esta empregada de lavandaria é casada com o empregado da loja de ferragens onde o Sr. José foi comprar o corta-vidros ou do talho onde comprou a banha, e que logo à noite, numa dessas conversas banais com que os maridos e as mulheres entretêm o serão, vêm à baila estes pequenos episódios do quotidiano comercial, por muito menos têm ido outros criminosos parar à cadeia quando julgavam estar a salvo de qualquer suspeita. Em todo o caso, não parecia haver perigo por este lado, salvo se ocultava uma intenção de abjecto denunciante estar a empregada a dizer-lhe, com um sorriso simpático, que por esta vez fará um preço excepcional, tomando a lavandaria a seu cargo o pagamento do trabalho da cerzideira, É uma atenção especial nossa por o senhor ser funcionário da Conservatória, precisou. O Sr. José agradeceu educadamente, mas sem efusão, e saiu. Ia descontente. Andava a deixar demasiados rastos pela cidade, a falar com demasiadas pessoas, não era este o tipo de investigação que havia imaginado, a falar verdade não chegara a imaginar nada, a ideia ocorrera-lhe agora, a ideia de buscar e achar a mulher desconhecida sem que ninguém pudesse aperceber--se das suas actividades, como se se tratasse de uma invisibilidade à procura doutra. Em vez desse segredo fechado, desse mistério absoluto, duas pessoas já, a mulher do marido ciumento e a senhora idosa do rés do chão direito, tinham conhecimento do que ele andava a fazer, e isso, só por si, já era um perigo, por exemplo, vamos a supor que qualquer delas, com o louvável propósito de ajudar as buscas, como corresponde a bons cidadãos, aparece na Conservatória durante a sua ausência, Desejo falar com o Sr. José, O Sr. José não se encontra ao serviço, foi para férias, Ah, que pena, trazia-lhe uma informação importante acerca da pessoa que ele procura, Que informação, que pessoa, o Sr. José nem queria imaginar o que poderia vir depois, o resto da conversa entre a mulher do marido ciumento e o oficial, Encontrei debaixo duma tábua solta do meu quarto um diário, Um jornal, Não senhor, um diário, desses que certas pessoas gostam de escrever, eu também tinha um diário antes de me casar, E que temos nós que ver com o assunto, aqui na Conservatória só nos interessa saber que pessoas nascem e morrem, Talvez o diário que encontrei seja de algum parente da pessoa que o Sr. José tem andado a procurar, Não estou informado de que o Sr. José ande a procurar alguém, de qualquer modo não é questão que diga respeito à Conservatória Geral, a Conservatória Geral não se mete na vida particular dos seus funcionários, Não é particular, a mim o Sr. José disse-me que estava em representação da Conservatória, Espere aí que eu vou chamar o subchefe, mas quando o subchefe se aproximou do balcão já a idosa senhora do rés do chão direito fazia menção de se retirar, a vida tinha-lhe ensinado que a melhor maneira de defender os segredos próprios ainda é guardar respeito aos segredos alheios, Quando o Sr. José voltar das férias, faça o favor de lhe dizer que esteve cá a velha do rés do chão direito, Não quer deixar o seu nome, Não é preciso, ele sabe de quem se trata. O Sr. José podia respirar de alívio, a senhora do rés do chão direito era a discrição em pessoa, nunca diria ao subchefe que tinha acabado de receber uma carta da afilhada, A gripe deu-me volta à cabeça, pensou, são fantasias que não podem suceder, não há diários escondidos debaixo do soalho, e não seria agora, depois de um silêncio de tantos anos, que ela se iria lembrar de escrever uma carta à madrinha, e ainda bem que a velha teve o bom senso de não dizer como se chamava, à Conservatória Geral bastaria pegar nessa ponta do fio para em pouco tempo descobrir tudo, a cópia dos verbetes, a falsificação da credencial, para eles seria tão simples como juntar peças soltas com desenho à vista. O Sr. José foi dali para casa, neste primeiro dia não quis seguir os conselhos que o subchefe lhe tinha dado, os de passear, ir ao jardim receber o bom sol na sua pálida cara de convalescente, numa palavra, recuperar as forças que a febre havia consumido. Precisava de decidir que passos lhe conviria dar a partir de agora, mas precisava sobretudo de sossegar uma inquietação. Deixara a sua pequena casa ali à mercê da Conservatória, pegada à ciclópica parede como se já estivesse a ponto de ser engolida por ela. Algum resto de febre devia haver ainda na sua esvaída cabeça para subitamente ter pensado que fora isso o que tinha acontecido às outras casas dos funcionários, todas devoradas pela Conservatória para que ficassem a engrossar-lhe os muros. O Sr. José acelerou o passo, se ao chegar lá a casa tivesse desaparecido, se tivessem desaparecido com ela os verbetes e o caderno de apontamentos, nem queria imaginar uma tal desgraça, reduzidos assim a nada os esforços de semanas, inúteis os perigos por que havia passado. Estariam lá pessoas curiosas que lhe perguntariam se tinha perdido alguma coisa de valor no desastre, e ele responderia que sim, Uns papéis, e elas tornariam a perguntar, Acções, Obrigações, Títulos de crédito, é só no que pensa a gente comum e sem horizontes de espírito, os seus pensamentos vão todos para os interesses e ganhos materiais, e ele tornaria a dizer que sim, mas dando mentalmente significados diferentes àquelas palavras, seriam as acções que cometera, as obrigações que assumira, os títulos de crédito que ganhara.

A casa estava lá, mas parecia muito mais pequena, ou então era a Conservatória que tinha aumentado de tamanho nas últimas horas. O Sr. José entrou baixando a cabeça, e contudo não precisava de curvar-se, o lintel da porta que dava para a rua estava à altura de sempre, e a ele não o tinham feito crescer que se visse, fisicamente, nem as acções, nem as obrigações, nem os créditos. Foi escutar à porta de comunicação, não porque esperasse ouvir do outro lado qualquer som de vozes, o costume na Conservatória era trabalhar-se calado, mas para aquietar os sentimentos de confusa suspeita que o ocupavam desde que o chefe lhe tinha mandado requerer as férias. Depois foi levantar o colchão da cama, pegou nos verbetes e dispô-los por ordem de datas em cima da mesa, do mais antigo para o mais recente, treze pequenos rectângulos de cartolina, uma sucessão de rostos passando de menina pequena a menina maior, do começo duma adolescência a quase mulher. Durante aqueles anos a família mudara três vezes de casa, mas nunca para tão longe que fosse necessário mudar de colégio. Não valia a pena pôr-se a elaborar complicados planos de acção, a única coisa que o Sr. José podia fazer agora era ir à morada que constava do último verbete.

Foi lá no dia seguinte pela manhã, mas decidiu não subir a perguntar aos actuais ocupantes da casa e aos outros inquilinos do prédio se tinham conhecido a menina do retrato. O mais certo seria responderem-lhe que não a conheciam, que estavam a viver ali há pouco tempo, ou que não se lembravam, Compreende, as pessoas vêm e vão, realmente não recordo nada dessa família, nem vale a pena puxar pela cabeça, e se alguém dissesse que sim, que lhe parecia ter uma vaga ideia, seria com certeza para logo a seguir acrescentar que as suas relações haviam sido apenas as naturais entre pessoas de boa educação, Não voltou a vê-los, perguntaria ainda o Sr. José, Nunca mais, depois de se terem mudado nunca mais os vi, Que pena, Disse tudo quanto sabia, lamento não ter podido ser mais útil à Conservatória Geral. A fortuna de encontrar logo no princípio uma senhora do rés do chão direito tão bem informada, tão próxima das fontes originais do caso, não poderia acontecer duas vezes, mas só muito mais tarde, quando nada do que aqui se está relatando tiver já importância, é que o Sr. José virá a descobrir que a mesma ditosa fortuna, neste episódio, havia estado de um prodigioso modo a seu favor, poupando-o às mais desastro-

sas consequências. Não sabia ele que um dos moradores do prédio era precisamente, por diabólica casualidade, um dos subchefes da Conservatória, pode adivinhar-se com facilidade a cena terrível, o nosso confiado Sr. José a bater à porta, a mostrar o verbete, talvez mesmo a falsa credencial, e a mulher que o viera atender a dizer-lhe perfidamente, Volte cá mais tarde, quando o meu marido estiver em casa, esses assuntos são com ele, e o Sr. José tornaria, com o coração cheio de esperanças, e daria de cara com um irado subchefe que lhe daria imediata voz de prisão, em sentido próprio se diz, não no figurado, os regulamentos da Conservatória Geral do Registo Civil não admitem leviandades nem improvisações, e o pior é que não os conhecemos todos. Ao ter resolvido, desta vez, como se o anjo da guarda lho tivesse recomendado com insistência ao ouvido, orientar as suas averiguações para os comércios das cercanias, o Sr. José salvara-se, sem saber, do maior desaire da sua longa carreira de funcionário. Contentou-se pois com olhar as janelas da casa onde a mulher desconhecida vivera quando jovem, e, para entrar bem na pele de um investigador autêntico, imaginou vê-la a sair com a pasta dos livros para o colégio, caminhar até à paragem do autocarro e aí esperar, não valia a pena ir-
-lhe no encalço, o Sr. José sabia perfeitamente para onde ela se dirigia, tinha as competentes provas guardadas entre o colchão e o enxergão. Um quarto de hora depois saiu o pai, segue na direcção contrária, por isso não acompanha a filha quando ela vai para o colégio, salvo se simplesmente este pai e esta filha não gostam de andar juntos e dão este pretexto, ou não o deram sequer, mais terá sido uma espécie de arranjo tácito entre os dois, para evitar que os vizinhos notassem a mútua indiferença. Agora só falta ao Sr. José ter um pouco mais de paciência, esperar que a mãe saia para ir às compras, como é costume nas famílias, assim ficará a saber

para onde lhe convirá orientar as pesquisas, o estabelecimento comercial mais próximo, três prédios adiante, é aquela farmácia, mas o Sr. José duvida, logo de entrada, que daqui possa levar alguma informação útil, o empregado é um homem novo, novo na idade e na casa, ele próprio o diz, Não conheço, só estou aqui há dois anos. Por tão pouco o Sr. José não irá desanimar, tem leituras de jornais e revistas mais do que suficientes, além da experiência que a vida lhe vem dando, para perceber que estas investigações, feitas à moda antiga, custam muito trabalho, ele é andar e andar, ele é palmilhar ruas e calçadas, ele é subir escadas, ele é bater às portas, ele é descer escadas, as mesmas perguntas mil vezes feitas, as respostas idênticas, quase sempre em tom reservado, Não conheço, nunca ouvi falar dessa pessoa, só muito raramente sucede vir lá de dentro um farmacêutico mais velho que ouviu a conversa e é homem de fortes curiosidades, Que deseja, perguntou, Ando à procura duma pessoa, respondeu o Sr. José, ao mesmo tempo que levava a mão ao bolso interior do casaco para exibir a credencial. Não chegou a completar o movimento, reteve-o uma súbita inquietação, desta vez não foi obra de nenhum anjo da guarda, o que o fez retirar a mão lentamente foi o olhar do farmacêutico, um olhar que mais parecia um estilete, uma broca perfurante, ninguém diria, com aquela cara enrugada e aqueles cabelos brancos, o resultado de olhar com tais olhos é pôr logo de pé atrás até a mais ingénua das criaturas, provavelmente por causa disso é que a curiosidade do farmacêutico nunca se dá por satisfeita, quanto mais quer saber menos lhe contam. Assim aconteceu com o Sr. José. Nem apresentou a credencial falsa, nem disse que vinha da parte da Conservatória Geral, limitou-se a tirar do outro bolso o último verbete escolar da rapariga, que em feliz hora se havia lembrado de trazer, O nosso colégio precisa de encontrar esta senhora por causa de um diploma que ela não foi recolher à secretaria, o Sr. José assistia com prazer, quase com entusiasmo, ao exercício de capacidades inventivas que nunca imaginara ter, tão seguro de si que não se deixou atrapalhar pela pergunta do farmacêutico, E andam à procura dela tantos anos depois, Pode ser que não lhe interesse, respondeu, mas é obrigação da escola fazer tudo para que o diploma seja entregue, E ficaram à espera de que ela aparecesse durante todo este tempo, A falar verdade, os serviços não se aperceberam do facto, foi uma lamentável falta de atenção nossa, um erro burocrático, por assim dizer, mas nunca é tarde de mais para remediar um lapso, Se a senhora já faleceu, vai ser mesmo tarde de mais, Temos razões para pensar que ainda seja viva, Porquê, Começámos por consultar o registo, o Sr. José teve o cuidado de não pronunciar as palavras Conservatória Geral, foi o que lhe valeu, porque evitou, pelo menos naquele momento, que o farmacêutico se lembrasse de que um subchefe da dita Conservatória Geral era seu cliente e morava três prédios adiante. Pela segunda vez o Sr. José tinha escapado à execução capital. É certo que o subchefe só muito raramente entrava na farmácia, essas compras, como aliás todas as outras, com excepção dos preservativos, que o subchefe tinha o escrúpulo moral de ir comprar a outro bairro, era a mulher quem as fazia, por isso não é fácil imaginar uma conversa entre o farmacêutico e ele, se bem que não deva excluir-se a hipótese de um outro diálogo, o farmacêutico a dizer à mulher do subchefe, Esteve aqui um funcionário escolar que vinha à procura de uma pessoa que em tempos morou na casa onde os senhores estão a viver, em certa altura falou-me de terem consultado o registo, foi só depois de se ter ido embora que estranhei que ele tivesse dito registo em vez de Conservatória Geral, parecia que se estava a esconder, houve até um momento em que levou a mão ao bolso interior do casaco como se se dispusesse a mostrar-me alguma coisa, mas arrependeu-se e emendou, tirou do outro bolso um verbete de matrícula do colégio, tenho andado a matar a cabeça para imaginar o que poderia ser aquilo, acho que a senhora devia falar ao seu marido, nunca se sabe, com a maldade que anda por este mundo, Se calhar é o mesmo homem que anteontem esteve parado no passeio a olhar para as nossas janelas, Um tipo de meia-idade, um bocado mais novo do que eu, com cara de ter estado doente há pouco tempo, Esse mesmo, É o que eu digo, o meu faro nunca me enganou, ainda está para nascer quem me venha fazer o ninho atrás da orelha, Foi pena que ele não tivesse vindo bater-me à porta, dir-lhe-ia que voltasse ao fim da tarde, quando o meu marido já estivesse em casa, agora saberíamos quem era o fulano e o que pretendia, Vou estar de olho alerta para o caso de ele voltar a aparecer por aqui, E eu não me esquecerei de contar a história ao meu marido. Efectivamente não se esqueceu, mas não a contou completa, sem querer omitiu do relato um pormenor importante, quiçá o mais importante de todos, não disse que o homem que lhes andara a rondar a casa tinha cara de haver estado doente há pouco tempo. Habituado à relacionação das causas e dos efeitos, que nisso consiste, essencialmente, o sistema de forças que rege desde o princípio dos tempos a Conservatória Geral, lá onde tudo esteve, está e há-de continuar a estar para sempre ligado a tudo, aquilo que ainda é vivo àquilo que já está morto, aquilo que vai morrendo àquilo que vem nascendo, todos os seres a todos os seres, todas as coisas a todas as coisas, mesmo quando não parecem ter a uni-los, eles e elas, mais do que aquilo que à vista os separa, o sagaz subchefe não teria deixado de lembrar-se do Sr. José, aquele auxiliar de escrita que, nos últimos tempos, perante a inexplicável benevolência do chefe, tem andado a comportar-se de um modo tão estranho. Daí a desenredar a ponta da meada e logo a meada toda, seria um passo. Tal não virá a acontecer, porém, ao Sr. José não o tornarão a ver por estes sítios. Das dez lojas de diferentes ramos em que entrou a fazer perguntas, contando com a farmácia, só em três encontrou alguém que lhe disse lembrar-se da rapariga e dos pais, o retrato no verbete ajudou-lhes a memória, claro está, se é que simplesmente não tomou o lugar dela, é bem provável que as pessoas interrogadas apenas tivessem querido ser simpáticas, não decepcionar o homem com cara de gripe mal curada que lhes falava de um diploma escolar de há vinte anos que não havia sido entregue. Quando o Sr. José chegou a casa, ia exausto e desanimado, a primeira tentativa da sua nova fase de investigação não lhe apontara nenhum caminho por onde continuar, bem pelo contrário, parecia ter-lhe colocado na frente uma parede intransponível. Atirou-se para cima da cama o pobre homem, perguntando a si mesmo por que não fazia o que o farmacêutico lhe havia dito com mal disfarçado sarcasmo, Eu, se estivesse no seu lugar, já teria resolvido o problema, Como, perguntara o Sr. José, Procurando na lista telefónica, nos tempos modernos é a maneira mais fácil de encontrar alguém, Obrigado pela sugestão, mas isso já nós fizemos, o nome desta senhora não consta, respondeu o Sr. José crendo que tapava a boca ao farmacêutico, mas este voltou à carga, Se é assim vá às finanças, nas finanças sabem tudo acerca de toda a gente. O Sr. José ficou a olhar para o desmancha-prazeres, tentou disfarçar o desconcerto, desta não se tinha lembrado a senhora do rés do chão direito, enfim conseguiu murmurar, É uma boa ideia, vou dizer isso ao director. Saiu da farmácia furioso consigo mesmo, como se no último momento lhe tivesse faltado a presença de espírito para responder a uma ofensa, disposto a voltar para casa sem mais perguntas, mas depois pensou resignado, O vinho está servido, é preciso bebê-lo, não disse como o outro, Tirem-me daqui este cálice, o que vocês querem é matar-me. O segundo comércio veio a ser uma drogaria, o terceiro um talho, o quarto uma papelaria, o quinto uma loja de artigos eléctricos, o sexto uma mercearia, a conhecida rotina dos bairros, até ao décimo estabelecimento, felizmente teve sorte, depois do farmacêutico mais ninguém lhe falou de finanças ou de listas telefónicas. Agora, deitado de costas, com as mãos cruzadas atrás da cabeça, o Sr. José olha o tecto e pergunta-lhe, Que poderei eu fazer a partir daqui, e o tecto respondeu-lhe, Nada, teres conhecido a última morada dela, quer dizer, a última morada do tempo em que frequentou o colégio, não te deu nenhuma pista para continuares a busca, claro que poderás ainda recorrer às moradas anteriores, mas seria uma perda de tempo, se esses comerciantes da rua, que são os mais recentes, não te ajudaram, como te ajudariam os outros, Então achas que devo desistir, Provavelmente não terás outra saída, salvo se te decidires a ir perguntar às finanças, não deve ser difícil, com essa credencial que tens, além disso são funcionários como tu, A credencial é falsa, De facto, será melhor que não a uses, não gostaria de estar na tua pele se um dia destes te apanham em flagrante, Não poderias estar na minha pele, não passas de um tecto de estuque, Sim, mas o que estás a ver de mim também é uma pele, aliás, a pele é tudo quanto queremos que os outros vejam de nós, por baixo dela nem nós próprios conseguimos saber quem somos, Esconderei a credencial, No teu caso, rasgava-a ou queimava-a, Guardá-la-ei com os papéis do bispo, onde a tinha, Tu lá sabes, Não gosto do tom com que o dizes, soa-me a mau agoiro, A sabedoria dos tectos é infinita, Se és um tecto sábio, dá-me uma ideia, Continua a olhar para mim, às vezes dá resultado.

 A ideia que o tecto deu ao Sr. José foi que interrompesse as férias e voltasse ao trabalho, Dizes ao chefe que já estás com suficientes forças e pedes que te reserve o resto dos dias para outra ocasião, isto no caso de vires ainda a encontrar maneira de sair do buraco em que te meteste, com todas as portas fechadas e sem uma pista que te oriente, O chefe vai achar estranho que um funcionário se apresente ao serviço sem ter obrigação disso e sem ter sido chamado, Coisas muito mais estranhas tens tu andado a fazer nos últimos tempos, Vivia em paz antes desta obsessão absurda, andar à procura de uma mulher que nem sabe que existo, Mas sabes tu que ela existe, o problema é esse, Melhor seria desistir de uma vez, Pode ser, pode ser, em todo o caso lembra-te de que não é só a sabedoria dos tectos que é infinita, as surpresas da vida também o são, Que queres dizer com essa sentença tão rançosa, Que os dias se sucedem e não se repetem, Essa é mais rançosa ainda, não me digas que é nesses lugares-comuns que consiste a sabedoria dos tectos, comentou desdenhoso o Sr. José, Não sabes nada da vida se crês que há mais alguma coisa para saber, respondeu o tecto, e calou-se. O Sr. José levantou-se da cama, escondeu a credencial no armário, entre os papéis do bispo, depois foi buscar o caderno de apontamentos e pôs-se a narrar os frustrantes sucessos da manhã, acentuando em particular os modos antipáticos do farmacêutico e o seu olhar de navalha. No fim do relato, escreveu, como se a ideia tivesse sido sua, Acho melhor voltar ao serviço. Quando estava a guardar o caderno debaixo do colchão lembrou-se de que não tinha almoçado, disse-lho a cabeça, não o estômago, com o tempo e o descuido de comer as pessoas acabam por deixar de ouvir o relógio do apetite. Continuasse o Sr. José as férias, que não lhe importaria nada meter-se na cama o resto do dia, ficar sem comer, não jantar, dormir toda a noite podendo ser, ou refugiar-se no torpor voluntário de quem decidiu virar as costas aos factos desagradáveis da vida. Mas tinha de alimentar o corpo para trabalhar no dia seguinte, detestava que a fraqueza o pusesse outra vez a suar frio e com tonturas ridículas perante a comiseração fingida dos colegas e a impaciência dos superiores. Mexeu dois ovos, juntou-lhes umas poucas rodelas de chouriço, uma boa pitada de sal grosso, deitou azeite numa frigideira, esperou que aquecesse ao ponto justo, era este o seu único talento culinário, o resto resumia-se em abrir latas. Comeu a omeleta devagar, em pedacinhos geometricamente talhados, fazendo-a render o mais possível, apenas para ocupar o tempo, não por deleite gastronómico. Sobretudo, não queria pensar. O imaginário e metafísico diálogo com o tecto servira-lhe para encobrir a total desorientação do seu espírito, a sensação de pânico que lhe vinha da ideia de que já não teria mais nada para fazer na vida, se, como havia razões para recear, a busca da mulher desconhecida havia terminado. Sentia um nó duro na garganta, como quando lhe ralhavam em criança e queriam que ele chorasse, e ele resistia, resistia, até que por fim as lágrimas saltavam, como também começaram a saltar agora por fim. Afastou o prato, deixou pender a cabeça sobre os braços cruzados e chorou sem vergonha, ao menos desta vez não havia ninguém ali para se rir dele. Este é um daqueles casos em que os tectos nada podem fazer para ajudar as pessoas aflitas, têm de limitar-se a esperar lá em cima que a tormenta passe, que a alma se desafogue, que o corpo se canse. Assim aconteceu ao Sr. José. Ao cabo de uns minutos já se sentia melhor, enxugou bruscamente as lágrimas à manga da camisa e foi lavar o prato e o talher. Tinha a tarde toda à sua frente e nada para fazer. Pensou em ir visitar a senhora do rés do chão direito, contar-lhe mais ou menos o que acontecera, mas depois achou que não merecia a pena, ela tinha-lhe dito tudo quanto sabia, e talvez acabasse por lhe perguntar por que demónios andava a Conservatória Geral a ter tanto trabalho por causa de uma simples pessoa, de uma mulher sem importância, seria indecente falsidade responder-lhe, além de estupidez rematada, que para a Conservatória Geral do Registo Civil somos todos iguais, tal como o sol que é para todos quando nasce, há coisas que é conveniente não dizer diante de um velho se não queremos que ele se nos ria na cara. O Sr. José foi buscar a um canto da casa um braçado de revistas e de jornais antigos de que já havia recortado notícias e fotografias, podia ser que algo de interesse lhe tivesse passado despercebido, ou que neles começasse a falar-se de alguém que se apresentasse como uma aceitável promessa nos difíceis caminhos da fama. O Sr. José voltava às suas colecções.

De todos, o menos surpreendido foi o conservador. Tendo, como de costume, entrado quando todo o pessoal já estava nos seus lugares e a trabalhar, parou durante três segundos ao lado da mesa do Sr. José, mas não pronunciou palavra. O Sr. José esperava ser submetido a um interrogatório directo sobre os motivos do seu regresso antecipado ao serviço, mas o chefe limitou-se a ouvir as explicações imediatamente apresentadas pelo subchefe da ala, a quem depois despediu com um movimento seco da mão direita, unidos e tensos os dedos indicador e médio, meio recolhidos os restantes, o que, segundo o código gestual da Conservatória, significava que não estava disposto a ouvir uma palavra mais do assunto. Confundido entre a primeira expectativa de ser interrogado e o alívio de o terem deixado em paz, o Sr. José procurava aclarar as ideias, concentrar os sentidos no trabalho que o oficial lhe tinha posto em cima da mesa, duas dezenas de declarações de nascimento cujos dados deveriam ser trasladados depois para os verbetes e estes arquivados nos ficheiros do balcão, na competente ordem alfabética. Era um trabalho simples, mas de responsabilidade, que, para o Sr. José, ainda fraco de pernas e de cabeça, ao menos tinha a vantagem de poder ser feito sentado. Os erros dos copistas são os que menos desculpa têm, não adianta nada virem dizer-nos, Distraí-me, pelo contrário, reconhecer uma distracção é confessar que se estava a pensar noutra coisa, em vez de ter a atenção posta em nomes e em datas cuja suprema importância lhes vem de serem eles, no caso presente, que dão existência legal à realidade da existência. Sobretudo o nome da pessoa que nasceu. Um simples erro de transcrição, a troca da letra inicial de um apelido, por exemplo, faria que o verbete fosse atirado para fora do seu lugar próprio, e mesmo para muito longe de onde deveria estar, como inevitavelmente teria de acontecer nesta Conservatória Geral do Registo Civil, onde os nomes são muitos, para não dizer que são todos. Se o auxiliar de escrita que, em tempos passados, copiou para um verbete o nome do Sr. José, tivesse escrito Xosé, equivocado mentalmente por uma semelhança de pronúncia que quase atinge a coincidência, seria o cabo dos trabalhos dar com a desorientada ficha para nela inscrever qualquer dos três averbamentos ocorrentes e comuns, o de casamento, o de divórcio, o de morte, dois mais ou menos evitáveis, o outro nunca. Por isso o Sr. José vai copiando com prudentíssimo cuidado, letra a letra, as comprovações de vida dos novos seres que lhe foram confiados, já leva transcritas dezasseis declarações de nascimento, agora está a puxar para si a décima sétima, prepara o verbete, e a mão de repente treme-lhe, os olhos vacilam, a pele da testa cobre-se de suor. O nome que tem na sua frente, de um indivíduo do sexo feminino, é, em quase tudo, idêntico ao da mulher desconhecida, só no último apelido é que existe uma diferença, e, ainda assim, a primeira letra dele é a mesma. Há portanto todas as probabilidades de que este verbete, levando o nome que leva, tenha de ser arquivado logo a seguir ao outro, por isso o Sr. José, como quem já não pudesse dominar mais a impaciência ao aproximar-se o momento de um encontro muito desejado, levantou-se da cadeira mal acabou de fazer a transcrição, correu à gaveta respectiva do ficheiro, foi passando os dedos nervosos por cima das fichas, buscou, achou o lugar. O verbete da mulher desconhecida não estava lá. A palavra fatal relampejou imediatamente dentro da cabeça do Sr. José, a fulminante palavra, Morreu. Porque o Sr. José tem a obrigação de saber que a ausência de um verbete do ficheiro significa irremissivelmente a morte do seu titular, não têm conto as fichas que ele próprio, em vinte e cinco anos de funcionário, retirou daqui e transportou para o arquivo dos mortos, mas agora está a recusar-se a aceitar a evidência, que essa seja a razão do desaparecimento, algum descuidado e incompetente colega mudou o verbete de lugar, talvez esteja um pouco mais adiante, um pouco mais atrás, o Sr. José, por desespero, quer enganar-se a si mesmo, nunca, em tantos e tantos séculos de Conservatória Geral, uma ficha deste ficheiro esteve colocada fora do sítio, só há uma hipótese, uma só, de que a mulher ainda esteja viva, é encontrar-se o verbete dela temporariamente em poder de um dos outros auxiliares de escrita para qualquer averbamento novo, Talvez se tenha voltado a casar, pensou o Sr. José, e, durante um instante, a inesperada contrariedade que lhe causou a ideia mitigou-lhe a perturbação. Depois, mal se apercebendo do que estava a fazer, pôs o verbete que tinha copiado da declaração de nascimento no lugar do que desaparecera, e, com as pernas trémulas, voltou para a sua mesa. Não podia perguntar aos colegas se teriam, por casualidade, o verbete da senhora, não podia andar ao redor das mesas deles para olhar de soslaio os papéis com que estavam a trabalhar, nada podia fazer além de vigiar a gaveta do ficheiro, para ver se alguém ia recolocar no seu sítio o pequeno rectângulo de cartolina de lá distraído por equívoco ou por um motivo menos rotineiro que a morte. As horas foram passando, a manhã deu lugar à tarde, o que o Sr. José conseguiu engolir ao almoço foi quase nada, alguma coisa ele terá na garganta para que tão facilmente lhe aconteçam estes nós, estes apertos, estas angústias. Em todo o dia nenhum colega foi abrir aquela gaveta do ficheiro, nenhum verbete desencaminhado encontrou o caminho do regresso, a mulher desconhecida estava morta.

Nessa noite o Sr. José voltou à Conservatória. Levava consigo a lanterna de bolso e um rolo de cem metros de cordel forte. A lanterna continha uma pilha nova, com duração para várias horas de uso contínuo, mas o Sr. José, mais do que escarmentado pelas dificuldades que fora obrigado a enfrentar durante a sua perigosa aventura de escalada e roubo no colégio, tinha aprendido que na vida todos os cuidados são poucos, mormente quando se abandonam as vias rectas do proceder honesto para enveredar pelos atalhos tortuosos do crime. Imagine-se que a lampadazinha minúscula se vai fundir, imagine-se que a lente que a protege e que intensifica a luz se vai soltar do encaixe, imagine-se que a lanterna, com pilha, lente e lâmpada intactas, vai cair num buraco e não lhe poderá chegar nem com o braço nem com um gancho, então, na falta do autêntico fio de Ariadne, que não se atreverá a usar apesar de nunca se fechar à chave a gaveta da secretária do chefe onde, com uma lanterna potente, se encontra guardado para as ocasiões, o Sr. José servir-se-á de um rústico e vulgar rolo de cordel comprado na drogaria que lhe fará as vezes, e que reconduzirá ao mundo dos vivos aquele que, neste momento, se prepara para entrar no reino dos mortos. Como funcionário da Conservatória Geral, o Sr. José dispõe de toda a legitimidade para aceder a quaisquer documentos de registo civil, que são, aliás, nem seria preciso repeti-lo, a própria substância do seu trabalho, portanto alguém poderá estranhar que, ao dar pela falta do verbete, não tivesse dito apenas ao oficial de quem depende, Vou lá dentro à procura da ficha duma mulher que morreu. A questão é que não seria bastante anunciá-lo, teria de dar uma razão administrativamente fundada e burocraticamente lógica, o oficial não deixaria de perguntar, Para que a quer, e o Sr. José não poderia responder-lhe, Para ficar com a certeza de que está mesmo morta, aonde é que iria parar a Conservatória Geral se começasse a satisfazer estas e outras curiosidades, não só mórbidas como improdutivas. O pior que poderá vir a resultar da expedição nocturna do Sr. José será ele não conseguir encontrar os papéis da mulher desconhecida no caos que é o arquivo dos mortos. Claro que, em princípio, tratando-se de um óbito recente, os papéis deverão estar no que vulgarmente se designa por entrada, mas o problema, aqui, começa logo na impossibilidade de se saber, exactamente, onde está a entrada do arquivo dos mortos. Será demasiado simples dizer, como insistem optimistas teimosos, que o espaço dos mortos começa necessariamente onde acaba o espaço dos vivos, e vice-versa, e talvez que no mundo exterior as coisas se passem de certa maneira assim, dado que, tirando acontecimentos excepcionais, em todo o caso não tão excepcionais quanto isso, como sejam as catástrofes naturais ou os conflitos bélicos, não é costume verem-se nas ruas os mortos misturados com os vivos. Ora, por razões estruturais, e não só, na Conservatória Geral isto pode acontecer. Pode acontecer, e acontece. Já havíamos explicado antes que, de tempos a tempos, quando o congestionamento causado pela acumulação contínua e irresistível dos mortos começa a impedir a passagem dos funcionários pelos corredores e, em consequência, a dificultar qualquer pesquisa documental, não há mais remédio que deitar abaixo a parede do fundo e voltar a levantá-la uns quantos metros adiante. Porém, por um involuntário olvido nosso, não foram então mencionados os dois efeitos perversos desse congestionamento. Em primeiro lugar, durante o tempo em que a parede estiver a ser construída, é inevitável que os verbetes e os processos dos mortos recentes, por falta de espaço próprio no fundo do edifício, se vão aproximando perigosamente, e rocem, do lado de cá, os processos dos vivos que se encontram arrumados na parte extrema interior das respectivas prateleiras, dando origem a uma franja de delicadas situações de confusão entre os que ainda estão vivos e os que já estão mortos. Em segundo lugar, quando a parede se encontra levantada e o tecto prolongado, quando o arquivamento dos mortos pode enfim voltar à normalidade, essa mesma confusão, fronteiriça, por assim dizer, irá tornar impossível, ou pelo menos prejudicar em alto grau, o transporte, para a treva do fundo, da totalidade dos mortos intrusos, com perdão da imprópria palavra. Acresce ainda a estes não pequenos inconvenientes a circunstância de que os dois auxiliares de escrita mais novos, sem que o chefe e os colegas o suspeitem, não se ensaiam nada, lá de vez em quando, seja por deficiência da sua formação profissional seja por graves carências na ordem pessoal do ético, para largar em qualquer parte um morto, sem dar-se ao trabalho de ir ver lá dentro se haveria ou não um espaço livre para ele. Se desta vez a sorte não estiver do lado do Sr. José, se não o favorecer o acaso, a aventura do assalto à escola, comparando com o que o espera aqui, apesar do arriscada que foi, terá sido um passeio.

Poder-se-á perguntar para que irá servir ao Sr. José um fio tão extenso, de cem metros, se o comprimento da Conservatória Geral, apesar dos sucessivos acrescentos, ainda não passou de oitenta. É uma dúvida própria de quem imagina que tudo na vida se pode fazer seguindo cuidadosamente uma linha recta, que é sempre possível ir de um lugar a outro pelo caminho mais curto, talvez que algumas pessoas, no mundo exterior, julguem tê-lo conseguido, mas aqui, onde os vivos e os mortos partilham o mesmo espaço, às vezes há que dar muitas voltas para encontrar um destes, há que rodear montanhas de maços, colunas de processos, pilhas de verbetes, maciços de restos antigos, avançar por desfiladeiros tenebrosos, entre paredes de papel sujo que se tocam lá no alto, são metros e metros de cordel que vão ter de ser estendidos, deixados para trás, como um rasto sinuoso e subtil traçado no pó, não há outra maneira de saber por onde ainda falta passar, não há outra maneira de encontrar o caminho de volta. O Sr. José foi prender uma ponta do cordel a um pé da mesa do chefe, não o fez por falta de respeito, mas para ganhar uns quantos metros, atou a outra ponta ao tornozelo e, largado atrás de si, no chão, o rolo que a cada passo se vai desenrolando, avançou por um dos corredores centrais do arquivo dos vivos. O seu plano é começar a busca pelo espaço fundeiro, lá onde deverão estar o processo e o verbete da mulher desconhecida, ainda que, pelas razões já expostas, seja pouco provável que o arquivamento tenha sido efectuado de forma correcta. Como funcionário vindo doutro tempo, educado segundo os métodos e as disciplinas de antanho, ao carácter estrito do Sr. José repugnaria pactuar com a irresponsabilidade das novas gerações, principiando a busca no local onde só por uma deliberada e escandalosa infracção às regras arquivísticas básicas um morto poderia ter sido deposto. Sabe que a dificuldade maior com que vai ter de lutar é a falta de luz. Tirando a secretária do chefe, por cima da qual continua a brilhar foscamente a lâmpada de sempre, a

Conservatória está, toda ela, às escuras, mergulhada em densas trevas. Acender outras lâmpadas ao longo do edifício, mesmo desmaiadas como são, seria demasiado arriscado, um polícia cuidadoso ao fazer a ronda do bairro, ou um bom cidadão, desses que se preocupam com a segurança da comunidade, poderiam perceber através das altas janelas a difusa claridade e dariam o alarme imediatamente. O Sr. José não terá portanto mais luz a valer-lhe que o débil círculo luminoso que, ao ritmo dos passos, mas também por causa do tremor da mão que segura a lanterna, oscila à sua frente. É que há uma grande diferença entre vir ao arquivo dos mortos durante as horas normais de serviço, com a presença, lá atrás, dos colegas, que, apesar de pouco solidários, como se tem visto, sempre acorreriam em caso de perigo real ou de irresistível crise nervosa, sobretudo mandando o chefe, Vão lá ver o que se passa com aquele, e aventurar-se sozinho, no meio duma negra noite, por estas catacumbas da humanidade dentro, cercado de nomes, ouvindo o sussurrar dos papéis, ou um murmúrio de vozes, quem os poderá distinguir.

O Sr. José atingiu o final das estantes dos vivos, procura agora uma passagem para alcançar o fundo da Conservatória Geral, em princípio, e de acordo com o modo como foi projectada a ocupação do espaço, ela teria de desenvolver-se ao longo da bissectriz longitudinal da planta, aquela que imaginariamente divide o traçado rectangular do edifício em duas partes iguais, mas os desmoronamentos de processos, que sempre estão a suceder por mais que se escorem as massas de papéis, tornaram algo que estava destinado a ser acesso directo e rápido numa rede complexa de carreiros e veredas, onde a cada momento surgem os obstáculos e os becos sem saída. Durante o dia, e com todas as luzes acendidas, ainda é relativamente fácil manter-se o pesquisador na direcção correcta, basta ir atento, vigilante, ter o cuidado de seguir pelos caminhos onde se veja menos pó, que esse é o sinal de que por ali se está passando com frequência, até hoje, apesar de alguns sustos e de algumas preocupantes demoras, não se deu um só caso de não ter um funcionário regressado da expedição. Mas a luz da lanterna de bolso não merece confiança, parece ela que vai criando sombras por sua própria conta, o que o Sr. José devia, já que não ousava servir-se da lanterna do conservador, era ter comprado uma dessas modernas, potentíssimas, que são capazes de iluminar até ao fim do mundo. É certo que o medo de se perder não o apoquenta demasiado, até certo ponto a tensão constante do cordel atado ao tornozelo tranquiliza-o, mas, se se põe a dar voltas por aqui, a andar à roda, a envolver-se no casulo, acabará por não poder dar um passo mais, terá de voltar para trás, começar de novo. E já algumas vezes o teve de fazer por outro motivo, quando o cordel, demasiado fino, se introduziu entre os maços de papéis e ficou atascado nas esquinas, e aí nem para trás nem para diante. Por todos estes problemas e enredos, compreende-se que o avanço tenha de ser lento, que de pouco esteja a servir ao Sr. José o conhecimento que tem da topografia dos sítios, tanto mais que agora mesmo se veio abaixo uma enorme rima de processos que obstruiu até à altura de um homem o que parecia ter jeito de ser o caminho certo, levantando uma densa nuvem de pó, pelo meio da qual esvoaçaram espavoridas traças, tornadas quase transparentes pelo foco da lanterna. O Sr. José detesta esta bicharada, que à primeira vista se diria ter sido posta no mundo para ornamento, da mesma maneira que detesta os peixes-de-prata que também por aqui proliferam, são eles, todos, os vorazes culpados de tantas memórias destruídas, de tanto filho sem pais, de tanta herança caída nas ávidas mãos do Estado devido a falta de habilitação legal, por mais que se jure que o documento comprovativo foi comido, manchado, roído, devorado pela bicheza que infesta a Conservatória Geral, e que por uma questão de simples humanidade isso deveria ser tomado em conta, desgraçadamente não há quem convença o procurador das viúvas e dos órfãos, que deveria estar a favor deles e delas, mas não está, Ou o papel aparece, ou não há herança. Quanto à rataria, nem vale a pena falar do destruidora que é. Em todo o caso, apesar dos numerosos estragos que causam, também têm estes roedores o seu lado positivo, se eles não existissem já a Conservatória Geral teria rebentado pelas costuras, ou já estaria com o dobro do comprimento que tem. A um observador desprevenido poderá surpreender como aqui não se multiplicaram as colónias de ratos até ao devoramento total dos arquivos, sobretudo considerando a impossibilidade mais do que patente duma desinfestação cem por cento eficaz. A explicação, ainda que haja quem alimente algumas dúvidas sobre a sua total pertinência, estaria na falta de água ou de uma suficiente humidade ambiente, estaria na dieta seca a que os bichos se encontram sujeitos pelo meio em que escolheram viver ou aonde a má sorte os trouxe, do que teria resultado um atrofiamento notório da musculatura genital com consequências muito negativas no exercício da cópula. Contrariando esta tentativa de explicação, há quem insista em afirmar que os músculos não têm nada que ver com o assunto, o que significa que a polémica continua em aberto.

 Entretanto, coberto de pó, com pesados farrapos de teias de aranha pegados ao cabelo e aos ombros, o Sr. José alcançou enfim o espaço livre existente entre os últimos papéis arquivados e a parede do fundo, separados ainda por uns três metros e formando um corredor irregular, mais estreito em cada dia que passa, que une as duas paredes laterais. A escuridão, neste lugar, é absoluta. A fraca claridade exterior que ainda lograsse atravessar a camada de sujidade que cobre por dentro e por fora as frestas laterais, em particular as últimas de cada lado, que são as mais próximas, não consegue chegar até aqui por causa da acumulação vertical dos atados de documentos, que quase atingem o tecto. Quanto à parede do fundo, toda ela, é inexplicavelmente cega, isto é, não tem sequer um simples olho-de-boi que viesse ajudar agora a escassa luz da lanterna. Nunca ninguém pôde entender a casmurrice da corporação de arquitectos que, a coberto de uma pouco convincente justificação estética, se tem recusado a modificar o projecto histórico e a autorizar a abertura de janelas na parede quando é necessário deslocá-la para diante, apesar de um leigo na matéria ser capaz de perceber que se trataria de satisfazer simplesmente uma necessidade funcional. Eles é que deveriam estar aqui agora, resmungou o Sr. José, assim saberiam o que custa. As rimas de papéis dispostas de um lado e do outro da passagem central têm alturas diferentes, o verbete e o processo da mulher desconhecida poderão estar em qualquer delas, em todo o caso com maiores probabilidades de serem encontrados numa das rimas mais baixas, se a lei do menor esforço foi a preferida pelo auxiliar de escrita encarregado de arrumá-los. Desgraçadamente não faltam nesta nossa desorientada humanidade espíritos tão retorcidos que não seria nada de estranhar que ao funcionário que veio arquivar o processo e o verbete da mulher desconhecida, se efectivamente foi para aqui que vieram, lhe tivesse ocorrido a ideia maliciosa, só por gratuita embirração, de precisamente encostar à rima de papéis mais alta a enorme escada de mão usada para este serviço e ir colocá-los lá em cima, no topo de tudo. Assim são as coisas deste mundo.

Com método, sem precipitações, parecendo até que estava a recordar os gestos e os movimentos da noite que passou no sótão do colégio, quando a mulher desconhecida provavelmente ainda estava viva, o Sr. José deu começo à busca. Havia por aqui muito menos pó a cobrir os papéis, o que é fácil de compreender se se tem em conta que não passa um único dia sem que sejam trazidos processos e verbetes de pessoas falecidas, o que, em linguagem imaginosa, mas de um mau gosto evidente, seria o mesmo que dizer que no fundo da Conservatória Geral do Registo Civil os mortos estão sempre limpos. Só lá no alto, onde os papéis, como já foi dito, quase alcançam o tecto, a poeira joeirada pelo tempo vai tranquilamente assentando sobre a poeira que o tempo joeirou, ao ponto de ser necessário espanejar, sacudir com força as capas dos processos que se encontram ao de cima, se quisermos saber de quem eles tratam. No caso de não vir a descobrir nos níveis inferiores o que procura, o Sr. José terá de sacrificar-se novamente a subir uma escada de mão, mas desta vez não precisará de estar empoleirado mais do que um minuto, nem terá tempo de lhe dar a tontura, num relance o foco da lanterna mostrar-lhe-á se algum processo foi ali deixado nos últimos dias. Situando-se o falecimento da mulher desconhecida, com alta probabilidade, num lapso de tempo assaz curto, correspondente, mais dia, menos dia, segundo crê o Sr. José, a um dos dois períodos em que esteve ausente do serviço, primeiro a semana da gripe, depois as brevíssimas férias, a verificação dos documentos em cada uma das pilhas pode ser efectuada com bastante rapidez, e ainda que a morte da mulher tivesse ocorrido antes, logo depois do dia memorável em que o verbete foi parar às mãos do Sr. José, mesmo assim o tempo decorrido não foi tanto que os documentos se encontrem agora arquivados debaixo de um número excessivo doutros processos. Esta reiterada examinação das situações que vêm surgindo, estas aturadas reflexões, estas ponderações minuciosas sobre o claro e o escuro, sobre o directo e o labiríntico, sobre o limpo e o sujo, estão a passar-se, todas elas, tal e qual se relatam, na cabeça do Sr. José. O tempo empregado a explicá-las, ou, falando com mais rigor, a reproduzi-las, aparentemente exagerado, é a consequência inevitável, não só da complexidade, tanto de fundo como de forma, dos factores mencionados, mas também da natureza muito especial dos circuitos mentais do nosso auxiliar de escrita. Que vai passar agora por uma dura prova. Passo a passo, avançando ao longo do estreito corredor formado, como se disse, pelas rimas de documentos e pela parede do fundo, o Sr. José tem vindo a aproximar-se de uma das paredes laterais. Em princípio, abstractamente, ninguém se lembraria de considerar estreito um corredor como é este, com a sua confortável largura de quase três metros, mas se esta dimensão for pensada na relação que tem com o comprimento do corredor, o qual, repete-se uma vez mais, vai de empena a empena, então teremos de nos perguntar como é que o Sr. José, que sabemos ser atreito a sérias perturbações do foro psicológico, como é o caso das vertigens e das insónias, não sofreu até agora, neste fechado e sufocante espaço, um violento ataque claustrofóbico. A explicação talvez se encontre, precisamente, no facto de a escuridão não lhe deixar perceber os limites desse espaço, que tanto podem estar aqui como além, e ter apenas visível, na sua frente, a familiar e tranquilizadora massa de papéis. O Sr. José nunca esteve aqui tanto tempo, o normal é chegar, arrumar os documentos de uma vida terminada e logo voltar à segurança da mesa de trabalho, e se é certo que, nesta ocasião, desde que entrou no arquivo dos mortos, ainda não pôde furtar-se a uma impressão inquietante, como de uma presença a rodeá-lo, tinha-a atribuído àquele difuso temor do oculto e ignoto a que tem humaníssimo direito mesmo a mais corajosa das pessoas. Medo, o que se chama medo, o Sr. José não o teve até ao momento em que chegou ao fim do corredor e se encontrou com a parede. Baixara-se para examinar uns papéis caídos no chão, que bem podiam ser os da mulher desconhecida, largados ali ao acaso pelo funcionário indiferente, e de repente, antes mesmo de ter tempo de os examinar, deixou de ser o Sr. José auxiliar de escrita da Conservatória Geral do Registo Civil, deixou de ter cinquenta anos, agora é um pequeno José que começou a ir à escola, é a criança que não queria dormir porque todas as noites tinha um pesadelo, obsessivamente o mesmo, este canto de parede, este muro fechado, esta prisão, e além, no outro extremo do corredor, oculta pela treva, nada mais que uma pequena e simples pedra. Uma pequena pedra que crescia lentamente, que ele não podia ver agora com os seus olhos, mas que a memória dos sonhos sonhados lhe dizia lá estar, uma pedra que engrossava e se movia como se estivesse viva, uma pedra que alastrava para os lados e para cima, que subia pelas paredes, e que avançava para ele arrastando-se, enrolada sobre si mesma, como se não fosse pedra, mas lama, como se não fosse lama, mas sangue grosso. A criança saía do pesadelo aos gritos quando a massa imunda lhe tocava os pés, quando o garrote da aflição estava prestes a estrangulá-la, mas o Sr. José, coitado dele, não pode acordar de um sonho que já não é seu. Encolhido contra a parede como um cão assustado, aponta com a mão trémula o foco da lanterna para a outra ponta do corredor, porém a luz não vai tão longe, fica-se a meio do caminho, mais ou menos onde se encontra a passagem para o arquivo dos vivos. Pensa que se der uma corrida rápida poderá escapar à pedra que avança, mas o medo diz-lhe, Tem cuidado, como sabes tu que ela não está lá parada à tua espera, vais cair na boca do lobo. No sonho, o avançar da pedra era acompanhado por uma música estranha que parecia nascida do ar, mas aqui o silêncio é absoluto, total, tão espesso que engole a respiração do Sr. José, da mesma maneira que a treva engole a luz da lanterna. Que a engoliu por completo agora mesmo. Foi como se a escuridão, bruscamente, tivesse avançado para ir pegar-se, como uma ventosa, à cara do Sr. José. O pesadelo da criança, porém, tinha terminado. Para ela, vá lá a gente entender a alma humana, o facto de não ver as paredes do cárcere, as próximas e as distantes, era o mesmo que se elas tivessem deixado de estar ali, era como se o espaço se tivesse alargado, livre, até ao infinito, como se as pedras não fossem mais do que o mineral inerte de que são feitas, como se água fosse simplesmente a razão da lama, como se o sangue corresse só dentro das suas veias, e não fora delas. Agora não é já um pesadelo da infância o que está a assustar o Sr. José, o que o paralisa de medo é outra vez o pensamento de que poderá ficar morto neste canto, como quando, há tanto tempo, imaginou que poderia cair da outra escada, morto aqui sem papéis no meio dos papéis dos mortos, esmagado pela treva, pela avalancha que não tardará a desabar do alto, e que amanhã o venham descobrir, O Sr. José faltou ao serviço, onde estará, Há-de aparecer, e, quando um colega viesse trasladar outros processos e outros verbetes, ali o encontraria, exposto à luz de uma lanterna melhor do que esta, que tão mal o serviu quando mais precisava dela. Passaram os minutos que tinham de passar para que o Sr. José, a pouco e pouco, começasse a perceber dentro de si uma voz que dizia, Homem, até agora, tirando o medo, não te sucedeu nada de mal, estás aí sentado, intacto, é certo que a lanterna se te apagou, mas tu para que precisas duma lanterna, tens o cordel atado ao tornozelo, preso pela outra ponta à perna da mesa do chefe, estás em segurança, igualzinho a um nascituro ligado pelo cordão umbilical ao útero da mãe, não é que o chefe seja tua mãe, nem teu pai, mas enfim, as relações entre as pessoas, aqui, são complicadas, o que deves pensar é que os pesadelos da infância nunca se realizam, muito menos se realizam os sonhos, aquilo da pedra era realmente horrível, mas tem de certeza uma explicação científica, como quando sonhavas que voavas por cima dos quintais, subindo, descendo, pairando de braços abertos, lembras-te, era um sinal de que estavas a crescer, a pedra se calhar também teve a sua função, se há que viver a experiência do terror, então antes seja cedo que tarde, além disso tens mais do que obrigação de saber que estes mortos não são a sério, é uma exageração macabra chamar a isto o arquivo deles, se os papéis que tens na mão são os da mulher desconhecida, são papéis mesmo, e não ossos, são papéis, e não carne putrefacta, esse foi o prodígio obrado pela tua Conservatória Geral, transformar em meros papéis a vida e a morte, é certo que quiseste encontrar essa mulher, mas não chegaste a tempo, nem ao menos isso foste capaz de conseguir, ou então querias e não querias, duvidavas entre o desejo e o temor como sucede a tanta gente, afinal bastava que tivesses ido às finanças, não faltou quem to aconselhasse, acabou-se, o melhor é deixá-la ficar, já não há mais tempo para ela e o fim do teu está para chegar.

Rente à instável parede formada pelos processos, com muito cuidado para que não lhe viessem cair em cima, o Sr. José, lentamente, foi-se levantando. A voz que lhe fizera aquele discurso dizia-lhe agora coisas como estas, Homem, não tenhas medo, a escuridão em que estás metido aqui não é maior do que a que existe dentro do teu corpo, são duas escuridões separadas por uma pele, aposto que nunca tinhas pensado nisto, transportas todo o tempo de um lado para outro uma escuridão, e isso não te assusta, há bocado pouco faltou para que te pusesses aos gritos só porque imaginaste uns perigos, só porque te lembraste do pesadelo de quando eras pequeno, meu caro, tens de aprender a viver com a escuridão de fora como aprendeste a viver com a escuridão de dentro, agora levanta-te de uma vez, por favor, mete a lanterna no bolso, que não te serve de nada, guarda os papéis, já que fazes questão de os levar, entre o casaco e camisa, ou entre a camisa e a pele, que é mais seguro, agarra o cordel com firmeza, enrola-o à medida que fores avançando para que não se te enrede nos pés, e agora ala, não sejas cobarde, que é o pior de tudo. Roçando ao de leve ainda a parede de papel com o ombro, o Sr. José aventurou dois passos tímidos. As trevas abriram-se como uma água negra, fecharam-se atrás dele, outro passo, outro mais, cinco metros de cordel já foram levantados do chão e enrolados, ao Sr. José viria bem poder dispor de uma terceira mão que fosse apalpando o ar à sua frente, mas o remédio é simples, bastará que suba à altura da cara as duas mãos que tem, uma que irá enrolando, outra que irá sendo enrolada, é o princípio da dobadoira. O Sr. José está quase a sair do corredor, uns passos mais e ficará a salvo de novo assalto da pedra do pesadelo, o cordel agora resistiu um pouco, mas é bom sinal, significa que está preso, rente ao chão, na esquina da passagem que leva ao arquivo dos vivos. Durante todo o caminho até chegar, estranhamente, como se alguém lhos estivesse lançando lá de cima, foram caindo papéis e papéis sobre a cabeça do Sr. José, devagar, um, outro, outro, como uma despedida. E quando, enfim, chegou à secretária do chefe, quando, antes mesmo de desatar o cordel, tirou de debaixo da camisa o processo que recolhera do chão, quando o abriu e viu que era o da mulher desconhecida, a sua comoção foi tão forte que não o deixou ouvir bater a porta da Conservatória, como se alguém tivesse acabado de sair.

Que o tempo psicológico não corresponde ao tempo matemático, tinha-o aprendido o Sr. José da mesma maneira por que adquirira na sua vida alguns outros conhecimentos de diferente utilidade, em primeiro lugar, naturalmente, graças às suas vivências próprias, que não é ele pessoa, apesar de nunca ter passado de auxiliar de escrita, para andar neste mundo só por ver andar os outros, mas também pelo influxo formativo de uns quantos livros e revistas de divulgação científica dignos de confiança, ou de fé, conforme o sentimento da ocasião, e ainda, vá lá, em uma ou outra ficção do género introspeccionista popular, onde, com diferenças de método e acréscimos de imaginação, igualmente se abordava o assunto. Em nenhuma das ocasiões anteriores, porém, tinha experimentado a impressão real, objectiva, tão física como uma súbita contracção muscular, da efectiva impossibilidade de medir esse tempo a que poderíamos chamar da alma, como no momento em que, já em casa, olhando uma vez mais a data do falecimento da mulher desconhecida, quis, vagamente, situá-la no tempo que decorrera desde que principiara a procurá-la. À pergunta, Que andava você a fazer nesse dia, poderia dar ele uma resposta praticamente imediata, bastar-lhe-ia ir consultar o calendário, pensar-se só como Sr. José, o funcionário da Conservatória que estivera ausente do serviço por doença, Nesse dia encontrava-me de cama, com gripe, não fui ao trabalho, diria ele, mas se a seguir lhe perguntassem, Relacione agora com a sua actividade de investigador e diga-me quando foi isso, então já teria de ir consultar o caderno de apontamentos que guardava debaixo do colchão, Foi dois dias depois do meu assalto ao colégio, responderia. De facto, tomando como boa a data do óbito inscrita no verbete com o seu nome, a mulher desconhecida tinha morrido dois dias depois do deplorável episódio que transformou em delinquente o até aí honesto Sr. José, mas estas confirmações cruzadas, a do auxiliar de escrita pela do investigador e a do investigador pela do auxiliar de escrita, na aparência mais do que suficientes para fazer coincidir o tempo psicológico de um com o tempo matemático do outro, não os aliviavam, a este e àquele, de uma impressão de vertiginoso desnorte. O Sr. José não se encontra nos últimos degraus de uma escada altíssima, olhando para baixo e observando como eles se vão tornando cada vez mais estreitos até se reduzirem a um ponto ao tocar no chão, mas é como se o seu corpo, em lugar de reconhecer-se uno e inteiro na sucessão dos instantes, se encontrasse repartido ao longo da duração destes últimos dias, da duração psicológica ou subjectiva, não da matemática ou real, e com ela se contraísse e dilatasse. Sou definitivamente absurdo, repreendia-se o Sr. José, o dia já tinha vinte e quatro horas quando foi decidido que as tivesse, a hora tem e sempre teve sessenta minutos, os sessenta segundos do minuto vêm desde a eternidade, se um relógio começa a atrasar-se ou a adiantar-se não é por defeito do tempo, mas da máquina, o que eu devo ter, portanto, é a corda avariada. A ideia fê-lo sorrir frouxamente, Não sendo o desarranjo, pelo menos que eu saiba, na máquina do tempo real, mas na mecânica psicológica que o mede, o que eu deveria fazer era procurar um psicólogo que me reparasse a roda de escape. Sorriu outra vez, depois ficou sério, O caso resolve-se mais facilmente do que isso, aliás ficou arrumado por natureza, a mulher está morta, não há mais nada a fazer, guardarei o processo e o verbete se quiser ficar com uma recordação palpável desta aventura, para a Conservatória Geral será como se a pessoa não tivesse chegado a nascer, provavelmente ninguém virá a precisar destes papéis, também posso ir deixá-los em qualquer parte do arquivo dos mortos, logo à entrada, junto com os mais antigos, aqui ou além dá no mesmo, a história é igual para todos, nasceu, morreu, a quem vai agora interessar quem tenha sido, os pais, se gostavam dela, chorá-la-ão por um tempo, depois chorarão menos, depois deixarão de chorar, é o costume, ao homem de quem se divorciou tanto se lhe dará, é certo que ela poderia ter actualmente uma ligação sentimental, viver junta, ou estar para casar-se outra vez, mas isso seria a história de um futuro que já não poderá ser vivido, não há ninguém no mundo a quem interesse o estranho caso da mulher desconhecida. Tinha na sua frente o processo e o verbete, tinha também os treze verbetes da escola, o mesmo nome repetido treze vezes, doze imagens diferentes da mesma cara, uma delas repetida, mas todas elas de cada vez mortas no passado, já mortas antes de ter morrido a mulher em que depois se tornaram, as velhas fotografias enganam muito, dão-nos a ilusão de que estamos vivos nelas, e não é certo, a pessoa para quem estamos a olhar já não existe, e ela, se pudesse ver-nos, não se reconheceria em nós, Quem será este que está a olhar para mim com cara de pena, diria. Então, subitamente, o Sr. José lembrou-se de que havia ainda outro retrato, o que a senhora do rés do chão direito lhe tinha dado. Sem o ter esperado, acabara de encontrar a resposta à pergunta de a quem poderia interessar o estranho caso da mulher desconhecida.

O Sr. José não esperou pelo sábado. No dia seguinte, fechado o expediente da Conservatória Geral, foi à lavandaria recolher a roupa que tinha deixado a limpar. Ouviu distraído a consciensiosa empregada que lhe dizia, Repare-me bem neste trabalho de cerzidura, repare, passe os dedos por cima e diga-me se nota alguma diferença, é como se não tivesse acontecido nada, assim costumam falar as pessoas que se contentam com as aparências. O Sr. José pagou, meteu o embrulho debaixo do braço e foi a casa mudar de roupa. Ia visitar a senhora do rés do chão direito e queria estar limpo e apresentável, aproveitar não só o trabalho perfeito da cerzideira, realmente merecedor de louvores, mas também o vinco rigoroso das calças, o engomado luzente da camisa, a recuperação miraculosa da gravata. Já se dispunha a sair quando um mórbido pensamento lhe passou pela cabeça, que é, tanto quanto se sabe, o único órgão pensante ao serviço do corpo, E se a senhora do rés do chão direito também morreu, na verdade não parecia vender saúde, além disso, para morrer basta estar vivo, e com aquela idade, imaginou-se a tocar a campainha, uma vez, outra vez, e ao cabo de muita insistência ouvir abrir-se a porta do rés do chão esquerdo e aparecer uma mulher a dizer, enfadada com o ruído, Não se canse, não há lá ninguém, Está fora, Está morta, Morta, Exactamente, E quando foi, Há uns quinze dias, e o senhor quem é, Sou da Conservatória Geral do Registo Civil, Pois não parece que o seu serviço funcione muito bem, é da Conservatória e não sabe que ela morreu. O Sr. José chamou-se a si mesmo obsessivo, mas preferiu tirar o caso a limpo ali mesmo, em vez de ter de suportar as más educações da mulher do rés do chão esquerdo. Entraria na Conservatória e em menos de um minuto verificaria o ficheiro, a esta hora as duas empregadas da limpeza já deviam ter acabado o trabalho, aliás não precisam de muito tempo, limitam-se a despejar os cestos dos papéis, varrem e enxaguam ligeiramente o chão até à estante atrás da secretária do chefe, é impossível convencê-las, pelas boas ou pelas más, a ir mais além, têm medo, dizem que nem mortas, também estas são das que se contentam com as aparências, que se lhes há-de fazer. Depois de ter ido recordar ao verbete da mulher desconhecida o nome da senhora do rés do chão direito, sua madrinha de baptismo, o Sr. José entreabriu a porta com todo o cuidado e espreitou. Como previra, as empregadas da limpeza já não estavam. Entrou, foi rapidamente ao ficheiro, procurou o nome, Cá está, disse, e respirou aliviado. Voltou para casa, acabou de arranjar-se e saiu. Para utilizar o autocarro que o levaria até perto da morada da senhora do rés do chão direito, tinha de ir à praça em frente da Conservatória, a paragem era ali. Apesar do adiantado do entardecer, pairava ainda sobre a cidade muita da luz do dia que restava no céu, antes de vinte minutos, pelo menos, não começariam a acender-se os candeeiros de iluminação pública. O Sr. José esperava o autocarro com algumas outras pessoas, o mais provável era que não pudesse ir no primeiro que passasse. Efectivamente, assim aconteceu. Mas um segundo autocarro apareceu logo depois, e este não vinha cheio. O Sr. José entrou, ainda a tempo de conseguir lugar ao lado duma janela. Olhou para fora, notando como a difusão da luz na atmosfera, por um efeito óptico nada comum, iluminava de um tom avermelhado as fachadas dos edifícios, como se para cada uma delas o sol estivesse a nascer nesse instante. Ali estava a Conservatória Geral, com a sua porta antiquíssima e os três degraus de pedra negra que lhe davam acesso, as cinco janelas esguias da frontaria, todo o prédio com um ar de ruína imobilizada no tempo, como se o tivessem mumificado em vez de restaurá-lo quando a degradação das matérias o reclamava. Alguma dificuldade do trânsito estava a impedir o autocarro de se pôr em marcha. O Sr. José sentia-se nervoso, não queria chegar demasiado tarde a casa da senhora do rés do chão direito. Apesar da conversa que haviam tido, tão plena, tão franca, apesar de certas confidências trocadas, algumas inesperadas em pessoas que tinham acabado de conhecer-se, não haviam ficado íntimos ao ponto de ir bater-lhe à porta a horas impróprias. O Sr. José olhou outra vez a praça. A luz tinha mudado, a fachada da Conservatória Geral tornara-se rapidamente cinzenta, mas de um cinzento ainda luminoso que parecia vibrar, estremecer, e foi então que, ao mesmo tempo que o autocarro enfim arrancava, deslocando-se devagar para a faixa de circulação, um homem alto, corpulento, subiu os degraus da Conservatória, abriu a porta e entrou. O chefe, murmurou o Sr. José, que virá ele fazer à Conservatória a estas horas. Impelido por um súbito e inexplicável pânico, levantou-se bruscamente do assento, fez um movimento para sair, provocando um gesto de surpresa e irritação no passageiro do lado, depois tornou a sentar-se, desconcertado consigo mesmo. Percebia que o impulso fora para correr a casa, como se tivesse de protegê-la de um perigo, o que era, evidentemente, um absurdo lógico. Um ladrão, imaginando, já agora, por outro absurdo, que o chefe o fosse, não iria entrar pela porta da Conservatória para chegar à sua. Mas também roçava a absurdidade que o chefe, depois de encerrado o expediente, tivesse querido voltar à Conservatória, onde, como neste relato ficou em devido tempo aclarado, não teria qualquer trabalho à espera, por isso é o Sr. José capaz de pôr as mãos no fogo. Supor o chefe da Conservatória a fazer horas extraordinárias seria mais ou menos o mesmo que pretender imaginar um círculo quadrado. O autocarro já saíra da praça, e o Sr. José continuava a rebuscar os motivos profundos que o tinham impelido a proceder daquela desorientada maneira. Acabou por decidir que a razão devia estar no facto de se ter habituado, desde há uns quantos anos, a ser o único residente nocturno do conjunto de edifícios formado pela Conservatória Geral e pela sua casa, se é que esta era merecedora de que lhe dessem o nome de edifício, sem dúvida adequado de um ponto de vista linguístico rigoroso, pois edifício é tudo quanto foi edificado, mas obviamente impróprio em comparação com essa espécie de dignidade arquitectónica que da palavra parece emanar, sobretudo quando a pronunciamos. Ter visto entrar o chefe na Conservatória impressionara-o do mesmo modo que o impressionaria, pensou, se, quando voltasse a casa, o encontrasse sentado na sua cadeira. A relativa tranquilidade que esta ideia trouxe ao Sr. José, isto é, sem contar com pertinentes e moralmente impeditivas considerações, a impossibilidade física e material de penetrar o chefe da Conservatória Geral na intimidade dos aposentos do seu subordinado ao ponto de usar-lhe uma cadeira, desfez-se de repente quando se lembrou dos verbetes escolares da mulher desconhecida e se perguntou se os havia guardado debaixo do colchão ou, por descuido, os deixara expostos em cima da mesa. Mesmo que a sua casa fosse tão segura como a caixa-forte de um banco, com fechaduras de segredo cruzado e blindagem reforçada no chão, tecto e paredes, os verbetes nunca por nunca ser deveriam ter ficado à vista. O facto de não estar lá ninguém para os ver não servia de desculpa à gravíssima imprudência cometida, sabemos nós lá, ignorantes como somos, até onde puderam já alcançar os avanços da ciência, da mesma maneira que as ondas de rádio, que ninguém vê, conseguiram levar os sons e as imagens por ares e ventos, saltando as montanhas e os rios, atravessando os oceanos e os desertos, também não será nada de extraordinário se já estiverem descobertas ou inventadas, ou vierem a sê-lo amanhã, umas ondas leitoras e umas ondas fotógrafas capazes de atravessar as paredes e registar e transmitir para o exterior casos, mistérios e vergonhas da nossa vida que julgaríamos a salvo de indiscrições. Escondê-los, aos casos, aos mistérios e às vergonhas debaixo de um colchão, ainda continua a ser o processo de ocultamento mais seguro, mormente se tomarmos em consideração a dificuldade cada vez maior que os costumes de hoje manifestam quando querem entender os costumes de ontem. Por muito espertas que fossem essa onda leitora e essa onda fotógrafa, meter o nariz entre um colchão e um enxergão é uma coisa que nunca lhes passaria pela cabeça.

É sabido como os nossos pensamentos, tanto os da inquietação como os do contentamento, e outros que nem são disto nem daquilo, acabam, mais tarde ou mais cedo, por cansar-se e aborrecer-se de si mesmos, é só questão de dar tempo ao tempo, é só deixá-los entregues ao preguiçoso devanear que lhes veio da natureza, não lançar na fogueira nenhuma reflexão nova, irritante ou polémica, ter, sobretudo, o supremo cuidado de não intervir de cada vez que diante de um pensamento já por si disposto a distrair-se se apresente uma bifurcação atractiva, um ramal, uma linha de desvio. Ou intervir, sim, mas para o impelir com delicadeza pelas costas, principalmente se é daqueles que incomodam, como se estivéssemos a aconselhá-lo, Deixa-te ir por aí, que vais bem. Isto mesmo foi o que fez o Sr. José quando lhe surgiu aquela descabelada e providencial fantasia da onda fotógrafa e da onda leitora, acto contínuo abandonou-se à imaginação, pô-la a mostrar-lhe as ondas invasoras rebuscando todo o quarto à procura dos verbetes, que afinal não tinham ficado em cima da mesa, perplexas e envergonhadas por não poderem cumprir a ordem que haviam recebido, Já sabem, ou encontram os verbetes e os leem e fotografam, ou regressamos à espionagem clássica. O Sr. José ainda pensou no chefe, mas tratou-se de um pensamento residual, simplesmente o que lhe era útil para encontrar uma explicação aceitável para o facto de ele ter voltado à Conservatória fora das horas regulamentares do serviço, Esqueceu-se de alguma coisa que lhe fazia falta, não pode ter havido outro motivo. Sem se aperceber, repetiu em voz alta a última parte da frase, Não pode ter havido outro motivo, provocando pela segunda vez a desconfiança do passageiro que viajava ao seu lado, cujos pensamentos, à luz do movimento que o fez mudar de lugar, imediatamente se tornaram claros e explícitos, Este tipo é doido, apostamos que por estas ou semelhantes palavras o pensou. O Sr. José não deu pela retirada do vizinho de assento, passara sem transição a ocupar-se da senhora do rés do chão direito, já a tinha diante de si, no limiar da porta, Lembra-se de mim, sou da Conservatória Geral, Lembro-me muito bem, Venho cá por causa do assunto do outro dia, Encontrou a minha afilhada, Não, não encontrei, ou melhor, sim, isto é, não, quer dizer, gostaria era de ter uma pequena conversa consigo, se não se importa, se tem um minuto disponível, Entre, eu também tenho alguma coisa para lhe contar. Com mais palavra ou menos palavra, foram estas as frases que o Sr. José e a senhora do rés do chão direito pronunciaram no momento em que ela abriu a porta e viu aquele homem, Ah, é o senhor, exclamou, portanto ele não teria nenhuma precisão de perguntar, Lembra-se de mim, sou o Sr. José da Conservatória Geral, mas apesar disso não resistiu a fazer a pergunta, a tal ponto constante, a tal ponto imperiosa, a tal ponto exigente parece ser esta nossa necessidade de ir pelo mundo a dizer quem somos, mesmo quando acabámos de ouvir, Ah, é você, como se por nos terem reconhecido nos conhecessem e não houvesse mais nada a saber de nós, ou o pouco que ainda restasse não merecesse o trabalho de uma pergunta nova.

Nada se tinha modificado na pequena sala, a cadeira onde o Sr. José se sentara na primeira vez encontrava-se no mesmo sítio, era a mesma a distância entre ela e a mesa, as cortinas pendiam da mesma maneira, faziam as mesmas pregas, era também o mesmo o gesto da mulher ao descansar as mãos no regaço, a direita sobre a esquerda, só a luz do tecto parecia um pouco mais pálida, como se a lâmpada estivesse a chegar ao fim. O Sr. José perguntou, Então como tem passado a senhora desde a minha visita, e logo se recriminou pela falta de sensibilidade, pior ainda, pela rematada estupidez de que estava a dar mostras, tinha obrigação de saber que as regras de educação elementar nem sempre são para seguir à letra, há que tomar em conta as circunstâncias, há que ponderar cada caso, imaginemos que a mulher lhe responde agora com um sorriso rasgado, Felizmente muito bem, de saúde, a melhor possível, de disposição, excelente, há muito tempo que não me sentia tão forte, e ele lhe atira sem contemplações, Pois então fique sabendo que a sua afilhada morreu, aguente-se lá com esta. Mas a mulher não respondeu à pergunta, limitou-se a encolher os ombros com indiferença, depois disse, Imagine que durante uns dias andei a pensar em lhe telefonar para a Conservatória Geral, depois pus de parte a ideia, calculei que mais tarde ou mais cedo viria visitar-me, Ainda bem que decidiu não telefonar, o conservador não gosta que recebamos chamadas, diz que prejudicam o serviço, Compreendo, mas isso poderia resolver-se com facilidade, bastava que eu lhe comunicasse, a ele directamente, a informação que tinha para dar, não precisava de o mandar chamar a si. A testa do Sr. José cobriu-se subitamente de suor frio. Acabara de tomar conhecimento de que, durante semanas, ignorante do perigo, inconsciente da ameaça, estivera sob a iminência do desastre absoluto que teria sido a revelação pública das irregularidades do seu comportamento profissional, do contínuo e voluntário atentado que andava a cometer contra as venerandas leis deontológicas da Conservatória Geral do Registo Civil, cujos capítulos, artigos, parágrafos e alíneas, ainda que complexos, sobretudo devido ao arcaísmo da linguagem, a experiência dos séculos havia terminado por reduzir a sete palavras práticas, Não te metas onde não és chamado. Durante um instante o Sr. José odiou com raiva a mulher que tinha diante de si, insultou-a mentalmente, chamou-lhe velha caquéctica, cretina, estafermo, e, como quem não encontrou melhor para se desforrar de um susto violento e inesperado, esteve vai não vai para lhe dizer, Ah ele é isso, pois então apára lá este pião à unha, a tal afilhadinha tua, aquela do retrato, deu o bafo. A mulher perguntou, Sente-se mal, Sr. José, quer um copo de água, Estou bem, não se preocupe, respondeu ele, envergonhado do impulso maldoso, Vou-lhe fazer um chá, Não é preciso, muito obrigado, não quero incomodar, nesta altura o Sr. José já se sentia mais rasteiro e humilhado que o pó da rua, a senhora do rés do chão saíra da sala, ouvia-a mexer em louças na cozinha, passaram alguns minutos, primeiro que tudo há que ferver a água, o Sr. José lembra-se de ter lido em qualquer parte, provavelmente numa das revistas donde recortava retratos de pessoas célebres, que o chá deve ser feito com água que ferveu mas já não ferve, podia ter-se contentado com o copo de água fresca, mas a infusão vai-lhe cair muito melhor, toda a gente sabe que para levantar o ânimo descaído não há nada que chegue a uma chávena de chá, dizem-no todos os manuais, tanto do oriente como do ocidente. A dona da casa apareceu com o tabuleiro, trazia também um pratinho de bolachas, além do bule, das chávenas e do açucareiro, Nem lhe perguntei se gostava de chá, só pensei que nesta altura seria preferível ao café, disse, Gosto de chá, sim senhora, gosto muito, Quer açúcar, Nunca ponho, de repente ficou pálido, a suar, achou que devia justificar-se, Devem ter sido ainda os restos duma gripe que apanhei, Nesse caso, se eu tivesse chegado a telefonar, o mais certo seria não o encontrar na Conservatória Geral, teria mesmo de contar ao seu chefe o que se passou comigo. Desta vez o suor apenas humedeceu as palmas das mãos do Sr. José, mas ainda assim foi uma sorte estar a chávena em cima da mesa, segurasse-a ele naquele momento que a porcelana teria ido parar ao chão, ou derramar-se-ia o chá escaldante nas pernas do aflito auxiliar de escrita, com as consequências óbvias, imediatamente a queimadura, depois o regresso das calças à lavandaria. O Sr. José colheu uma bolacha do prato, deu-lhe uma dentada lenta, sem gosto, e, disfarçando com o movimento da mastigação a dificuldade com que lhe saíam as palavras, conseguiu formar a pergunta que tardava, E que informação era essa que tinha para me dar. A mulher bebeu um pouco de chá, estendeu a mão hesitante para o prato das bolachas, mas não concluiu o gesto. Disse, Recorda-se de eu lhe ter sugerido, no fim da sua visita, quando já se ia a retirar, que procurasse na lista telefónica o nome da minha afilhada, Recordo-me, mas preferi não seguir o seu conselho, Porquê, É muito difícil de explicar, Com certeza terá tido as suas razões, Dar razões para o que se faz ou se deixa de fazer é o que há de mais fácil, quando percebemos que as não temos ou não as temos suficientes tratamos de inventá-las, no caso da sua afilhada, por exemplo, eu poderia agora declarar que achei preferível seguir o caminho mais longo e mais complicado, E essa razão, pergunto, é das verdadeiras, ou é das inventadas, Concordemos que tem tanto de verdade como de mentira, E qual é nela a parte da mentira, Em estar eu a proceder de modo a que a razão que lhe dei seja tomada como verdade inteira, E não o é, Não, porque omito a razão de ter preferido aquele caminho e não outro, directo, Aborrece-o a rotina do seu trabalho, Essa poderia ser outra razão, Em que ponto estão as suas investigações, Fale-me primeiro do que sucedeu, façamos de conta que eu estava na Conservatória Geral quando pensou em telefonar-me e que o chefe não se importa que chamem os seus funcionários ao telefone. A mulher levou outra vez a chávena aos lábios, colocou-a no pires sem fazer o menor ruído, e disse, ao mesmo tempo que as mãos voltavam a pousar-se no regaço, novamente a mão direita sobre a esquerda, Eu fiz o que lhe disse a si que fizesse, Telefonou-lhe, Sim, Falou com ela, Sim, Quando foi, Alguns dias depois de o senhor cá ter vindo, não pude resistir às lembranças, nem conseguia dormir, E que aconteceu, Conversámos, Ela deve ter ficado surpreendida, Não me pareceu, Mas seria o natural, depois de tantos anos de separação e de silêncio, Vê-se que o senhor sabe pouco de mulheres, principalmente se são infelizes, Ela era infeliz, Não tardou que começássemos a chorar, as duas, como se estivéssemos atadas uma à outra por um fio de lágrimas, E depois, contou-lhe alguma coisa da sua vida, Quem, Ela, a si, Quase nada, que se tinha casado, mas que agora estava divorciada, Isso já nós sabíamos, consta do verbete, Combinámos então que viria visitar-me logo que lhe fosse possível, E veio, Até hoje, não, Que quer dizer, Simplesmente que não veio, Nem telefonou, Nem telefonou, Há quantos dias foi isso, Umas duas semanas, Para mais ou para menos, Para menos, creio, sim, para menos, E a senhora, que fez, Ao princípio pensei que ela tinha mudado de ideias, que afinal não queria reatar as antigas relações, não queria intimidades entre nós, aquelas lágrimas tinham sido um momento de fraqueza e nada mais, acontece muitas vezes, há ocasiões na vida em que nos deixamos ir, em que somos capazes de contar as nossas dores até ao primeiro desconhecido que nos apareça, lembra-se, quando aqui esteve, Lembro-me, e nunca lhe agradecerei bastante a sua confiança, Não pense que se tratou de confiança, foi só desespero, Seja como for, prometo-lhe que não terá de se arrepender, pode ficar segura comigo, sou uma pessoa discreta, Sim, tenho a certeza de que não me arrependerei, Obrigado, Mas é porque, no fundo, tudo se me tornou indiferente que tenho a certeza de não vir a arrepender-me, Ah. Passar de uma interjeição tão desconsolada como esta a uma interpelação directa, do género, E depois que fez, não era fácil, requeria tempo e tacto, por isso o Sr. José se deixou ficar calado, à espera do que viesse. Como se o soubesse também, a mulher perguntou, Quer mais chá, ele aceitou, Se faz favor, e estendeu a chávena. Depois a mulher disse, Há uns dias telefonei para casa dela, E então, Ninguém atendeu, respondeu-me um gravador, Só telefonou uma vez, No primeiro dia, sim, mas nos dias seguintes fi-lo várias vezes e a horas diferentes, telefonei de manhã, telefonei à tarde, telefonei depois da hora de jantar, cheguei mesmo a ligar a meio da noite, E nada, Nada, pensei que talvez tivesse ido para fora, Ela tinha-lhe dito onde trabalhava, Não. A conversa já não podia continuar a rodar à volta do poço negro que escondia a verdade, aproxima-se o momento de o Sr. José dizer A sua afilhada morreu, aliás devia tê-lo dito assim que aqui entrou, é disso que a mulher o acusará não tarda muito, Por que não mo disse logo, por que fez todas essas perguntas se já sabia que ela estava morta, e ele não poderá mentir alegando que se calou para não lhe dar de repente, sem preparação, sem respeito, a dolorosa notícia, na verdade a causa única deste longo e lento diálogo tinham sido as palavras que ela dissera à entrada, Também tenho alguma coisa para lhe contar, nesse momento faltou ao Sr. José a serenidade resignada que o teria feito rejeitar a tentação de tomar conhecimento dessa pequena coisa inútil, fosse ela qual fosse, faltou-lhe a resignação serena de dizer Não vale a pena, ela morreu. Era como se aquilo que a senhora do rés do chão tivesse para comunicar-lhe pudesse ainda, sabe-se lá como, fazer correr o tempo para trás e, no último dos últimos instantes, roubar à morte a mulher desconhecida. Cansado, sem outro desejo agora que o de retardar por uns segundos mais o inevitável, o Sr. José perguntou, Não se lembrou de ir a casa dela, perguntar aos vizinhos se a tinham visto, Claro que cheguei a pensar nisso, mas não o fiz, Porquê, Porque seria o mesmo que intrometer-me, ela poderia não gostar, Mas telefonou, É diferente. Fez-se um silêncio, depois a expressão do rosto da mulher começou a mudar, tornou-se interrogativa, e o Sr. José percebeu que ela lhe ia perguntar, enfim, que questões relacionadas com o assunto é que o tinham trazido hoje a sua casa, se haviam chegado à fala e quando, se o problema com a Conservatória Geral fora resolvido e como, Minha senhora, lamento ter de informá-la que a sua afilhada morreu, disse o Sr. José rapidamente. A mulher abriu muito os olhos, levantou as mãos do regaço e levou-as à boca, O quê, A sua afilhada, digo que a sua afilhada faleceu, Como sabe, perguntou a mulher sem reflectir, Para isso está lá a Conservatória, disse o Sr. José, e encolheu de leve os ombros, como se acrescentasse, A culpa não é minha, Quando foi que morreu, Trago aqui o verbete, se quiser ver. A mulher estendeu a mão, aproximou o cartão dos olhos, depois afastou-o enquanto murmurava, Os meus óculos, mas não os buscou, sabia que não lhe iriam servir de nada, mesmo querendo não seria capaz de ler o que lá estava escrito, as lágrimas tornavam as palavras num borrão. O Sr. José disse, Tenho muita pena. A mulher saiu da sala, demorou-se uns instantes breves, quando regressou vinha a enxugar os olhos com um lenço. Sentou-se, serviu-se novamente de chá, depois perguntou, Veio cá só para me informar do falecimento da minha afilhada, Sim, Foi uma grande atenção da sua parte, Pensei, simplesmente, que era a minha obrigação, Porquê, Porque me sentia em dívida consigo, Porquê, Por causa da maneira simpática como me recebeu e atendeu, como me ajudou, como respondeu às minhas perguntas, Agora que o trabalho de que o encarregaram chegou ao fim pela força das coisas, já não terá de cansar-se mais a procurar a minha pobre afilhada, De facto, não, Se calhar até já lhe deram ordem na Conservatória Geral para começar a procurar outra pessoa, Não, não, casos como este são raros, É o que a morte tem de bom, com ela acaba-se tudo, Nem sempre é assim, logo começam as guerras entre os herdeiros, a ferocidade das partilhas, o imposto de sucessão que é preciso pagar, Estava a referir-me à pessoa que morreu, Quanto a essa, sim, tem razão, acabou-se tudo, É curioso, nunca chegou a explicar-me por que motivo andava a Conservatória Geral à procura da minha afilhada, as razões de tão grande interesse, Como acabou de dizer, a morte resolve todos os problemas, Então havia um problema, Sim, Qual, Não vale a pena falar disso, o assunto deixou de ter importância, Que assunto, Peço-lhe que não insista, é confidencial, cortou o Sr. José, desesperado. A mulher pousou secamente a chávena no pires e disse, olhando a direito o visitante, Temos aqui estado, o senhor e eu, no outro dia e hoje, um que desde o princípio sempre disse a verdade, outro que desde o princípio sempre esteve a mentir, Nem menti, nem estou a mentir, Reconheça que em todos os momentos lhe falei franco e claro, abertamente, que nunca lhe pôde passar pela cabeça que houvesse uma só mentira nas minhas palavras, Reconheço, reconheço, Então, se há nesta sala um mentiroso, e tenho a certeza de que o há, esse não serei eu, Não sou mentiroso, Acredito que não o seja por natureza, mas vinha a mentir quando entrou aqui pela primeira vez, e desde então tem mentido sempre, A senhora não pode compreender, Compreendo o suficiente para não acreditar que a Conservatória o tivesse alguma vez mandado procurar a minha afilhada, Está enganada, asseguro-lhe que mandou, Então, se não tem mais nada para me dizer, se a sua última palavra é essa, saia da minha casa agora mesmo, já, já, as duas últimas palavras foram quase gritadas, e a mulher, depois delas, começou a chorar. O Sr. José levantou-se, deu um passo para a porta, depois tornou a sentar-se, Perdoe-me, disse, não chore, vou contar-lhe tudo.

Quando acabei de falar, ela perguntou-me, E agora, que pensa fazer, Nada, disse eu, Vai voltar àquelas suas colecções de pessoas famosas, Não sei, talvez, em alguma coisa haverei de ocupar o meu tempo, calei-me um pouco a pensar e respondi, Não, não creio, Porquê, Reparando bem, a vida delas é sempre igual, nunca varia, aparecem, falam, mostram-se, sorriem para os fotógrafos, estão constantemente a chegar ou a partir, Como qualquer de nós, Eu, não, Você, e eu, e todos, também nos mostramos por aí, também falamos, também saímos de casa e regressamos, às vezes até sorrimos, a diferença é que ninguém nos faz caso, Não poderíamos ser todos famosos, Ainda bem para si, imagine a sua colecção com o tamanho da Conservatória Geral, Teria de ser muito maior, à Conservatória só interessa saber quando nascemos, quando morremos, e pouco mais, Se nos casámos, se nos divorciámos, se ficámos viúvos, se tornámos a casar, à Conservatória é indiferente se, no meio de tudo isso, fomos felizes ou infelizes, A felicidade e a infelicidade são como as pessoas famosas, tanto vêm como vão, o pior que tem a Conservatória Geral é não querer saber quem somos, para ela não passamos de um papel com uns quantos nomes e umas quantas datas, Como o verbete da minha afilhada, Ou o seu, ou o meu, Que faria se a tivesse chegado a encontrar, Não sei, talvez lhe falasse, talvez não, nunca pensei nisso, E pensou que, nesse momento, quando a tivesse, enfim, na sua frente, saberia dela tanto como no dia em que tomou a decisão de a procurar, isto é, nada, que se pretendesse saber quem ela realmente era teria de começar a procurá-la outra vez e que a partir daí poderia ser muito mais difícil, se, ao contrário das pessoas famosas, que gostam de mostrar-se, ela não quisesse ser encontrada, Assim é, Mas, estando morta, poderá continuar a procurá-la, ela já não se importará, Não compreendo, Até agora, apesar de tantos esforços, só tinha conseguido averiguar que frequentou um colégio, aliás, o mesmo que eu lhe havia indicado, Tenho fotografias, Fotografias também são papéis, Podemos dividi-las, E julgaríamos que a estávamos a dividir a ela, uma parte para si, uma parte para mim, Não se pode fazer mais nada, isto foi o que eu disse nesta altura, julgando que dava o assunto por encerrado, mas ela perguntou-me, Por que não vai falar com os pais, com o antigo marido, Para quê, Para saber alguma coisa mais a respeito dela, como vivia, o que fazia, O marido não haveria de querer conversas, as águas passadas não movem moinhos, Mas os pais, certamente sim, os pais nunca se recusam a falar dos filhos, mesmo se estão mortos, é o que tenho observado, Se não fui lá antes, também não é agora que irei, antes ainda lhes poderia dizer que ia mandado pela Conservatória Geral, De que morreu a minha afilhada, Não sei, Como é isso possível, o falecimento tem de estar registado na sua Conservatória, No verbete só apontamos a data do óbito, não a causa, Mas existe com certeza uma declaração, os médicos são obrigados por lei a certificar o falecimento, não se limitaram a escrever Está morta quando ela morreu, Nos papéis que encontrei no arquivo dos mortos não estava a declaração do óbito, Porquê, Não sei, devia ter caído pelo caminho quando foram arquivar o processo, ou a deixei cair eu, está perdida, seria o mesmo que procurar uma agulha num palheiro, a senhora não pode imaginar o que aquilo é, Pelo que me contou, imagino, Não se pode imaginar, é impossível, só estando lá, Sendo assim, tem aí uma boa razão para ir falar com os pais, diga-lhes que a declaração do óbito se extraviou lamentavelmente na Conservatória, que tem de reconstituir o processo senão o chefe castiga-o, mostre-se humilde e preocupado, pergunte quem foi o médico que a assistiu, onde morreu ela, e de que doença, se foi em casa ou no hospital, pergunte tudo, ainda tem consigo a credencial, suponho, Sim, mas é falsa, não se esqueça, Enganou-me a mim, igualmente os enganaria a eles, se não há vida sem mentiras, também algum engano poderá haver nesta morte, Se a senhora fosse funcionária da Conservatória Geral saberia que não é possível enganar a morte. Ela deve ter achado que não valia a pena responder-me, e nisso tinha toda a razão, porque o que eu havia dito não passava duma frase de efeito, oca, dessas que parecem profundas e não têm nada dentro. Estivemos calados bem uns dois minutos, ela olhava-me com uma cara de repreensão, como se eu lhe tivesse feito uma promessa solene e no último momento lhe faltasse. Não sabia onde me meter, a minha vontade era dar as boas-noites e ir-me dali, mas teria sido uma grosseria estúpida, uma indelicadeza que a pobre senhora não merecia, são atitudes que realmente não estão na minha maneira de ser, fui criado assim, é verdade que não me lembro de alguma vez ter tomado chá em pequeno, mas o resultado veio a dar no mesmo. Estava eu a pensar que o melhor seria aceitar a ideia, principiar uma nova busca em sentido contrário ao da primeira, isto é, da morte para a vida, quando ela disse, Não faça caso, são disparates da minha cabeça, quando chegamos a velhos e percebemos que se nos está a acabar o tempo, dá-nos para imaginar que temos na mão o remédio de todos os males do mundo e desesperamos por não nos prestarem atenção, Nunca tive essas ideias, Lá lhe chegará a vez, ainda é muito novo, Novo eu, já vou nos cinquenta e dois, Está na flor da idade, Não brinque comigo, Só a partir dos setenta é que se tornará sábio, mas então de nada lhe vai servir, nem a si nem a ninguém. Como ainda me falta muito para chegar àquela idade, não soube se havia de concordar ou não, por isso achei melhor calar-me. Agora já podia despedir-me, disse, Não a incomodo mais, agradeço-lhe a sua paciência e a sua gentileza, e peço-lhe que me desculpe, a causa de tudo isto foi aquela minha loucura, um absurdo como nunca se viu, a senhora estava descansada na sua casa e eu vim aqui com disfarces, com histórias enganosas, sinto-me corar de vergonha quando me lembro de certas perguntas que lhe fiz, Ao contrário do que acaba de dizer, eu não estava descansada, estava sozinha, ter-lhe contado algumas das coisas tristes da minha vida foi como tirar-me um peso de cima, Se é assim que pensa, ainda bem, É assim que penso, e não queria que se fosse embora sem lhe fazer um pedido, Diga, só se de todo em todo eu não puder dar-lhe satisfação, Não há outra pessoa que possa melhor, o que tenho a pedir-lhe é simples, que me venha visitar uma vez por outra, quando se lembrar e lhe apetecer, mesmo que não seja para falar da minha afilhada, Virei visitá-la com todo o gosto, Haverá sempre uma chávena de café ou de chá à sua espera, Essa seria já uma boa razão para cá vir, mas não faltam outras, Obrigada, e olhe, torno a dizer que não faça caso daquela minha ideia, no fim de contas é tão louca como o foi a sua, Vou pensar. Beijei-lhe a mão como da primeira vez, mas então aconteceu algo que eu não esperava, ela manteve a minha mão agarrada e levou-a aos lábios. Nunca na minha vida uma mulher me tinha feito isto, senti-o como um choque na alma, um estremecimento do coração, e ainda agora, madrugada já, decorridas tantas horas, enquanto acabo de passar ao caderno os acontecimentos deste dia, olho a minha mão direita e encontro-a diferente, embora não seja capaz de dizer em que consiste a diferença, deve ser coisa de dentro, não de fora. O Sr. José parou de escrever, pousou o lápis, guardou cuidadosamente no caderno os verbetes escolares da mulher desconhecida, que afinal tinham mesmo ficado em cima da mesa, e foi metê-los entre o colchão e o enxergão, bem fundo. Depois aqueceu o guisado que sobejara do almoço e sentou-se a comer. O silêncio era quase absoluto, mal se conseguia notar o ruído dos poucos carros que ainda circulavam na cidade. O que se ouvia melhor era um som abafado, que subia e descia, como um fole distante, mas a ele estava habituado o Sr. José, era a Conservatória respirando. O Sr. José foi para a cama, mas não tinha sono. Recordava os sucessos do dia, a surpresa irritante de ver o chefe a entrar na Conservatória a horas desacostumadas, a agitada conversa com a senhora do rés do chão direito, de que tinha deixado constância no caderno de apontamentos, fiel no sentido, não tanto na forma, o que se compreende e desculpa, já que a memória, que é susceptível e não gosta de ser apanhada em falta, tende a preencher os esquecimentos com criações de realidade próprias, obviamente espúrias, mas mais ou menos contíguas aos factos de cujo acontecer só lhe havia ficado uma lembrança vaga, como o que resta da passagem duma sombra. Parecia ao Sr. José que ainda não tinha chegado a uma conclusão lógica do que sucedera, que deveria ainda tomar uma decisão, ou então as últimas palavras que dissera à senhora do rés do chão, Vou pensar, não teriam passado de promessa vã, daquelas que estão sempre a aparecer nas conversações e que ninguém espera ver cumpridas. Desesperava o Sr. José de entrar no sono quando de repente lhe surgiu, sabe-se lá de que profundidades, como a ponta de um novo fio de Ariadne, a ansiada resolução, No sábado vou ao cemitério, disse em voz alta. A excitação fê-lo sentar-se bruscamente na cama, mas a voz tranquila do bom senso acudiu a aconselhá-lo, Uma vez que decidiste o que vais fazer, deita-te e dorme, não sejas criança, vê lá se queres, a estas horas da noite, ir saltar o muro do cemitério, é uma maneira de falar, claro. Obediente, o Sr. José deixou-se escorregar entre os lençóis, tapou-se até ao nariz, mas ainda ficou um minuto de olhos abertos a pensar, Não vou poder dormir. No segundo minuto já dormia.

Acordou tarde, quase à hora de abrir a Conservatória, não teve sequer tempo de fazer a barba, vestiu-se de atropelo e saiu de casa em desatinada correria, imprópria da sua idade e da sua condição. Todos os funcionários, desde os oito auxiliares de escrita aos dois subchefes, se encontravam sentados, de olhos fixos no relógio da parede, à espera de que o ponteiro dos minutos se sobrepusesse exactamente ao número doze. O Sr. José dirigiu-se ao oficial do seu lado, a quem devia dar as primeiras satisfações, e pediu desculpa pelo atraso, Dormi mal, justificou-se, embora sabendo, pela experiência de muitos anos, que uma explicação como esta de nada serviria, Sente-se, foi a resposta seca que ouviu. Quando, logo a seguir, o último deslizar do ponteiro dos minutos fez transitar do tempo de espera para o tempo de trabalho, o Sr. José, embaraçado pelos cordões dos sapatos, que se esquecera de apertar, ainda não havia alcançado a sua mesa, circunstância friamente observada pelo oficial, que anotou o facto insólito na agenda do dia. Passou mais de uma hora antes que o conservador chegasse. Entrou com uma expressão recolhida, quase sombria, que fez arrecear-se o ânimo dos funcionários, à primeira vista dir-se-ia que também ele tinha dormido mal, mas o certo é que vinha composto como de costume, barbeado a preceito, sem uma ruga no fato ou um fio de cabelo fora do lugar. Parou um instante junto à mesa do Sr. José e olhou-o com severidade, sem uma palavra. Contrafeito, o Sr. José começou um gesto que parece instintivo nos homens, o de levar a mão à cara e esfregar a barba para ver se está crescida, mas o gesto ficou a meio, como se desta maneira pudesse disfarçar o que para toda a gente era evidente, o imperdoável desleixo da sua figura. A repreensão, pensaram todos, não tardaria. O conservador dirigiu-se à sua secretária, sentou-se e chamou os dois subchefes. A ideia geral foi a de que o caso estava mesmo feio para o Sr. José, se assim não fosse o chefe não teria convocado os seus imediatos juntamente, devia querer ouvir a opinião deles sobre a pesada sanção que tencionava aplicar, A paciência esgotou-se-lhe, pensaram com alegria os auxiliares de escrita, ultimamente escandalizados pelo tratamento de imerecido favor de que o Sr. José andara a ser objecto por parte do chefe, Já não era sem tempo, sentenciaram in mente. Depressa perceberam, porém, que os tiros não iam por aí. Enquanto um dos subchefes dava ordem para que todos, oficiais e auxiliares de escrita, se virassem de frente para o conservador, o outro contornava o balcão e ia fechar a porta de entrada, tendo primeiro afixado do lado de fora um letreiro que dizia Encerrado temporariamente por conveniência de serviço. Que será, que não será, perguntavam-se os funcionários, incluindo os subchefes, que sabiam tanto como os outros, ou somente um pouco mais, apenas que o chefe lhes comunicara que ia falar. A primeira palavra por ele dita foi Sentem-se. A ordem passou dos subchefes aos oficiais, dos oficiais aos auxiliares de escrita, houve o inevitável ruído produzido pela mudança de posição das cadeiras, colocadas de costas para as mesas respectivas, mas tudo isto se fez rapidamente, em menos de um minuto o silêncio na Conservatória Geral tornou-se absoluto. Não se ouvia uma mosca, embora se saiba que as há, algumas pousadas em lugares seguros, outras agonizando nas imundas teias de aranha do tecto. O conservador levantou-se lentamente, com a mesma lentidão passeou os olhos pelos funcionários, um a um, como se os visse pela primeira vez, ou como se estivesse a tentar reconhecê-los depois duma longa ausência, estranhamente a sua expressão já não era sombria, ou era-o num outro sentido, como se o atormentasse uma dor moral. Depois falou, Meus senhores, na qualidade de chefe desta Conservatória Geral do Registo Civil, último em actividade de uma linhagem de conservadores historicamente iniciada com a recolha do mais antigo dos documentos existentes nos nossos arquivos, também no exercício das competências que me foram consignadas e seguindo o exemplo dos meus predecessores, tenho cumprido e feito cumprir com o maior escrúpulo as leis escritas que regulam o funcionamento dos serviços, sem ignorar, e pelo contrário tendo-a bem presente em cada momento, a tradição. Estou consciente da mudança dos tempos, da necessidade duma contínua actualização de meios e de processos na vida social, mas entendo, como o tinham entendido os que esta Conservatória governaram antes de mim, que a preservação do espírito, do espírito a que chamarei de continuidade e de autorreconhecimento orgânico, deve prevalecer sobre qualquer outra consideração, sob pena, se assim não procedêssemos, de assistirmos ao derrubamento do edifício moral que, como primeiros e últimos depositários da vida e da morte, continuamos a representar aqui. Haverá decerto quem proteste por não ver nesta Conservatória Geral uma só máquina de escrever, para não falar de instrumentos mais modernos ainda, por os armários e as estantes continuarem a ser de madeira natural, por os funcionários ainda terem de molhar aparos em tinteiros e usarem mata-borrão, haverá quem nos considere ridiculamente parados na história, quem reclame do governo a rápida introdução de tecnologias avançadas nos nossos serviços, mas se é verdade que as leis e os regulamentos podem ser alterados e substituídos em cada momento, o mesmo não pode acontecer com a tradição, que é, como tal, tanto no seu conjunto como no seu sentido, imutável. Ninguém irá viajar ao tempo passado para mudar uma tradição que nasceu no tempo e que pelo tempo foi alimentada e sustentada. Ninguém nos virá dizer que o existente não existiu, ninguém ousará querer, como uma criança, que o que aconteceu não tenha acontecido. E se o fizessem estariam a perder o seu próprio tempo. Estes são os alicerces da nossa razão e da nossa força, este é o muro por trás do qual nos foi possível defender, até aos dias de hoje, quer a nossa identidade quer a nossa autonomia. Assim temos continuado. E assim continuaríamos se novas reflexões não nos viessem apontar a necessidade de novos caminhos.

Até aqui não saíra nenhuma novidade do discurso do chefe, fosse embora certo que era esta a primeira vez que se ouvia na Conservatória Geral algo parecido a uma declaração solene de princípios. A mentalidade uniforme dos funcionários formava-se sobretudo na prática do serviço, regulada nos primeiros tempos com rigor e precisão, mas permitindo nas últimas gerações, talvez por fadiga histórica da instituição, os graves e continuados desmazelos que conhecemos, censuráveis mesmo à luz do mais benevolente dos juízos. Tocados na sua embotada consciência, pensaram os funcionários que iria ser esse o tema central da inesperada prelecção, mas não tardaram a desenganar-se. Aliás, se tivessem dado um pouco mais de atenção à expressão fisionómica do conservador, teriam compreendido logo que o objectivo dele não era de carácter disciplinar, não visava uma repreensão geral, caso em que as suas palavras soariam como pancadas secas e todo o seu rosto se cobriria de desdenhosa indiferença. Ora, não havia nenhum destes sinais nas atitudes do chefe, apenas uma disposição semelhante à de quem, habituado a vencer sempre, se encontrou, pela primeira vez na vida, perante uma força maior que a sua. E uns poucos, em particular os subchefes e algum oficial, que tinham julgado poder deduzir da última frase proferida o anúncio da introdução imediata de modernizações que já eram moeda corrente fora dos muros da Conservatória Geral, também não tardaram a reconhecer, desconcertados, que se haviam equivocado. O conservador continuava a falar, Não vos confundeis, porém, imaginando que as reflexões a que me estou referindo são simplesmente aquelas que nos levariam a abrir as nossas portas aos inventos modernos, para isso não fazia falta reflectir, bastaria chamar um técnico dessas matérias e em vinte e quatro horas teríamos a casa cheia de maquinarias de todo o tipo. Por muito que me doa declará-lo e por escandaloso que vos pareça, o que as minhas reflexões vieram pôr em causa, quem mo diria a mim, foi precisamente um dos aspectos fundamentais da tradição da Conservatória Geral, isto é, a distribuição espacial dos vivos e dos mortos, a sua separação obrigatória, não só em arquivos distintos como em diferentes áreas do edifício. Ouviu-se um levíssimo sussurro, como se o pensamento comum dos assombrados funcionários se tivesse tornado audível, nem outra coisa teria podido ser, uma vez que nenhum deles havia ousado pronunciar palavra. Compreendo que isto vos perturbe, prosseguiu o conservador, porque eu próprio me senti como responsável de uma heresia quando o pensei, pior ainda, culpado de uma ofensa à memória de todos aqueles que, antes de mim, ocuparam esta posição de mando, e também de quantos trabalharam nos lugares agora ocupados por vós, mas a força irresistível da evidência obrigou-me a enfrentar o peso da tradição, de uma tradição que, durante toda a minha vida, eu havia considerado inamovível. Chegar a esta consciência dos factos não foi obra do acaso nem súbita revelação. Por duas vezes desde que sou chefe da Conservatória recebi aqui avisos premonitórios, a que na altura não atribuí especial importância, salvo para a eles ter reagido de um modo que não me importarei de classificar como primário, mas que, hoje o compreendo, prepararam o caminho para que viesse a acolher com o espírito aberto um terceiro e recente aviso, do qual, por razões que entendo dever conservar secretas, não falarei nesta ocasião. O primeiro caso, de que todos certamente se recordam, foi quando um dos meus subchefes, aqui presente, propôs que a arrumação dos arquivos dos mortos fosse feita ao contrário, quer dizer, mais afastados os antigos, mais próximos os de agora. Por causa da soma de trabalho que uma tal mudança exigiria, e tendo em conta a escassez do quadro de pessoal de que dispúnhamos, a sugestão era manifestamente irrealizável, e isso mesmo fiz sentir ao proponente, porém em termos que gostaria de esquecer, e sobretudo que os pudesse esquecer ele. O subchefe aludido corou de satisfação, olhou para trás a mostrar-se, e, tornando a encarar-se com o superior, acenou ligeiramente a cabeça, como se estivesse a pensar, Se desses mais atenção ao que te dizem. O conservador continuou, Não percebi então que, por trás duma ideia que me parecia absurda, e que, observada de um ângulo operacional, de facto o era, havia a intuição de algo absolutamente revolucionário, uma intuição involuntária, inconsciente, é verdade, mas nem por isso menos efectiva. Claro que da cabeça de um subchefe não se poderia esperar muito mais, mas o conservador que eu sou estava obrigado, tanto pelos deveres do cargo como pelas razões da experiência, a compreender de imediato o que a futilidade aparente da ideia ocultava. Desta vez o subchefe não olhou para trás, e se corou de despeito ninguém o notou porque tinha a cabeça baixa. O conservador fez uma pausa para suspirar profundamente, e continuou, O segundo caso foi o daquele investigador de temas heráldicos que desapareceu no arquivo dos mortos e que só uma semana depois conseguimos descobrir, quase nas últimas, quando já havíamos perdido todas as esperanças de encontrá-lo vivo. Tratando-se de um episódio de características tão comuns, realmente não creio que exista alguém que, pelo menos uma vez na vida, não se tenha perdido lá fora, limitei-me a tomar as providências que se impunham, baixando uma ordem de serviço a determinar o uso obrigatório do fio de Ariadne, designação clássica e, se me permitem dizê-lo, irónica, da corda que guardo na gaveta. Que a medida foi acertada prova-o o facto de não se ter verificado, desde então, qualquer caso semelhante ou sequer parecido. Poder-se-á perguntar que conclusões, na sequência da comunicação que estou a fazer-vos, deveria ter retirado eu do caso do heraldista perdido, e eu direi, com toda a humildade, que se não houvessem ocorrido recentemente certos outros factos e se eles não tivessem suscitado em mim certas outras reflexões, nunca eu teria chegado a compreender a dupla absurdidade que é separar os mortos dos vivos. Em primeiro lugar, é uma absurdidade do ponto de vista arquivístico, considerando que a maneira mais fácil de encontrar os mortos seria poder procurá-los onde se encontrassem os vivos, posto que a estes, por vivos serem, os temos permanentemente diante dos olhos, mas, em segundo lugar, é também uma absurdidade do ponto de vista memorístico, porque se os mortos não estiverem no meio dos vivos acabarão mais tarde ou mais cedo por ser esquecidos, e depois, com perdão da vulgaridade da expressão, é o cabo dos trabalhos para conseguir descobri-los quando precisamos deles, como também mais tarde ou mais cedo sempre vem a acontecer. Para todos os que me escutam aqui, sem distinção de categorias ou de circunstâncias pessoais, deverá ficar claro que tenho estado, unicamente, a falar de assuntos desta Conservatória Geral, e não do mundo exterior, onde, por razões atinentes à higiene física e à saúde mental dos vivos, se usa enterrar os mortos. Mas ouso dizer que precisamente esta mesma necessidade de higiene física e de sanidade mental deverá determinar que nós os da Conservatória Geral do Registo Civil, nós os que escrevemos e movemos os papéis da vida e da morte, reunamos em um só arquivo, a que passaremos a chamar simplesmente histórico, os mortos e os vivos, tornando-os inseparáveis neste lugar, já que lá fora a lei, o costume e o medo não o consentem. Farei baixar portanto uma ordem de serviço em que se especificará, primeiro, que a partir desta data os mortos permanecerão no mesmo lugar do arquivo que tinham ocupado em vida, segundo, que progressivamente, processo a processo, documento a documento, dos mais recentes aos mais antigos, se procederá à reintegração dos mortos do passado no arquivo que passará a ser o presente de todos. Sei que o segundo ponto levará muitas dezenas de anos a realizar, que já não estaremos vivos, nem provavelmente o estará a seguinte geração, quando os papéis do último morto, feitos em farrapos, comidos pelas traças, escurecidos pelo pó dos séculos, regressarem ao mundo donde, por uma última e desnecessária violência, haviam sido retirados. Assim como a morte definitiva é o fruto último da vontade de esquecimento, assim a vontade de lembrança poderá perpetuar-nos a vida. Argumentaríeis talvez, com suposta argúcia, se eu de vós esperasse opinião, que uma perpetuidade como esta de nada irá já servir aos que morreram. Seria um argumento próprio de quem não vê mais longe que a ponta do nariz. Em tal caso, e no caso, também, de eu achar necessário responder, teria de explicar-vos que só de vida tenho estado a falar aqui, e não de morte, e que, se isto não o havíeis entendido antes, é porque nunca sereis capazes de entender seja o que for.

A atitude reverencial em que a parte final do discurso tinha sido escutada foi sacudida brutalmente pelo sarcasmo das derradeiras palavras. O conservador voltara a ser o chefe que conheciam desde sempre, sobranceiro e irónico, implacável nos juízos, rigoroso na disciplina, como logo a continuação deixou a claro, Apenas no vosso interesse, não no meu, ainda tenho para vos dizer que o pior dos erros da vossa vida seria considerar como um sinal de fraqueza pessoal ou de diminuição de autoridade oficial o facto de vos ter falado de coração e mente abertos. Se não me limitei a ordenar simplesmente, sem explicações, como seria meu direito, a reintegração ou unificação dos arquivos, foi só porque vos quis fazer compreender as razões profundas da decisão que tomei, foi só por desejar que o trabalho que vos espera seja executado com o espírito de quem se sente a edificar algo e não com o alheamento burocrático de quem foi mandado juntar papéis a papéis. A disciplina nesta Conservatória Geral continuará a ser a que sempre foi, nenhuma distracção, nenhum devaneio, nenhuma palavra que não esteja directamente relacionada com o serviço, nenhuma entrada fora de horas, nenhuma mostra de desleixo no comportamento pessoal, tanto nos modos como na aparência. O Sr. José pensou, Isto é comigo de certeza, por não ter feito a barba, mas não se preocupou, o mais provável seria que a alusão ficasse por ali, em todo o caso baixou a cabeça muito devagar, como um aluno que não estudou a lição e quer escapar de ser chamado ao quadro. Parecia que o discurso tinha chegado ao fim, mas ninguém se mexia, tinham de esperar a ordem de voltar ao trabalho, por isso todos se sobressaltaram quando o conservador chamou num tom forte e seco, Sr. José. O interpelado levantou-se rapidamente, Que será que me quer, já não pensava que o motivo da brusca chamada fosse a barba crescida, algo de muito mais grave que uma simples repreensão estaria para acontecer, era isso o que a severa expressão do chefe lhe anunciava, era isso o que uma angústia terrível começava a gritar-lhe dentro da cabeça quando o viu avançar na sua direcção, deter-se na sua frente, o Sr. José mal pode respirar, espera a primeira palavra como o condenado à morte espera a queda do cutelo, o esticão da corda ou a descarga do pelotão de fuzilamento, então o chefe disse, Essa barba. Depois voltou costas, fez sinal aos subchefes para recomeçar o trabalho. Agora notava-se na sua cara uma certa placidez, um ar de estranho sossego, como se também ele tivesse chegado ao fim duma jornada. Ninguém virá a comentar com o Sr. José estas impressões, em primeiro lugar para que não se lhe encha ainda mais a cabeça de fantasias, em segundo lugar porque a ordem é clara, Nenhuma palavra que não estiver directamente relacionada com o serviço.

Entra-se no cemitério por um edifício antigo cuja frente é irmã gémea da fachada da Conservatória Geral do Registo Civil. Apresenta os mesmos três degraus de pedra negra, a mesma velha porta ao meio, as mesmas cinco janelas esguias em cima. Se não fosse o grande portão de dois batentes contíguo à frontaria, a única diferença observável seria a tabuleta sobre a porta de entrada, também em letras de esmalte, que diz Cemitério Geral. O portão está fechado desde há muitos anos, quando foi evidente que o acesso por ali se tinha tornado impraticável, que deixara de satisfazer cabalmente o fim a que havia sido destinado, isto é, dar passagem cómoda não só aos defuntos e aos seus acompanhantes, como também às visitas que aqueles viessem a ter depois. Do mesmo modo que todos os cemitérios deste ou de qualquer outro mundo, começou por ser uma coisinha minúscula, uma parcela breve de terreno na periferia do que ainda era um embrião de cidade, virado para o ar livre das campinas, mas depois, com o andar dos tempos, como infelizmente tinha de ser, foi crescendo, crescendo, crescendo, até se tornar na necrópole imensa que é hoje. Ao princípio esteve todo murado ao redor, e, durante gerações, de cada vez que o aperto lá dentro começava a prejudicar tanto o alojamento ordenado dos mortos como a circulação prática dos vivos, fazia-se o mesmo que na Conservatória Geral, deitavam-se abaixo os muros e levantavam-se um pouco mais à frente. Um dia, vai já a caminho de quatro séculos que isto aconteceu, o então curador do Cemitério teve a ideia de o abrir para todos os lados, excepto na parte virada para a rua, alegando que esta era a única maneira de reanimar a relação sentimental entre os de dentro e os de fora, muito diminuída por essas alturas, como qualquer pessoa poderia verificar se reparasse no abandono a que estavam votadas as sepulturas, principalmente as mais antigas. Achava ele que os muros, embora servindo de forma positiva a higiene e o decoro, acabavam por ter o efeito perverso de dar asas ao olvido, o que de resto não deveria causar surpresa a ninguém, andando a sabedoria popular a dizer, desde que o mundo é mundo, que o coração não sente o que os olhos não vejam. Temos muitas razões para pensar que foram só de raiz interna os motivos que levaram o chefe da Conservatória a tomar a decisão de unificar, contra a tradição e a rotina, os arquivos dos mortos e dos vivos, por esta maneira reintegrando, na área documental específica abrangida pelas suas atribuições, a sociedade humana. Por isso mais difícil nos é perceber por que não foi logo aplicada a lição precursora de um humilde e primitivo curador de cemitério, de poucas luzes, sem dúvida, como era natural no ofício e próprio do seu tempo, mas de revolucionárias intuições, e que ainda por cima, com tristeza o registamos, não tem na sua sepultura, a assinalar o feito aos vindouros, uma lápide condigna. Pelo contrário, desde há quatro séculos que andam a cair anátemas, insultos, calúnias e vexames sobre a memória do infeliz inovador, considerado como responsável histórico da situação presente da necrópole, a que chamam desastrosa e caótica, sobretudo porque o

Cemitério Geral não só continua a não ter muros ao redor como é impossível que os volte a ter alguma vez. Expliquemo-nos melhor. Ficou dito acima que o Cemitério cresceu, não, claro está, por obra e graça de uma virtude reprodutora intrínseca sua, como fosse, permita-se o macabro exemplo, haverem imprudentemente os mortos gerado mortos, mas apenas porque a cidade veio aumentando em população, e portanto também em superfície. Quando ainda o Cemitério Geral estava rodeado de muros, ocorreu, por mais de uma vez, em épocas sucessivas, aquilo a que depois, na linguagem burocrática municipal, viria a denominar-se surtos de expansão demográfica urbana. Pouco a pouco, os extensos campos por trás do Cemitério começaram a ser povoados, surgiram pequenas aglomerações, aldeias, casarios, segundas residências, que por seu turno foram crescendo, aqui e além tocando-se umas às outras, mas deixando ainda pelo meio amplos espaços vazios, que eram campos de cultivo, ou bosques, ou pastagens, ou zonas de mato. Foi por aí que o Cemitério Geral avançou quando os muros foram deitados abaixo. Como uma cheia que começa por inundar as cotas de nível inferiores, serpenteando pelos vales, e depois, paulatinamente, vai subindo pelas encostas, assim as sepulturas foram ganhando terreno, muitas vezes com grave prejuízo para a agricultura, quando os proprietários, forçados pelo assédio, não encontraram outro remédio que vender as courelas, e outras vezes contornando pomares, searas, eiras e cortes de gado, sempre à vista das povoações, e muitas vezes, por assim dizer, porta com porta. Observado do ar, o Cemitério Geral parece uma árvore deitada, enorme, com um tronco curto e grosso, constituído pelo núcleo de sepulturas original, donde arrancam quatro poderosos ramos, contíguos à nascença, mas que, depois, em bifurcações sucessivas, se estendem a perder de vista, formando, no dizer de um poeta inspirado, uma frondosa copa em que a vida e a morte se confundem, como se confundem, nas árvores propriamente ditas, as avezinhas e a folhagem. Esta é a causa de ter o portão do Cemitério Geral deixado de servir à passagem dos préstitos fúnebres. Abre-se só lá de longe em longe, quando um investigador de pedras velhas, depois de ter estudado no local alguma estela funerária dos primeiros tempos, pede autorização para fazer uns moldes dela, com o consequente manejo de materiais brutos, como sejam o gesso, a estopa e os arames, e, não raro complementarmente, fotografias delicadas e precisas, daquelas que necessitam focos, reflectores, baterias, fotómetros, chapéus de chuva e outros artefactos, aos quais, uns e outros, para não perturbar o serviço de escrituração, não se permite que passem pela pequena porta que liga por dentro o edifício ao Cemitério.

Apesar desta exaustiva acumulação de pormenores, porventura considerados insignificantes, caso em que, se quisermos regressar a comparações botânicas, a floresta não estaria a deixar ver as árvores, é bem possível que algum ouvinte deste relato, dos atentos e vigilantes, não tendo perdido o sentido de uma exigência normativa herdada de processos mentais determinados sobretudo pela lógica aquisitiva dos conhecimentos, é bem possível que tal ouvinte se declare radicalmente contrário à existência e ainda mais à generalização de cemitérios tão desgovernados e delirantes como este, que chega ao ponto de se passear, quase ombro com ombro, pelos lugares que os vivos haviam destinado a seu exclusivo uso, isto é, as casas, as ruas, as praças, os jardins e outros logradouros, os teatros e os cinemas, os cafés e os restaurantes, os hospitais, os manicómios, as esquadras de polícia, os parques infantis, os desportivos, os de feiras e exposições, os de estacionamento, os grandes armazéns, as lojas pequenas, as travessas, os becos, as avenidas. Que, embora percebendo como irresistível a necessidade de crescimento do Cemitério Geral, em harmonia simbiótica com o desenvolvimento da cidade e o aumento da população, consideram que o espaço destinado ao repouso final deveria continuar a cingir-se a limites estritos e a obedecer a regras estritas. Um quadrilátero vulgar de muros altos, sem adornos nem excrescências fantasistas de arquitectura, seria mais do que suficiente, em vez desta espécie de polvo desmesurado, realmente mais polvo do que árvore, por muito que às imaginações poéticas doa, estendendo por aí fora os seus oito, dezasseis, trinta e dois, sessenta e quatro tentáculos, como se quisesse acabar por abarcar o mundo. Que nos países civilizados o uso correcto, com vantagens certificadas pela experiência, é permanecerem os corpos debaixo da terra uns quantos anos, cinco, em geral, ao fim dos quais, salvo milagre de incorrupção, se retirará o pouco que tiver sobejado do trabalho corrodente da cal viva e da digestão dos vermes, para dar espaço aos novos ocupantes. Nos países civilizados não existe esta prática absurda dos lugares cativos, esta ideia de considerar para sempre intocável qualquer sepultura, como se, não tendo podido a vida ser definitiva, a morte o pudesse ser. As consequências estão à vista, este portão condenado, a anarquia da circulação interna, o rodeio cada vez maior que os enterros têm de fazer por fora do Cemitério Geral antes de chegarem ao seu destino, num extremo qualquer de um dos sessenta e quatro tentáculos do polvo, que nunca lograriam alcançar se não levassem um guia adiante. Da mesma maneira que a Conservatória do Registo Civil, ainda que a correspondente informação, por deplorável esquecimento, não tenha sido dada na altura própria, a divisa não escrita deste Cemitério Geral é Todos os Nomes, embora deva reconhecer-se que, na realidade, à Conservatória é que estas três palavras assentam como uma luva, porquanto é nela que todos os nomes efectivamente se encontram, tanto os dos mortos como os dos vivos, ao passo que o Cemitério, pela sua própria natureza de último destino e último depósito, terá de contentar-se sempre com os nomes dos finados. Esta evidência matemática, porém, não é suficiente para reduzir ao silêncio os curadores do Cemitério Geral, que, perante o que chamam a sua aparente inferioridade numérica, costumam encolher os ombros e argumentar, Com tempo e paciência cá virão parar todos, a Conservatória do Registo Civil, bem vistas as coisas, não passa de um afluente do Cemitério Geral. Escusado será dizer que para a Conservatória é um insulto chamarem-lhe afluente. Não obstante estas rivalidades, esta emulação profissional, as relações entre os funcionários da Conservatória e do Cemitério são claramente amistosas, de mútuo respeito, porque, no fundo, além da colaboração institucional a que estão obrigados pela comunidade formal e contiguidade objectiva dos seus respectivos estatutos, sabem que andam a cavar nos dois extremos da mesma vinha, esta que se chama vida e está situada entre o nada e o nada.

Não era esta a primeira vez que o Sr. José aparecia no Cemitério Geral. A necessidade burocrática de proceder a algumas verificações, o esclarecimento de discrepâncias, o confronto de dados, a dilucidação de diferenças, obrigam a deslocar-se, com relativa frequência, os funcionários da Conservatória ao Cemitério, quase sempre os auxiliares de escrita, pouco os oficiais, e nunca, nem seria preciso referi-lo, os subchefes ou o conservador. Também os auxiliares de escrita e alguma rara vez os oficiais do Cemitério Geral, por motivos semelhantes, vão à Conservatória, também lá os recebem com cordialidade igual à que irá acolher aqui o Sr. José. Tal como a frontaria, o interior do edifício é uma cópia fidelíssima da Conservatória, devendo em todo o caso precisar-se que os funcionários do Cemitério Geral costumam afirmar que a Conservatória do Registo Civil é que é uma cópia do Cemitério, e ainda por cima, considerando que lhe falta o portão, incompleta, ao que os da Conservatória respondem que bom portão é esse, afinal, para estar sempre fechado. Seja como for, aqui se encontra o mesmo balcão comprido, a toda a largura do enorme salão, as mesmas altíssimas estantes, a mesma disposição do pessoal, em triângulo, com os oito auxiliares de escrita na primeira linha, os quatro oficiais a seguir, depois os dois subcuradores, que assim é que se chamam aqui, e não subchefes, tal como o curador, no vértice, não é conservador, e sim curador. Porém, o pessoal burocrático não é todo o pessoal do Cemitério. Sentados em dois bancos corridos, de um lado e do outro da porta de entrada, de frente para o balcão, estão os guias. Há quem, cruamente, continue a chamar-lhes coveiros, como nos primeiros tempos, mas a designação da sua categoria profissional, no boletim oficial da cidade, é guia de cemitério, o que, reparando melhor, e ao contrário do que se poderia imaginar, não corresponde a um eufemismo bem-intencionado com que se pretendesse disfarçar a brutalidade dolorosa de uma enxada a fazer um buraco rectangular na terra, antes é a expressão correcta duma função que não se limita a fazer descer o morto à profundidade, pois o conduz também pela superfície. Estes homens, que trabalham aos pares, esperam ali sentados, em silêncio, que venham os cortejos fúnebres, e depois, munidos da respectiva guia de marcha, preenchida pelo auxiliar de escrita a quem calhou o defunto, metem-se num dos carros de serviço que esperam no parque de estacionamento, aqueles que têm na parte de trás um letreiro luminoso que acende e apaga e que diz Siga-me, como se usa nos aeroportos, pelo menos neste ponto tem toda a razão o curador do Cemitério Geral quando afirma que estão mais avançados na moderna tecnologia do que a Conservatória do Registo Civil, onde a tradição ainda manda escrever com aparo de molhar no tinteiro. Realmente, quando se vê o carro fúnebre e os seus acompanhantes a seguirem obedientemente os guias pelas cuidadas ruas da cidade e pelos maus caminhos dos arrabaldes, com a luz a dar a dar até ao sítio onde será a sepultura, Siga-me, Siga-me, Siga-me, é impossível não concordar que as mudanças do mundo nem sempre são para pior. E, ainda que o pormenor não seja de especial importância para a compreensão global do relato, vem a talhe de foice explicar que uma das características mais marcantes da personalidade destes guias é acreditarem que o universo está efectivamente regido por um pensamento superior permanentemente atento às necessidades humanas, porque se assim não fosse, argumentam eles, os automóveis não teriam sido inventados precisamente na altura em que mais necessários começavam a ser, ou seja, quando o Cemitério Geral se havia tornado tão extenso que seria um verdadeiro calvário levar o defunto ao gólgota pelos meios tradicionais, fosse o pau e corda, fosse a carreta de duas rodas. Quando cordatamente se lhes observa que deveriam ser mais cuidadosos com as palavras, pois gólgota e calvário são uma e a mesma coisa, e que não tem sentido usar termos que anunciam a dor a propósito do transporte de alguém que já não terá mais que sofrer, é certo e garantido que nos responderão, com maus modos, que cada um sabe de si e só Deus sabe de todos.

Entrou pois o Sr. José e avançou direito ao balcão, lançando de passagem um olhar frio aos guias sentados, com quem não simpatizava por a sua existência desequilibrar numericamente o quadro de pessoal a favor do Cemitério. Sendo conhecido na casa não precisaria de apresentar o cartão de identificação que o acreditava como funcionário do Registo Civil, e, quanto à famosa credencial, nem sequer lhe havia passado pela cabeça trazê-la, porquanto até o mais inexperiente dos auxiliares de escrita, num só golpe de vista, seria capaz de perceber que era falsa desde a primeira à última linha. Dos oito funcionários que se alinhavam por trás do balcão, o Sr. José escolheu um dos que melhor lhe caíam, um homem um pouco mais velho do que ele, com o ar alheado de quem já não espera outra vida. Tal como aos outros, qualquer que fosse o dia, sempre o tinha encontrado ali. Ao princípio chegara a pensar que os funcionários do Cemitério não usufruíam de descanso semanal nem de férias, que trabalhavam todos os dias do ano, até que alguém lhe disse que não era assim, que havia um grupo de tarefeiros contratados para trabalhar aos domingos, já não estamos no tempo da escravatura, Sr. José. Escusado seria dizer que o desejo dos funcionários do Cemitério Geral, desde há muito tempo, é que os ditos tarefeiros venham a encarregar-se também das tardes de sábado, mas, por alegadas razões de orçamento e verba, a reivindicação não foi ainda satisfeita, de nada servindo ao pessoal do Cemitério invocar o exemplo da Conservatória do Registo Civil, que aos sábados só trabalha de manhã, porquanto, segundo o sibilino despacho superior que negou o requerimento, Os vivos podem esperar, os mortos não. De todo o modo, era inédito que um funcionário da Conservatória aparecesse por ali em serviço precisamente numa tarde de sábado, quando se supunha que estivesse a disfrutar o semanal lazer com a família, em passeio ao campo, ou ocupado nos arranjos domésticos que se guardam para quando haja tempo, ou apenas preguiçando, ou, ainda, perguntando-se para que serve o descanso quando não sabemos que fazer com ele. A fim de evitar estranhezas importunas, que facilmente se tornariam embaraçosas, o Sr. José teve o cuidado de adiantar-se à curiosidade do interlocutor, dando a justificação que já trazia preparada, É um caso excepcional, de urgência, o meu subchefe precisa desta informação na segunda-feira logo de manhã, por isso pediu-me que viesse hoje ao Cemitério Geral, nas minhas horas, Ah, bem, então diga lá de que se trata, É muito simples, só queríamos saber quando esta mulher foi enterrada. O homem pegou no verbete que o Sr. José lhe apresentava, copiou para um papel o nome e a data do falecimento, e foi consultar com o oficial respectivo. O Sr. José não percebeu o que diziam, aqui, tal como na Conservatória, só se pode falar em voz baixa, neste caso havendo também que contar com a distância, mas viu-o mover a cabeça afirmativamente e, pelo movimento dos lábios, não teve dúvidas de que tinha dito, Pode informar. O homem foi procurar no ficheiro que havia debaixo do balcão, onde se encontravam arquivados os verbetes dos falecidos nos últimos cinquenta anos, os outros enchem as altas prateleiras que se prolongam pelo interior do edifício, abriu uma das gavetas, encontrou o verbete da mulher, copiou para o papel a data necessária e voltou aonde estava o Sr. José, Aqui tem, disse, e acrescentou, como se tivesse achado que a informação podia ter utilidade, Está nos suicidas. O Sr. José sentiu uma contracção súbita na boca do estômago, que é, mais ou menos, o local onde, segundo um artigo que tinha lido em tempos numa revista de divulgação científica, existe uma espécie de estrela de nervos com muitas pontas, um enlace irradiante a que chamam plexo solar, porém conseguiu dissimular a surpresa por trás dum fingimento automático de indiferença, a causa da morte constaria forçosamente da declaração de óbito perdida, que ele nunca vira, mas que, como funcionário da Conservatória, de mais a mais vindo ao Cemitério em missão de serviço, não podia mostrar que desconhecia. Com todo o cuidado dobrou o papel e guardou-o na carteira, agradeceu ao infor-

213

mador, não se esquecendo de acrescentar, entre oficiais do mesmo ofício, simples maneira de dizer, pois não passavam ambos de auxiliares de escrita, que ficava ao seu dispor para tudo o que necessitasse da Conservatória e estivesse ao seu alcance. Quando já tinha dado dois passos em direcção à porta voltou atrás, Veio-me agora uma ideia, aproveitar um bocado da tarde para dar um passeiozinho pelo Cemitério, se me autorizassem a entrar por aqui, escusaria de ter de fazer um rodeio, Espere que vou perguntar, disse o auxiliar de escrita. Levou o pedido ao oficial com quem tinha falado antes, mas este, em lugar de responder, levantou-se e dirigiu-se ao subcurador do seu lado. Apesar de a distância ser maior, o Sr. José pôde perceber pelo aceno de cabeça e pelo movimento dos lábios que ia ser autorizado a servir-se da porta interior. O auxiliar de escrita não voltou logo ao balcão, abriu primeiro um armário donde retirou um grande cartão que foi depois colocar debaixo da tampa duma máquina que tinha umas luzinhas de cores. Carregou num botão, ouviu-se o ruído de um mecanismo, acenderam-se outras luzes e logo saiu uma folha de papel mais pequena por uma fenda lateral. O auxiliar de escrita tornou a guardar o cartão no armário e enfim regressou ao balcão, É melhor que leve um mapa consigo, já temos tido aí casos de pessoas que se perdem, depois é uma enorme complicação para as encontrar, têm os guias de andar à procura delas com os carros e por causa disso atrapalha-se o serviço, juntam-se os funerais lá fora à espera, As pessoas caem facilmente em pânico, bastaria que seguissem sempre em linha recta numa mesma direcção, a algum lado iriam ter, no arquivo dos mortos da Conservatória Geral é que é difícil, não há linhas rectas, Em teoria, tem razão, mas as linhas rectas daqui são como as dos labirintos de corredores, estão constantemente a interromper-se, a mudar de sentido, dá-se a volta a uma sepultura e de repente deixámos de saber onde estamos, Lá na minha Conservatória costumamos usar o fio de Ariadne, nunca falha, Também houve uma época em que nos servimos dele, mas durou pouco tempo, o fio apareceu-nos cortado em várias ocasiões e nunca se veio a saber quem tinha sido o autor da tropelia nem a razão por que a cometeu, Os mortos não foram, com certeza, Sabe-se lá, Essas pessoas que se perderam eram gente sem iniciativa, poderiam ter-se guiado pelo sol, Alguma o terá feito, a pouca sorte foi se nesse dia o céu estava encoberto, Na Conservatória não temos daquelas máquinas, Pois digo-lhe que dão muito arranjo ao serviço. A conversa não podia prosseguir por mais tempo, o oficial já tinha olhado duas vezes, e na segunda com o sobrolho franzido, foi até o Sr. José quem observou em voz baixa, O seu oficial já deitou para cá os olhos por duas vezes, não quero que tenha problemas por minha causa, Indico-lhe só o local onde a mulher está enterrada, repare no extremo deste ramal, a linha ondulosa que aparece aqui é um ribeiro que por enquanto ainda vai servindo de fronteira, a sepultura encontra-se neste recesso, identificá-la-á pelo número, E pelo nome, Sim, se já o tem, mas são os números que contam, os nomes não caberiam no mapa, seria preciso um do próprio tamanho do mundo, Escala um por um, Sim, escala um por um, e mesmo assim haveria sobreposições, Está actualizado, Actualizamo-lo todos os dias, Já agora, diga-me, que é que o levou a imaginar que pretendo ver a sepultura desta mulher, Nada, talvez porque eu teria feito o mesmo se estivesse no seu lugar, Porquê, Para ter a certeza, De que está morta, Não, a certeza de que esteve viva. O oficial olhou pela terceira vez, fez o movimento de quem se vai levantar, mas não chegou a terminá-lo, o Sr. José despediu-se precipitadamente do auxiliar de escrita, Obrigado, obrigado, disse, ao mesmo tempo que ia baixando ligeiramente a cabeça na direcção do curador, entidade a quem as reverências deviam ir sempre encomendadas, como quando se dá graças ao céu, mesmo estando encoberto, com a importante diferença de que naquele caso a cabeça não se baixa, levanta-se.

A parte mais antiga do Cemitério Geral, a que se alargava por umas quantas dezenas de metros nas traseiras do edifício administrativo, era a que os arqueólogos preferiam para as suas investigações. As vetustas pedras, algumas tão gastas pelo tempo que só se conseguia distinguir nelas uns riscos meio desvanecidos que tanto poderiam ser restos de letras como o resultado de desvios de um escopro inábil, continuavam a ser objecto de intensos debates e polémicas em que, perdida definitivamente, na maior parte dos casos, a esperança de saber quem tinha sido posto debaixo delas, apenas se discutia, como uma questão vital, a datação provável dos túmulos. Diferenças tão insignificantes como uns míseros cem anos para trás ou para diante eram motivo de longuíssimas controvérsias, quer públicas quer académicas, de que resultavam, quase sempre, não só violentas rupturas de relações pessoais como algumas mortais inimizades. As coisas, se é possível, iam porém a muito pior quando os historiadores e os críticos de arte apareciam a meter a colherada no assunto, pois se era relativamente fácil, ainda assim, fazer chegar a acordo a corporação dos arqueólogos sobre um conceito amplo de antigo aceitável por todos, deixando as datas para depois, já a questão do belo e do verdadeiro punha os homens e as mulheres da estética e da história a puxar cada qual para seu lado, não sendo nada raro ver um crítico mudar subitamente de opinião só porque a mudança de opinião de outro crítico fizera coincidir as duas. Ao longo dos séculos, a inefável paz do Cemitério Geral, com as suas alas de vegetação espontânea, as suas flores, as suas trepadeiras, as suas densas moitas, os seus festões e grinaldas, as suas urtigas e os seus cardos, as poderosas árvores cujas raízes muitas vezes desmontavam as pedras tumulares e faziam subir até à luz do sol uns surpreendidos ossos, havia sido alvo e testemunha de ferozes guerras de palavras e de uma ou outra passagem a vias de facto. Sempre que incidentes desta natureza sucediam, o curador começava por ordenar aos guias disponíveis que acudissem a separar os ilustrados díscolos, chegando até, quando alguma situação de imperiosa necessidade o exigiu, a apresentar-se em pessoa e figura para ironicamente recordar aos pelejadores que não valia a pena estarem a despentear-se por tão pouco em vida, uma vez que, tarde ou cedo, ali viriam todos reunir-se calvos. Do mesmo modo que o chefe da Conservatória do Registo Civil, o curador do Cemitério Geral cultiva com brilho o sarcasmo, o que confirma a presunção de que este traço de carácter seja tido por indispensável para aceder às suas altas e respectivas funções, a par, obviamente, dos competentes conhecimentos práticos e teóricos de técnica arquivística. Em alguma coisa, no entanto, historiadores, críticos de arte e arqueólogos reconhecem estar em consonância, o facto evidente de o Cemitério Geral ser um catálogo perfeito, um mostruário, um resumo de todos os estilos, sobretudo de arquitectura, escultura e decoração, e portanto um inventário de todos os modos de ver, estar e habitar existentes até hoje, desde o primeiro desenho elementar de um perfil de corpo humano, depois aberto e escavado a picão na pedra viva, até ao aço cromado, aos painéis reflectores, às fibras sintéticas e às vidraças espelhadas, usados a torto e a direito na actualidade de que se tem vindo a falar.

 Os primeiros monumentos funerários eram constituídos por dólmenes, antas e mamoas, depois apareciam, como uma grande página estendida, em relevo, os nichos, as aras, os tabernáculos, as dornas de granito, as cubas de mármore, as tampas lisas e lavradas, as colunas dóricas, jónicas, coríntias e compósitas, as cariátides, os frisos, os acantos, os entablamentos e os frontões, as abóbadas falsas, as abóbadas verdadeiras, e também os panos de muro montados com tijolos sobrepostos, as empenas de muralhas ciclópicas, as frestas, as rosáceas, as gárgulas, os janelões, os tímpanos, os pináculos, os lajedos, os arcobotantes, os pilares, as pilastras, as estátuas jazentes representando homens de elmo, espada e armadura, os capitéis com histórias e sem histórias, as romãs, os lírios, as perpétuas, os campanários, as cúpulas, as estátuas jazentes representando mulheres de tetas apertadas, as pinturas, os arcos, os fiéis cães deitados, as crianças enfaixadas, as portadoras de oferendas, as carpideiras de manto pela cabeça, as agulhas, os pináculos, as nervuras, os vitrais, as tribunas, os púlpitos, os balcões, outros tímpanos, outros capitéis, outros arcos, uns anjos de asas abertas, uns anjos de asas caídas, medalhões, urnas vazias, ou fingindo chamas de pedra, ou deixando sair languidamente um crepe, melancolias, lágrimas, homens majestosos, mulheres magníficas, crianças amorosas ceifadas na flor da idade, anciãos e anciãs que já não podiam esperar mais, cruzes inteiras e cruzes partidas, escadas, pregos, coroas de espinhos, lanças, triângulos enigmáticos, alguma insólita pomba marmórea, bandos de pombos autênticos voando em círculo sobre o campo santo. E silêncio. Um silêncio só interrompido de quando em quando pelos passos de algum ocasional e suspiroso amante da soledade a quem uma súbita tristeza faz vir desde as rumorosas cercanias onde ainda se ouvem choros à beira do túmulo e nele se depõem ramos de flores frescas, por enquanto húmidas da seiva, atravessando, por assim dizer, o próprio coração do tempo, estes três mil anos de sepulturas de todas as formas, espíritos e feitios, unidas pelo mesmo abandono, pela mesma solidão, pois as dores que delas nasceram um dia já são demasiado antigas para ainda terem herdeiros. Orientando-se pelo mapa, porém algumas vezes lamentando a falta duma bússola, o Sr. José caminha na direcção do sector dos suicidas onde está enterrada a mulher do verbete, mas o seu passo é agora menos rápido, menos decidido, de vez em quando detém-se a contemplar um pormenor escultórico manchado pelos líquenes ou pelas escorrências da chuva, umas carpideiras caladas no intervalo de dois gritos, umas deposições solenes, uns pregueados hieráticos, ou soletra com dificuldade uma inscrição cuja grafia, à passagem, o atraiu, compreende-se que logo desde a primeira linha leve tanto tempo na decifração, é que este funcionário, não obstante ter tido que examinar algumas vezes, lá na Conservatória, pergaminhos mais ou menos coevos destes tempos, não é versado em escriturações antigas, por isso nunca conseguiu passar de auxiliar de escrita. No alto de um cômoro arredondado, à sombra de um obelisco que foi antes marco geodésico, o Sr. José põe-se a olhar em redor, até onde a vista lhe alcança, e não encontra mais que túmulos subindo e descendo os acidentes do terreno, ladeando alguma vertente abrupta, espraiando-se nas planícies, São milhões, murmurou, então pensa na enorme quantidade de espaço que se haveria poupado se os mortos tivessem sido enterrados de pé, lado a lado, em formação cerrada, como um exército em posição de sentido, tendo cada um, como único sinal da sua presença ali, um cubo de pedra colocado na vertical da cabeça, em que se relatariam, nas cinco faces visíveis, os factos principais da vida do falecido, cinco quadrados de pedra como cinco páginas, resumo do livro inteiro que tinha sido impossível escrever. Quase a tocar o horizonte, além, além, além, o Sr. José vê umas luzes que se vão deslocando devagar, como relâmpagos amarelos a acender-se e a apagar-se a intervalos constantes, são os carros dos guias a chamar a gente que vem atrás, Siga-me, Siga-me, um deles para de repente, a luz desaparece, quer dizer que já chegou ao seu destino. O Sr. José olhou a altura do sol, depois o relógio, está a fazer-se tarde, terá de caminhar em passo rápido se quiser chegar à mulher do verbete antes do crepúsculo. Consultou o mapa, deslizou por ele o dedo indicador para reconstituir, aproximadamente, o caminho que havia percorrido desde o edifício da administração até ao sítio em que agora se encontra, comparou-o com o que ainda lhe faltaria andar, e esteve quase a perder a coragem. Em linha recta, segundo a escala, serão uns cinco quilómetros, mas a linha recta contínua, no Cemitério Geral, como já ficou dito, não é coisa que dure muito, a estes cinco quilómetros em voo de pássaro será preciso acrescentar mais dois, ou mesmo três, viajando pela superfície. O Sr. José deitou contas ao tempo e ao vigor que ainda lhe restava nas pernas, ouviu a voz da prudência a dizer-lhe que deixasse para outro dia, com mais vagar, a visita à sepultura da mulher desconhecida, uma vez que, sabendo já onde ela está, qualquer táxi ou um autocarro de carreira o poderão levar, rodeando por fora o Cemitério, às proximidades do local, como fazem as famílias quando têm de ir chorar os seus entes queridos e pôr flores novas nas jarras ou renovar-lhes a água, sobretudo no verão. Estava o Sr. José baloiçando nesta perplexidade quando lhe veio à lembrança a sua aventura no colégio, aquela tenebrosa noite de chuva, aquele empinado e escorregadio flanco de montanha em que se tinha transformado a cobertura do alpendre, e depois a busca ansiosa no interior do edifício, encharcado dos pés à cabeça, com os joelhos esfolados a roçarem dolorosamente nas calças, e como, por obra de tenacidade e inteligência, conseguira vencer os seus próprios medos e sobrepor-se às mil dificuldades que lhe travaram o passo, até descobrir e finalmente penetrar no sótão misterioso, enfrentando uma escuridão ainda mais assustadora que a do arquivo dos mortos. Quem a tanto foi capaz de atrever-se não tem agora o direito de desanimar perante o esforço duma caminhada, por mais longa que seja, mormente estando a fazê-la à luz franca do claro sol, que, como sabemos, é amigo dos heróis. Se as sombras do crepúsculo o apanharem antes de ter conseguido chegar à sepultura da mulher desconhecida, se a noite vier cortar-lhe os caminhos, disseminando neles as suas invisíveis assombrações e impedindo-o de seguir adiante, poderá esperar o nascimento do novo dia deitado numa destas lajes musgosas, com um anjo de pedra triste a velar-lhe o sono. Ou sob a protecção de uns arcobotantes como aqueles além, pensou o Sr. José, mas depois lembrou-se de que um pouco mais à frente já não irá encontrar arcobotantes. Graças às gerações que estão para vir e ao consequente desenvolvimento da construção civil, não tarda muito que comecem a inventar-se maneiras menos dispendiosas de aguentar uma parede de pé, de facto é num Cemitério Geral que os resultados do progresso se encontram mais à vista dos estudiosos ou simples curiosos, há mesmo quem afirme que um Cemitério assim é como uma espécie de biblioteca onde o lugar dos livros se encontrasse ocupado por pessoas enterradas, na verdade é indiferente, tanto se pode aprender com elas como com eles. O Sr. José olhou para trás, donde estava só conseguia alcançar com a vista, por cima das obras altas dos monumentos fúnebres, a cumeeira distante do telhado do edifício administrativo, Não imaginava que tivesse chegado tão longe, murmurou, e, tendo feito esta observação, como se, para tomar uma decisão, só esperasse ouvir o som da sua própria voz, meteu outra vez os pés ao caminho.

Quando chegou enfim ao departamento dos suicidas, já com o céu peneirando as cinzas ainda brancas do crepúsculo, pensou que se havia enganado de orientação, ou que o mapa estava mal desenhado. Tinha diante de si uma grande extensão campestre, com numerosas árvores, quase um bosque, onde as sepulturas, se não fossem as mal visíveis pedras tumulares, mais pareceriam tufos de vegetação natural. Daqui não se podia ver o regato, mas percebia-se o levíssimo rumor deslizando sobre as pedras, e na atmosfera, que era como cristal verde, pairava uma frescura que não era só a da primeira hora do anoitecer. Sendo tão recente, de tão poucos dias, a sepultura da mulher desconhecida teria de estar forçosamente no limite exterior do terreno ocupado, a questão, agora, era saber em que direcção. O Sr. José pensou que o melhor, para não se perder, seria desviar-se para o lado do pequeno curso de água e seguir depois ao longo da margem até encontrar as últimas sepulturas. A sombra das árvores cobriu-o logo, como se a noite tivesse caído de repente. Eu deveria ter medo, murmurou o Sr. José, no meio deste silêncio, entre estes túmulos, com estas árvores que me rodeiam, e apesar disso sinto-me tranquilo como se estivesse na minha casa, só me doem as pernas de ter andado tanto, cá está o regato, se eu tivesse medo podia ir-me daqui neste mesmo instante, bastava atravessar, só tinha de me descalçar e arregaçar as calças, pendurar os sapatos ao pescoço e atravessar, a água nem me deverá chegar aos joelhos, em pouco tempo estaria com gente viva, com as luzes de além que acabaram de acender-se. Meia hora depois, o Sr. José atingiu o extremo do campo, quando a lua, quase cheia, quase redonda, estava a sair do horizonte. Ali, as sepulturas ainda não tinham pedras gravadas com nomes a cobri-las nem adornos escultóricos, só podiam ser identificadas pelos números brancos pintados em chapas pretas espetadas à cabeceira, como borboletas pairando. O luar alastrou aos poucos pelo campo, insinuou-se devagar pelo meio das árvores como um fantasma habitual e benévolo. Numa clareira, o Sr. José encontrou o que procurava. Não tirou da algibeira o papel que o auxiliar de escrita do Cemitério lhe havia dado, não fizera qualquer esforço para fixar o número na memória, mas soube-o quando precisou dele, e agora tinha-o diante de si, iluminado em cheio, como se tivesse sido pintado com tinta fosforescente. Está aqui, disse.

O Sr. José passou frio durante a noite. Depois de ter proferido aquelas palavras redundantes e inúteis, Está aqui, ficou sem saber o que havia de fazer mais. Era certo que, ao cabo de muitos e custosos trabalhos, tinha conseguido, finalmente, encontrar a mulher desconhecida, ou melhor dizendo, o lugar onde ela jazia, sete palmos contados abaixo de um chão que ainda o sustentava a ele, mas, de si para si, pensava que o mais natural seria estar com medo, assustado com o sítio, com a hora, com o rumorejar das árvores, com o luar misterioso, e em particular com o singular cemitério que o rodeava, uma assembleia de suicidas, um ajuntamento de silêncios que de um momento para outro poderá começar a gritar, Viemos antes de acabar o nosso tempo, trouxe-nos a nossa própria vontade, mas o que percebia dentro de si parecia-se muito mais com uma indecisão, com uma dúvida, como se, crendo ter chegado ao fim de tudo, a sua busca ainda não tivesse terminado, como se ter aqui vindo não representasse senão um ponto de passagem, sem mais importância que a casa da senhora idosa do rés do chão direito, ou o colégio, ou a farmácia aonde tinha ido fazer perguntas, ou o arquivo em que, lá na Conservatória, se guardavam os papéis dos mortos. A impressão foi tão forte que o levou ao extremo de murmurar, como se pretendesse convencer-se a si mesmo, Está morta, já não posso fazer mais nada, contra a morte não se pode fazer nada. Durante longas horas caminhara através do Cemitério Geral, passara por tempos, épocas e dinastias, por reinos, impérios e repúblicas, por guerras e epidemias, por infinitas mortes avulsas, a principiar na primeira dor da humanidade e a acabar nesta mulher que se suicidou há tão poucos dias, portanto o Sr. José tem a obrigação de saber que contra a morte não se pode fazer nada. Num caminho feito de tantos mortos, nenhum deles se levantou quando o ouviu passar, nenhum deles lhe rogou que o ajudasse a reunir a poeira esparzida da carne aos ossos despegados dos encaixes, nenhum lhe pediu, Vem soprar-me aos olhos o bafo da vida, eles bem sabem que contra a morte não se pode fazer nada, sabem-no eles, todos o sabemos, mas, sendo assim, donde vem esta angústia que aperta a garganta do Sr. José, donde esta inquietação do espírito, como se cobardemente tivesse abandonado um trabalho em meio e agora não soubesse como voltar a ele dignamente. No outro lado do regato, não muito longe, avistam-se algumas casas com as janelas iluminadas, os focos mortiços dos candeeiros públicos de subúrbio, um clarão fugidio de automóvel que perpassa na estrada. E logo adiante, apenas a uns trinta passos, como mais longe ou mais perto tinha de suceder, uma pequena ponte liga as duas margens do riacho, portanto o Sr. José não vai ter de tirar os sapatos e arregaçar as calças quando quiser atravessar para a outra margem. Em circunstâncias normais há muito tempo que o teria feito, tanto mais que não o conhecemos como pessoa de extrema coragem, a que vai ser precisa para permanecer impassível num cemitério à noite, com um morto debaixo dos pés e um luar capaz de fazer caminhar as sombras. As circunstâncias, porém, são estas e não outras, aqui não se trata de coragens ou cobardias, aqui trata-se de morte e vida, por isso o Sr. José, apesar de saber que irá ter medo muitas vezes nesta noite, apesar de saber que o aterrorizarão os suspiros do vento, que pela madrugada o frio descido do céu se juntará ao frio que está a subir da terra, o Sr. José vai sentar-se debaixo duma árvore, acolhendo-se ao abrigo da cavidade providencial de um tronco. Levanta a gola do casaco, encolhe-se o mais que pode a fim de guardar o calor no corpo, cruza os braços apertando as mãos debaixo dos sovacos, e dispõe-se a esperar o dia. Sente o estômago a pedir-lhe comida, mas não se importa, nunca ninguém morreu por ter prolongado o intervalo entre duas refeições, salvo quando a segunda tardou tanto a ser servida que já não veio a tempo de servir. O Sr. José quer saber se realmente está tudo terminado, se, pelo contrário, ainda restou alguma coisa que se tivesse esquecido de fazer, ou, muito mais importante do que isto, algo em que não houvesse pensado nunca e que viesse a ser, afinal de contas, o essencial da estranha aventura em que o acaso o meteu. Tinha procurado a mulher desconhecida por toda a parte, e veio encontrá-la aqui, debaixo daquele montículo de terra que as ervas bravas não tardarão a tapar, se antes não vier o pedreiro aplaná-lo para assentar a placa de mármore com a habitual inscrição de datas, a primeira e a última, e o nome, podendo suceder, também, que a família seja das que preferem para os seus defuntos uma simples moldura rectangular no interior da qual depois se há-de semear uma decorativa relva, solução que oferece a dupla vantagem de ser menos cara e servir de casa aos insectos da superfície. A mulher está, pois, ali, fecharam-se para ela todos os caminhos do mundo, andou o que tinha de andar, parou onde quis, ponto final, porém o Sr. José não consegue libertar-se duma ideia fixa, a de que mais ninguém, a não ser ele, poderá mover a derradeira pedra que ficou no tabuleiro, a pedra definitiva, aquela que, se for movida na direcção certa, virá a dar sentido real ao jogo, sob pena, não o fazendo, de o deixar empatado para a eternidade. Não sabe que mágico lance será esse, se aqui se decidiu a passar a noite não foi por ter esperança de que o silêncio lho viesse segredar ao ouvido nem que a luz da lua amavelmente lho desenhasse entre as sombras das árvores, está apenas como alguém que, tendo subido a uma montanha para alcançar as paisagens de além, resiste a regressar ao vale enquanto não sentir que nos seus olhos deslumbrados já não cabem mais vastidões.

A árvore a que o Sr. José se acolheu é uma oliveira antiga, cujos frutos a gente do subúrbio continua a vir recolher apesar de o olival se ter tornado em cemitério. Com a muita idade, o tronco foi-se-lhe abrindo todo de um lado, de alto a baixo, como um berço que tivesse sido posto de pé para ocupar menos espaço, e é aí que o Sr. José dormita de vez quando, é aí que de súbito desperta assustado por um golpe de vento que lhe bateu na cara, ou se o silêncio e a imobilidade do ar se tornaram tão profundos que o espírito mal adormecido começou a sonhar com os gritos de um mundo a resvalar para o nada. Em certa altura, como quem se resolveu a curar a mordedura do cão com o pêlo do mesmo cão, o Sr. José passou a servir-se da fantasia para recriar mentalmente todos os horrores clássicos próprios do lugar onde se encontrava, as procissões de almas penadas embrulhadas em lençóis brancos, as danças macabras de esqueletos estralejando os ossos a compasso, a figura ominosa da morte rasando o chão com uma gadanha ensanguentada para que os mortos se resignem a continuar mortos, mas, porque nada disto sucedia na realidade, porque era só obra da imaginação, o Sr. José, a pouco e pouco, foi escorregando para uma enorme paz interior, só perturbada às vezes pelas corridinhas irresponsáveis dos fogos-fátuos, capazes de pôr à beira de uma crise de nervos qualquer pessoa, por muito dura de ânimo que seja ou conhecedora das elementaridades da química orgânica. Afinal, o timorato Sr. José está a demonstrar aqui uma coragem que os muitos desconcertos e aflições por que o vimos passar antes não permitiam esperar da sua parte, o que, uma vez mais, vem provar que é nas ocasiões de mais extremo apuro que o espírito dá a autêntica medida da sua grandeza. Perto da madrugada, já meio alheado dos sustos, reconfortado pelo calor suave da árvore que o abraçava, o Sr. José adormeceu com notável tranquilidade, enquanto o mundo à sua volta, lentamente, ia ressurgindo das sombras malévolas da noite e das claridades ambíguas de um luar que se despedia. Quando o Sr. José abriu os olhos, já era dia claro. Estava enregelado, o amigável abraço vegetal não devia ter sido mais que outro sonho enganador, a não ser que a árvore, considerando cumprido o dever de hospitalidade a que todas as oliveiras, por própria natureza, estão obrigadas, o tivesse soltado de si antes de tempo e abandonado sem recurso à frialdade da finíssima neblina que pairava, rasteira, sobre o cemitério. O Sr. José levantou-se com dificuldade, sentindo que lhe rangiam todas as juntas do corpo, e avançou tropegamente para o sol, ao mesmo tempo que sacudia os braços com força para aquecer-se. Ao lado da sepultura da mulher desconhecida, mordiscando a erva húmida, estava uma ovelha branca. Ao redor, aqui e além, outras ovelhas pastavam. E um homem idoso, com um cajado na mão, vinha na direcção do Sr. José. Acompanhava-o um cão vulgar, nem grande nem pequeno, que não dava sinais de hostilidade, mas com todo o ar de estar à espera de uma ordem do dono para manifestar-se. O homem parou do outro lado da sepultura com a atitude inquisitiva de quem, sem pedir uma explicação, crê que lha devem, e o Sr. José disse, Bons dias, ao que o outro respondeu, Bons dias, Bonita manhã, Não está mal, Adormeci, disse depois o Sr. José, Ah, adormeceu, repetiu o homem em tom de dúvida, Vim cá para ver a campa duma pessoa amiga, sentei-me a descansar debaixo daquela oliveira e adormeci, Passou aqui a noite, Sim, É a primeira vez que encontro alguém a estas horas, quando trago as ovelhas a pastar, No resto do dia, não, perguntou o Sr. José, Pareceria mal, seria uma falta de respeito, com as ovelhas a meterem-se no meio dos enterros ou a largarem caganitas quando as pessoas que vêm recordar os seus entes queridos andam por aí a rezar e a chorar, além disso, os guias não querem que os incomodem quando estão a abrir as covas, por isso não tenho outro remédio que trazer-lhes uns queijos uma vez por outra para que não vão queixar-se ao curador, Sendo o Cemitério Geral, por todos os lados, um campo aberto, qualquer pessoa pode entrar cá, e quem diz pessoas, diz bichos, admira-me não ter visto nem um só cão ou gato desde o edifício da administração até aqui, Cães e gatos vadios é o que não falta, Pois eu não encontrei nenhum, Andou todos esses quilómetros a pé, Sim, Podia ter vindo na camioneta da carreira, ou de táxi, ou no seu automóvel, se o tem, Não sabia qual era a sepultura, por isso tive de ir informar-me primeiro à administração, e depois, como estava tão bonito o dia, resolvi vir andando, É caso raro que não o tenham mandado dar a volta, como fazem sempre, Pedi-lhes que me deixassem passar, e eles autorizaram, É arqueólogo, Não, Historiador, Também não, Crítico de arte, Nem pensar, Pesquisador heráldico, Por favor, Então não percebo por que quis fazer toda esta caminhada, nem como conseguiu dormir no meio das sepulturas, acostumado estou eu à paisagem, e não ficaria um minuto depois de se ter posto o sol, Foi assim, sentei-me e adormeci, É um homem de coragem, Também não sou um homem de coragem, Descobriu a pessoa que procurava, É essa que está aí, mesmo ao pé de si, É homem, ou mulher, É mulher, Ainda não tem o nome, Suponho que a família estará a tratar do mármore, Tenho observado que as famílias dos suicidas, mais do que as outras, descuidam essa obrigação elementar, se calhar têm remorsos, devem pensar que são culpadas, É possível, Se nós não nos conhecemos de parte nenhuma, por que é que está a responder a todas as perguntas que lhe faço, o mais natural seria que me dissesse que não tenho nada com a sua vida, É esta a minha maneira de ser, sempre respondo quando me perguntam, É subalterno, subordinado, dependente, criado às ordens, moço de recados, Sou auxiliar de escrita da Conservatória Geral do Registo Civil, Então veio mesmo a jeito para saber a verdade sobre o talhão dos suicidas, mas antes disso terá de me jurar solenemente que nunca descobrirá o segredo a ninguém, Juro pelo que de mais sagrado tenho na vida, E que é, para si, já agora, o mais sagrado que tem na vida, Não sei, Tudo, Ou nada, Tem de reconhecer que iria ser um juramento um tanto vago, Não vejo outro que valha mais, Homem, jure pela sua honra, dantes era o juramento mais seguro, Pois sim, jurarei pela minha honra, mas olhe que o chefe da Conservatória fartar-se-ia de rir se ouvisse um dos seus auxiliares de escrita a jurar pela honra, Entre pastor de ovelhas e auxiliar de escrita é um juramento suficientemente sério, um juramento que não dá vontade de rir, portanto ficaremos com ele, Qual é então a verdade do talhão de suicidas, perguntou o Sr. José, Que neste lugar nem tudo é o que parece, É um cemitério, é o Cemitério Geral, É um labirinto, Os labirintos podem ver-se de fora, Nem todos, este pertence aos invisíveis, Não compreendo, Por exemplo, a pessoa que está aqui, disse o pastor tocando com a ponta do cajado no montículo de terra, não é aquela que você julga. De repente, o chão pôs-se a oscilar debaixo dos pés do Sr. José, a última pedra do tabuleiro, a sua derradeira certeza, a mulher desconhecida enfim encontrada, tinha acabado de desaparecer, Quer dizer que esse número está enganado, perguntou a tremer, Um número é um número, um número nunca engana, respondeu o pastor, se levassem de cá este e o colocassem noutro sítio, mesmo que fosse no fim do mundo, continuaria a ser o número que é, Não percebo, Já vai perceber, Por favor, a minha cabeça é uma confusão, Nenhum dos corpos que estão aqui enterrados corresponde aos nomes que se leem nas placas de mármore, Não acredito, Digo-lho eu, E os números, Estão todos trocados, Porquê, Porque alguém os muda antes de serem trazidas e colocadas as pedras com os nomes, Quem é essa pessoa, Eu, Mas isso é um crime, protestou indignado o Sr. José, Não há nenhuma lei que o diga, Vou denunciá-lo agora mesmo à administração do Cemitério, Lembre-se de que jurou, Retiro o juramento, nesta situação não vale, Pode-se sempre pôr a palavra boa sobre a má palavra, mas nem uma nem outra poderão ser retiradas, palavra é palavra, juramento é juramento, A morte é sagrada, A vida é que é sagrada, senhor auxiliar de escrita, pelo menos assim se diz, Mas tem de haver, em nome da decência, um mínimo de respeito por quem morreu, vêm aqui as pessoas recordar os parentes e amigos, a meditar ou a rezar, a pôr flores ou a chorar diante de um nome querido, e vai-se a ver, por culpa da malícia de um pastor de ovelhas, o nome autêntico de quem ali está é outro, os restos mortais venerados não são de quem se supõe, a morte, assim, é uma farsa, Não creio que haja maior respeito que chorar por alguém que não se conheceu, Mas a morte, Quê, A morte deve ser respeitada, Gostaria que me dissesse em que consiste, na sua opinião, o respeito pela morte, Acima de tudo, não a profanar, A morte, como tal, não é profanável, Sabe muito bem que é de mortos que estou a falar, não da morte em si mesma, Diga-me onde encontra aqui o menor indício de profanação, Ter-lhes trocado os nomes não é uma profanação pequena, Compreendo que um auxiliar de escrita da Conservatória do Registo Civil tenha dessas ideias acerca dos nomes. O pastor interrompeu-se, fez sinal ao cão para que fosse buscar uma ovelha que se tresmalhara, depois continuou, Ainda não lhe disse por que razão comecei a trocar as chapas em que estão escritos os números das sepulturas, Duvido que me interesse sabê-lo, Duvido que não lhe interesse, Diga lá, Se for certo, como é minha convicção, que as pessoas se suicidam porque não querem ser encontradas, estas aqui, graças ao que chamou a malícia do pastor de ovelhas, ficaram definitivamente livres de importunações, na verdade, nem eu próprio, mesmo que o quisesse, seria capaz de lembrar-me dos sítios certos, a única coisa que sei é o que penso quando passo diante de um desses mármores com o nome completo e as competentes datas de nascimento e morte, Que pensa, Que é possível não vermos a mentira mesmo quando a temos diante do olhos. Já havia muito tempo que a neblina tinha desaparecido, podia-se perceber agora como era grande o rebanho. O pastor fez com o cajado um movimento por cima da cabeça, era uma ordem ao cão para que fosse reunir o gado. Disse o pastor, É a altura de me ir embora com as ovelhas, não seja que comecem a aparecer os guias, já vejo luzes de dois carros, mas aqueles não vêm para aqui, Eu ainda fico, disse o Sr. José, Está a pensar, realmente, em ir denunciar-me, perguntou o pastor, Sou um homem de palavra, o que jurei, está jurado, Tanto mais que com certeza o aconselhariam a calar-se, Porquê, Imagine o trabalho que daria desenterrar toda esta gente, identificá-la, muitos deles não são mais do que pó entre pó. As ovelhas já estavam reunidas, alguma, ainda atrasada, saltava agilmente por cima das campas para fugir ao cão e juntar-se às irmãs. O pastor perguntou, Era amigo ou parente da pessoa a quem veio visitar, Nem sequer a conhecia, E apesar disso vinha procurá-la, Por não a conhecer é que a procurava, Vê como eu tinha razão quando lhe disse que não há maior respeito que chorar por uma pessoa que não se conheceu, Adeus, Pode ser que ainda venhamos a encontrar-nos alguma vez, Não creio, Nunca se sabe, Quem é você, Sou o pastor destas ovelhas, Nada mais, Nada mais. Uma luz cintilou ao longe, Aquele está a vir para aqui, disse o Sr. José, Assim parece, disse o pastor. Levando o cão à frente, o rebanho começou a mover-se em direcção à ponte. Antes de desaparecer atrás das árvores da outra margem, o pastor virou-se e fez um gesto de despedida. O Sr. José levantou também o braço. Via-se agora melhor a luz intermitente do carro dos guias. De vez em quando desaparecia, escondida pelos acidentes do terreno ou pelas construções irregulares do Cemitério, as torres, os obeliscos, as pirâmides, depois reaparecia mais forte e mais próxima, e vinha depressa, sinal evidente de que os acompanhantes não eram muitos. A intenção do Sr. José, quando dissera ao pastor, Eu ainda fico, tinha sido apenas a de ficar sozinho durante uns minutos antes de meter pés ao caminho. A única coisa que queria era pensar um pouco em si mesmo, achar a medida justa da sua decepção, aceitá-la, pôr o espírito em paz, dizer de uma vez, Acabou-se, mas agora uma outra ideia lhe aparecera. Aproximou-se duma sepultura e tomou a atitude de alguém que estivesse a meditar profundamente na irremissível precariedade da existência, na vacuidade de todos os sonhos e de todas as esperanças, na fragilidade absoluta das glórias mundanas e divinas. Cismava com tanta concentração que nem deu mostras de ter-se apercebido da chegada dos guias e da meia dúzia de pessoas, ou pouco mais, que acompanhavam o enterro. Não se moveu durante todo o tempo que durou a abertura da cova, a descida do caixão, o reenchimento do buraco, a formação do costumado montículo com a terra que tinha sobejado. Não se moveu quando um dos guias espetou no lado da cabeceira a chapa metálica negra com o número da sepultura a branco. Não se moveu quando o automóvel dos guias e o carro fúnebre se afastaram, não se moveu durante os escassos dois minutos que os acompanhantes ainda se conservaram ao pé da campa dizendo palavras inúteis e enxugando alguma lágrima, não se moveu quando os dois automóveis em que tinham vindo se puseram em marcha e atravessaram a ponte. Não se moveu enquanto não ficou só. Então foi retirar o número que correspondia à mulher desconhecida e colocou-o na sepultura nova. Depois, o número desta foi ocupar o lugar do outro. A troca estava feita, a verdade tinha-se tornado mentira. Em todo o caso, bem poderá vir a suceder que o pastor, amanhã, encontrando ali uma nova sepultura, leve, sem saber, o número falso que nela se vê para a sepultura da mulher desconhecida, hipótese irónica em que a mentira, parecendo estar a repetir-se a si mesma, tornaria a ser verdade. As obras do acaso são infinitas. O Sr. José foi para casa. Pelo caminho, entrou numa pastelaria. Tomou um café com leite e uma torrada. Já não aguentava mais a fome.

Decidido a recuperar o sono perdido, o Sr. José meteu-se na cama mal chegou a casa, mas ainda não tinham decorrido duas horas já estava outra vez acordado. Tivera um sonho estranho, enigmático, vira-se a si mesmo no meio do cemitério, entre uma multidão de ovelhas, tão numerosas que mal deixavam ver os cômoros dos túmulos, e cada uma delas tinha na cabeça um número que mudava continuamente, mas, sendo todas iguais, não se chegava a perceber se eram as ovelhas que mudavam de número ou se eram os números que mudavam de ovelha. Ouvia-se uma voz que gritava, Estou aqui, estou aqui, não podia vir das ovelhas porque há muito tempo que deixaram de falar, também não podiam ser as sepulturas porque não há memória de essas alguma vez terem falado, e no entanto, insistente, a voz continuava a chamar, Estou aqui, estou aqui, o Sr. José olhava naquela direcção e só via os focinhos levantados dos animais, depois as mesmas palavras ressoavam nas suas costas, ou à direita, ou à esquerda, Estou aqui, estou aqui, e ele virava-se rapidamente, mas não conseguia saber de onde vinham. O Sr. José afligia-se, queria acordar e não podia, o sonho continuava, agora era o pastor que aparecia com o cão, então o Sr. José pensou, Não há nada que este pastor não saiba, ele é que me vai dizer de quem é esta voz, mas o pastor não falou, só fez um gesto com o cajado por cima da cabeça, o cão foi rodear as ovelhas obrigando-as a mover-se em direcção a uma ponte por onde passavam silenciosamente automóveis com letreiros de lâmpadas a acender e a apagar que diziam Siga--me, Siga-me, Siga-me, em um instante o rebanho desapareceu, desapareceu o cão, desapareceu o pastor, só ficou o chão do cemitério coberto de números, os mesmos que tinham estado antes na cabeça das ovelhas, mas, porque se encontravam agora todos juntos, todos pegados pelos extremos, numa espiral ininterrupta de que ele próprio era o centro, não se podia distinguir onde começava um e terminava outro. Angustiado, alagado em suor, o Sr. José acordou a dizer, Estou aqui. Tinha as pálpebras fechadas, estava meio consciente, mas repetiu duas vezes com força, Estou aqui, estou aqui, depois abriu os olhos para o mesquinho espaço em que vivia há tantos anos, viu o tecto baixo, de estuque gretado, o soalho com as tábuas empenadas, a mesa e as duas cadeiras no meio da sala, se tal nome tem sentido num lugar como este, o armário onde guardava as notícias e as imagens das celebridades, o recanto que dava para a cozinha, o desvão que servia de casa de banho, foi então que disse, Tenho de descobrir uma maneira de me ver livre desta loucura, referia-se, obviamente, à mulher agora para sempre desconhecida, a casa, pobre dela, não tinha nenhuma culpa, era apenas uma casa triste. Por medo de que o sonho regressasse, o Sr. José não tentou adormecer outra vez. Estava deitado de costas, olhando o tecto, à espera de que ele lhe perguntasse, Por que estás tu a olhar para mim, mas o tecto não fez caso, limitou-se a observá-lo sem mudar de expressão. O Sr. José desistiu de esperar que dali lhe viesse ajuda, teria de resolver sozinho o problema, e a melhor maneira ainda seria convencer-se de que não havia problema nenhum, Morto o bicho, acabou-se a peçonha, foi o ditado pouco respeitoso que lhe saiu pela boca fora, chamar bicho peçonhento à mulher desconhecida, esquecendo por um momento que há venenos tão lentos que só vêm a produzir efeito quando já não nos lembrávamos da sua origem. Logo, tendo caído em si, murmurou, Cuidado, a morte é muitas vezes um veneno lento, depois perguntou-se, Quando e porquê teria começado ela a morrer. Foi nesta altura que o tecto, sem que parecesse haver qualquer relação, directa ou indirecta, com o que tinha acabado de ouvir, saiu da sua indiferença para recordar, Pelo menos ainda há três pessoas com quem não falaste, Quem são, perguntou o Sr. José, Os pais e o ex-marido, Realmente não seria má ideia ir falar com os pais dela, ao princípio cheguei a pensar nisso, mas resolvi deixar para outra ocasião, Ou o fazes agora, ou nunca mais, por enquanto ainda te podes divertir a andar um bocado mais de caminho, antes de bateres definitivamente com o nariz no muro, Se não estivesses aí agarrado todo o tempo, como tecto que és, saberias que não tem sido um divertimento, Mas tem sido uma diversão, Qual é a diferença, Vai procurá-la aos dicionários, é para isso que existem, Perguntei por perguntar, qualquer pessoa sabe que uma manobra de diversão não é uma manobra de divertimento, E que me dizes do outro, O outro, quem, O ex-marido, provavelmente será ele a pessoa que mais coisas poderá contar-te acerca dessa tua mulher desconhecida, imagino que a vida de casados, a vida em comum, será assim como uma espécie de lente de aumentar, imagino que não deva haver reserva ou segredo capazes de resistir por muito tempo ao microscópio duma observação contínua, Há quem diga, pelo contrário, que quanto mais se olha menos se vê, seja como for não acho que valha a pena ir falar com esse homem, Tens medo de que ele se ponha a falar das causas do divórcio, não queres ter de ouvir nada que vá em desabono dela, Em geral as pessoas não conseguem ser justas, nem consigo mesmas, nem com os outros, portanto o mais certo seria ele contar-me o caso de modo a ficar com a razão toda, Inteligente análise, sim senhor, Não sou estúpido, De facto, estúpido não o és, o que levas é demasiado tempo a perceber as coisas, sobretudo as mais simples, Por exemplo, Que não tinhas nenhum motivo para ires à procura dessa mulher, a não ser, A não ser, quê, A não ser o amor, É preciso ser-se tecto para ter uma ideia tão absurda, Creio ter-te dito alguma vez que os tectos das casas são o olho múltiplo de Deus, Não me lembro, Se não to disse por estas precisas palavras, digo-o agora, Então diz-me também como poderia eu gostar de uma mulher a quem não conhecia, a quem nunca tinha visto, A pergunta é pertinente, sem dúvida, mas só tu é que poderás dar-lhe a resposta, Essa ideia não tem pés nem cabeça, É indiferente que tenha cabeça ou tenha pés, falo-te doutra parte do corpo, do coração, esse que vocês dizem ser o motor e a sede dos afectos, Repito que não podia gostar de uma mulher que não conheço, que nunca vi, salvo em alguns retratos antigos, Querias vê-la, querias conhecê-la, e isso, concordes ou não, já era gostar, Fantasias de tecto, Fantasias tuas, de homem, não minhas, És pretensioso, crês que sabes tudo a meu respeito, Tudo, não, mas alguma coisa deverei ter aprendido depois de tantos anos de vida em comum, aposto que nunca tinhas pensado que tu e eu vivemos em comum, a grande diferença que há entre nós é que tu só me dás atenção quando precisas de conselhos e levantas os olhos cá para cima, ao passo que eu levo o tempo todo a olhar para ti, O olho de Deus, Toma as minhas metáforas a sério, se quiseres, mas não as repitas como se fossem tuas. Depois disto o tecto resolveu calar-se, tinha percebido que os pensamentos do Sr. José já estavam lançados para a visita que ia fazer aos pais da mulher desconhecida, o último passo antes de bater com o nariz no muro, expressão igualmente metafórica que significa, Chegaste ao fim.

O Sr. José saiu da cama, foi assear-se como devia, preparou algo de comer, e, tendo desta maneira recuperado o vigor físico, apelou ao vigor moral para telefonar, com a indispensável frieza burocrática, aos pais da mulher desconhecida, em primeiro lugar para saber se estavam em casa, depois para perguntar se poderiam, hoje mesmo, receber um funcionário da Conservatória Geral do Registo Civil que necessitava tratar com eles de um assunto relativo à filha falecida. Tratando-se duma outra chamada qualquer, o Sr. José teria saído para falar da cabina pública que se encontrava no outro lado da rua, porém, neste caso, havia o perigo de que, ao atenderem, se apercebessem do ruído da moeda caindo no interior da máquina, até a menos suspicaz das pessoas haveria de querer que lhe explicassem por que razão estava um funcionário da Conservatória Geral a telefonar duma cabina, ainda por cima num domingo, sobre questões de serviço. Aparentemente, a solução da dificuldade não se encontrava longe do Sr. José, bastar-lhe-ia entrar furtivamente uma vez mais na Conservatória e usar o telefone da mesa do chefe, mas o risco deste acto não seria menor, pois da relação de ligações telefónicas, todos os meses enviada pela central e verificada, número a número, pelo conservador, forçosamente constaria a clandestina comunicação, Que chamada é esta, feita daqui a um domingo, perguntaria o conservador aos subchefes, e logo sem esperar resposta ordenaria, Proceda-se a inquérito, já. Resolver o mistério da chamada secreta seria a coisa mais fácil do mundo, era só ter o trabalho de ligar para o número suspeito e ouvir de lá a informação, Sim senhor, nesse dia telefonou-nos um funcionário da Conservatória Geral do Registo Civil, e não só telefonou, como veio cá, queria saber as razões por que a nossa filha se suicidou, alegou que era para a estatística, Para a estatística, Sim senhor, para a estatística, pelo menos foi o que ele nos disse, Muito bem, agora escute-me com toda a atenção, Faça favor, Com vista ao completo esclarecimento deste caso é indispensável que a senhora e o seu marido se disponham a colaborar com a autoridade conservatorial, Que devemos fazer, Amanhã vêm à Conservatória identificar o funcionário que os foi visitar, Lá estaremos, Irá buscá-los um carro. A imaginação do Sr. José não se limitou a criar este inquietante diálogo, terminado ele passou às representações mentais do que aconteceria depois, os pais da mulher desconhecida entrando na Conservatória e apontando, É aquele, ou então, dentro do carro que os tinha ido buscar, assistindo à entrada dos funcionários e de repente apontando, Foi aquele. O Sr. José murmurou, Estou perdido, não tenho saída nenhuma. Sim, tê-la-ia, e cómoda, e definitiva, se renunciasse a ir a casa dos pais da mulher desconhecida, ou se fosse lá sem avisar antes, se batesse simplesmente à porta e dissesse, Boas tardes, sou funcionário da Conservatória Geral do Registo Civil, desculpem vir incomodá-los num dia de domingo, mas o serviço na Conservatória tem-se acumulado a tal ponto, com tanta gente a nascer e a morrer, que tivemos de passar a um regime laboral de horas extraordinárias permanentes. Seria este, sem nenhuma dúvida, o procedimento mais inteligente, aquele que poderia dar ao Sr. José o máximo de garantias possíveis quanto à sua segurança futura, mas parecia que as últimas horas vividas, aquele enorme cemitério com os seus braços de polvo estendidos, a noite de lua baça e de sombras andando, o baile convulsivo dos fogos-fátuos, o pastor velho e as ovelhas, o cão, silencioso como se lhe tivessem extraído as cordas vocais, as campas com os números trocados, parecia que tudo isto lhe havia confundido os pensamentos, em geral suficientemente lúcidos e claros para o governo da vida, doutra maneira não se entenderia por que continua ele a teimar na sua ideia de telefonar, menos se entendendo ainda que, perante si próprio, a pretenda justificar com o argumento pueril de que uma chamada prévia lhe facilitará o caminho para colher as informações. Pensa mesmo que tem uma fórmula capaz de dissipar logo de entrada qualquer desconfiança, que será dizer, como já está dizendo, sentado na cadeira do chefe, Fala do piquete da Conservatória Geral do Registo Civil, essa palavra piquete, julga ele, é a gazua que lhe abrirá todas as portas, e afinal não parecia ir fora da razão, do lado de lá estão a responder-lhe que sim senhor, venha quando quiser, hoje não saímos de casa. Um último vestígio de sensatez ainda fez perpassar pela cabeça do Sr. José o pensamento de que o mais provável era ter acabado de dar o nó na corda que o há-de enforcar, mas a loucura tranquilizou-o, disse-lhe que a relação das chamadas irá tardar umas quantas semanas a ser enviada pela central e que, quem sabe, até poderá suceder que o conservador se encontre de férias nessa altura, ou esteja doente em casa, ou simplesmente decida ordenar a um dos subchefes que confira os números, não seria essa a primeira vez, o que significaria a quase segura probabilidade de que o delito não viesse a ser descoberto, tendo em conta que a nenhum dos subchefes agrada o encargo, Ora, enquanto o pau vai e vem folgam as costas, murmurou o Sr. José para concluir, resignado ao que dite o destino. Arrumou a lista telefónica no sítio preciso da mesa, acertando-a rigorosamente com o ângulo recto do tampo, limpou o auscultador com o lenço para fazer desaparecer as impressões digitais e entrou em casa. Começou por engraxar os sapatos, depois escovou o fato, pôs uma camisa lavada, a melhor gravata, e já tinha a mão no puxador da porta quando se lembrou da credencial.

Apresentar-se em casa dos pais da mulher desconhecida e dizer simplesmente, Sou a pessoa que telefonou da Conservatória, não terá, decerto, quanto a força de convicção e autoridade, o mesmo efeito que pôr-lhes diante do nariz um papel timbrado, carimbado e assinado outorgando ao portador plenos direitos e poderes no exercício das suas funções e para cabal cumprimento da missão de que havia sido incumbido. Abriu o armário, procurou o processo do bispo e retirou a credencial, porém, ao passar-lhe os olhos por cima, compreendeu que não servia. Em primeiro lugar, por causa da data, anterior ao suicídio, e em segundo lugar, pelos próprios termos em que se encontrava redigida, por exemplo, aquela ordem e encargo de averiguar e apurar tudo quanto dissesse respeito à vida passada, presente e futura da mulher desconhecida, Nem sequer sei onde ela está agora, pensou o Sr. José, e, quanto a uma vida futura, nesse momento lembrou-se daquela quadra popular que diz, O que está para além da morte, nunca ninguém viu nem verá, de tantos que para lá foram, nunca nenhum voltou cá. Ia devolver a credencial ao seu lugar, mas no último instante teve de obedecer uma vez mais ao estado de espírito que o vem obrigando a concentrar-se de maneira obsessiva numa ideia e a persistir nela até a ver realizada. Uma vez que se tinha lembrado da credencial, teria mesmo de levar uma credencial. Tornou a entrar na Conservatória, foi ao armário dos impressos, mas tinha-se esquecido de que o armário dos impressos, desde o inquérito, estava sempre fechado. Pela primeira vez na sua vida de pessoa pacífica sentiu um ímpeto de fúria, a ponto de lhe passar pela cabeça dar um murro no vidro e mandar ao diabo as consequências. Felizmente recordou-se a tempo de que o subchefe encarregado de velar pelo consumo dos impressos guardava a chave do armário respectivo numa gaveta da mesa, e que as gavetas dos subchefes, como era norma rigorosa na Conservatória Geral, não podiam estar fechadas, O único, aqui, que tem direito a guardar segredos, sou eu, dissera o chefe, e a sua palavra era lei, que ao menos desta vez não se aplicava a oficiais e a auxiliares de escrita pela simples razão de que esses, como se tem visto, trabalham em mesas simples, sem gavetas. O Sr. José envolveu a mão direita no lenço para não deixar o menor sinal de dedos que o denunciasse, agarrou na chave e abriu o armário dos impressos. Tirou uma folha de papel com o timbre da Conservatória, fechou o armário, foi repor a chave na gaveta do subchefe, nesse momento a fechadura da porta exterior do edifício rangeu, ouviu-se a lingueta a deslizar uma vez, durante um instante o Sr. José ficou paralisado, mas imediatamente, como naqueles antigos sonhos da sua infância, em que, sem peso, voava por cima dos quintais e dos telhados, moveu-se ligeiríssimo nas pontas dos pés, quando a lingueta da fechadura acabou de correr por completo já o Sr. José estava em casa, ofegando, como se o coração lhe tivesse subido à boca. Um longo minuto passou até que do outro lado da porta se ouviu alguém a tossir, O chefe, pensou o Sr. José, sentindo as pernas a fraquejarem-lhe, escapei à justa, por uma unha negra. Ouviu-se novamente a tosse, mais forte, talvez mais próxima, mas com a diferença de agora parecer deliberada, intencional, como se quem entrou estivesse a anunciar a sua presença. O Sr. José olhava aterrorizado a fechadura da delgada porta que o separava da Conservatória. Não tivera tempo de fazer girar a chave, só o trinco móvel mantinha a porta fechada, Se ele vem, se ele move o puxador, se ele entra aqui, gritava uma voz dentro da cabeça do Sr. José, apanha--te em flagrante, com esse papel na mão, a credencial em cima da mesa, a voz não dizia mais do que isto, tinha pena do auxiliar de escrita, não lhe falava das consequências. O Sr. José recuou devagar até à mesa, pegou na credencial e foi escondê-la, assim como a folha tirada do armário, entre a roupa da cama, ainda desmanchada. Depois sentou-se e ficou à espera. Se lhe perguntassem o que esperava, não saberia responder. Passou uma hora e o Sr. José começou a impacientar-se. Do outro lado da porta não viera qualquer outro ruído. Os pais da mulher desconhecida já estariam a estranhar a demora do funcionário da Conservatória, parte-se do princípio de que a urgência é a característica principal dos assuntos que estiverem a cargo de um piquete, qualquer que seja a sua natureza, água, gás, electricidade ou suicídio. O Sr. José esperou mais um quarto de hora sem se mexer da cadeira. Ao fim desse tempo percebeu que tinha tomado uma decisão, não era somente seguir uma ideia fixa como de costume, tratava-se realmente de uma decisão, embora ele não soubesse explicar como a tomara. Disse quase em voz alta, O que tiver de acontecer, acontecerá, o medo não resolve nada. Com uma serenidade que já não o surpreendia, foi buscar a credencial e a folha de papel, sentou-se à mesa, colocou o tinteiro à sua frente e, copiando, abreviando e adaptando, redigiu o novo documento, Faço saber, como Conservador desta Conservatória Geral do Registo Civil, a todos quantos, civis ou militares, particulares ou públicos, vejam, leiam e compulsem esta credencial, que Fulano de Tal recebeu directamente de mim a ordem e o encargo de averiguar e apurar tudo quanto se relacione com as circunstâncias do suicídio de Fulana de Tal, em particular as suas causas, tanto as próximas como as remotas, a seguir a este ponto o texto ficou mais ou menos idêntico, até ao rotundo imperativo final, Cumpra-se. Infelizmente, o papel não poderia levar o selo branco, tornado inacessível pela entrada do chefe na Conservatória, mas o que pesava era a autoridade expressa em cada palavra. O Sr. José guardou a primeira credencial entre os recortes do bispo, meteu no bolso interior do casaco a que acabara de escrever e olhou com ar de desafio a porta de comunicação. O silêncio do lado de lá continuava. Então o Sr. José murmurou, Tanto se me dá que estejas como não estejas. Avançou para a porta e fechou-a à chave, bruscamente, com duas voltas rápidas do pulso, zap, zap.

Um táxi levou-o a casa dos pais da mulher desconhecida. Tocou a campainha, apareceu-lhe uma senhora que aparentava uns sessenta e poucos anos, mais nova portanto que a senhora do rés do chão direito, com quem o marido a havia enganado há trinta anos, Sou a pessoa que telefonou da Conservatória Geral, disse o Sr. José, Faça o favor de entrar, estávamos à sua espera, Desculpe-me por não ter vindo logo, mas ainda tive de tratar duma outra questão muito urgente, Não tem importância, entre, entre, eu vou adiante. A casa tinha um ar sombrio, havia reposteiros a tapar as janelas e as portas, os móveis eram pesados, nas paredes escureciam quadros com paisagens que nunca deviam ter existido. A dona da casa fez entrar o Sr. José para o que parecia ser um escritório, onde esperava um homem bastante mais velho do que ela, É o senhor da Conservatória, disse a mulher, Queira sentar-se, convidou o homem, apontando uma cadeira. O Sr. José tirou a credencial do bolso, segurando-a na mão enquanto dizia, Lamento ter vindo incomodá-los no vosso luto, mas o serviço assim o exige, este documento dir-vos-á com toda a precisão em que consiste a minha missão aqui. Entregou o papel ao homem, que o leu chegando-o muito aos olhos e no fim disse, Deve ser importantíssima a sua missão, para que se justifique um documento redigido nestes termos, É o estilo da Conservatória Geral, mesmo tratando-se de uma missão simples como esta, de investigação das causas de um suicídio, Parece-lhe pouco, Não me interprete mal, o que quis dizer é que qualquer que seja a missão de que nos encarreguem e em que se considere ser necessário levar credencial, é esse o estilo, Uma retórica da autoridade, Pode chamar-se-lhe assim. A mulher interveio, perguntando, E que pretende a Conservatória saber de nós, A causa imediata do suicídio, em primeiro lugar, E em segundo lugar, perguntou o homem, Os antecedentes, as circunstâncias, os indícios, tudo o que possa ajudar-nos a compreender melhor o sucedido, Não é suficiente para a Conservatória saber que a minha filha se matou, Quando eu disse que precisava de falar com os senhores por razões de estatística, estava a simplificar a questão, Agora poderá explicar, Passou o tempo de nos contentarmos com os números, hoje em dia o que se pretende é conhecer, o mais completamente possível, o quadro psicológico em que se desenvolve o processo suicidário, Para quê, perguntou a mulher, se isso não restitui a vida à minha filha, A ideia é estabelecer parâmetros de intervenção, Não percebo, disse o homem. O Sr. José transpirava, o caso estava a sair-lhe mais complicado do que previra, Que calor, exclamou, Quer um copo de água, perguntou a mulher, Se não é muito incómodo, Ora essa, a mulher levantou-se e saiu, em um minuto estava de volta. O Sr. José, enquanto ia bebendo, decidiu que tinha de mudar de táctica. Pousou o copo na bandeja que a mulher segurava, e disse, Imaginem que a vossa filha não se suicidou ainda, imaginem que a investigação em que a Conservatória Geral do Registo Civil se encontra empenhada já tinha permitido definir certos conselhos e recomendações, capazes, eventualmente, desde que aplicados a tempo, de deter o que antes designei por processo suicidário, Foi a isso que chamou parâmetros de intervenção, perguntou o homem, Exactamente, disse o Sr. José, e sem dar tempo a outro comentário desferiu a primeira estocada, Se não pudemos impedir que a vossa filha se suicidasse, talvez possamos, com a vossa colaboração e de outras pessoas em situação idêntica, evitar muitos desgostos e muitas lágrimas. A mulher chorava, murmurando, Minha querida filha, enquanto o homem secava os olhos passando por eles, com violência contida, as costas da mão. O Sr. José esperava não ser obrigado a usar um último recurso, que seria, pensou, a leitura da credencial em voz alta e severa, palavra por palavra, como portas que sucessivamente fossem sendo fechadas, até deixarem uma única saída a quem estava a ouvir, cumprir imediatamente o dever de falar. Se esta possibilidade viesse a falhar, não lhe restaria outro remédio que arranjar à pressa uma desculpa para retirar-se o mais airosamente possível. E rezar para que este renitente pai da mulher desconhecida não se lembrasse de telefonar à Conservatória para pedir esclarecimentos sobre a visita de um funcionário chamado Sr. José, não me lembro do resto do nome. Não foi preciso. O homem dobrou a credencial e devolveu-a. Depois disse, Estamos à sua disposição. O Sr. José respirou de alívio, tinha, enfim, o caminho aberto para entrar na matéria, A sua filha deixou alguma carta, Nenhuma carta, nenhuma palavra, Quer dizer que se suicidou assim sem mais nem menos, Não terá sido assim sem mais nem menos, teve com certeza as suas razões, mas nós não as conhecemos, A minha filha era infeliz, disse a mulher, Ninguém que seja feliz se suicida, cortou o marido impaciente, E era infeliz porquê, perguntou o Sr. José, Não sei, já em rapariga era triste, eu pedia-lhe que me dissesse o que tinha e ela respondia-me sempre com as mesmas palavras, não tenho nada, mãe, Nesse caso a causa do suicídio não foi o divórcio, Pelo contrário, se alguma vez cheguei a ver a minha filha contente foi quando se separou, Não se dava bem com o marido, Nem bem nem mal, foi um casamento como tantos, Quem é que pediu o divórcio, Ela, Houve algum motivo concreto, Que nós soubéssemos, não, foi como se tivessem chegado os dois ao fim duma estrada, Como é ele, Normal, é uma pessoa bastante normal, de bom carácter, nunca nos deu motivos de queixa, E gostava dela, Acho que sim, E ela, gostava dele, Creio que sim, E apesar disso não eram felizes, Nunca foram, Que estranha situação, A vida é estranha, disse o homem. Houve um silêncio, a mulher levantou-se e saiu. O Sr. José ficou suspenso, não sabia se seria melhor esperar que ela regressasse ou continuar a conversa. Temia que a interrupção lhe tivesse desencaminhado o interrogatório, a tensão ambiente quase que se podia tocar. O Sr. José perguntava-se se aquelas palavras do homem, A vida é estranha, não seriam ainda um eco da sua antiga relação com a senhora do rés do chão direito, e se a brusca saída da mulher não teria sido a resposta de quem naquele momento não podia dar outra. O Sr. José pegou no copo, bebeu um pouco de água para ganhar tempo, depois fez uma pergunta à toa, A sua filha trabalhava, Sim, era professora de matemática, Onde, No mesmo colégio em que tinha estudado antes de ir para a universidade. O Sr. José deitou outra vez a mão ao copo, esteve a ponto de fazê-lo cair com a precipitação, ridiculamente tartamudeou, Desculpe, desculpe, e de repente a voz faltou-lhe, o homem olhava-o com uma expressão de curiosidade desdenhosa enquanto ele bebia, parecia-lhe que a Conservatória Geral do Registo Civil, a julgar pela amostra, estava bastante mal servida de funcionários, não valia a pena aparecer aí armado com uma credencial daquelas e depois comportar-se como um imbecil. A mulher entrou na altura em que o marido estava a perguntar ironicamente, Não quererá que lhe dê o nome do colégio, talvez possa ser de alguma utilidade para o bom sucesso da sua missão, Agradeço-lhe muito. O homem inclinou-se para a secretária, escreveu num papel o nome do colégio e a direcção, entregou-o com um gesto seco ao Sr. José, mas a pessoa que estava agora na sua frente já não era a mesma de momentos antes, o Sr. José tinha recuperado a serenidade ao lembrar-se de que conhecia um segredo desta família, um velho segredo que aqueles dois não poderiam nem imaginar que ele conhecesse. Foi deste pensamento que nasceu a pergunta que fez a seguir, Sabem se a vossa filha tinha algum diário, Não creio, pelo menos não encontrei nada parecido, disse a mãe, Mas devia haver papéis escritos, anotações, apontamentos, sempre os há, se me dessem autorização para passar os olhos por eles talvez se pudesse encontrar algo com interesse, Ainda não tirámos nada da casa, disse o pai, nem sei quando o faremos, A casa da sua filha era alugada, Não, era propriedade dela, Compreendo. Houve uma pausa, o Sr. José desdobrou lentamente a credencial, olhou-a de alto a baixo como se estivesse a certificar-se dos poderes que ainda poderia usar, depois disse, Se me permitissem ir lá, com a vossa presença, claro, Não, a resposta foi seca, cortante, A minha credencial, lembrou o Sr. José, A sua credencial contentar-se-á por agora com as informações que já leva, disse o homem, e acrescentou, Podemos, se quiser, continuar a nossa conversa amanhã, na Conservatória, agora desculpe-me, tenho outros assuntos a resolver, Não é preciso que vá à Conservatória, o que ouvi sobre os antecedentes do suicídio parece-me suficiente, respondeu o Sr. José, mas tenho ainda três perguntas a fazer, Diga, De que morreu a sua filha, Ingeriu uma quantidade excessiva de pastilhas para dormir, Encontrava-se sozinha em casa, Sim, E o mármore da sepultura, já o colocaram, Estamos a tratar disso, porquê essa pergunta, Por nada, por simples curiosidade. O Sr. José levantou-se. Eu acompanho-o, disse a mulher. Quando chegaram ao corredor, ela levou um dedo aos lábios e fez-lhe sinal para que esperasse. Da gaveta de uma pequena mesa que ali estava, encostada à parede, retirou sem ruído um pequeno molho de chaves. Depois, enquanto abria a porta, meteu-as na mão do Sr. José, São dela, sussurrou, um destes dias passo pela Conservatória para as recolher. E aproximando-se mais, quase num suspiro, disse a morada.

O Sr. José dormiu como uma pedra. Depois de regressar da arriscada mas bem-sucedida visita aos pais da mulher desconhecida, quis ainda passar ao caderno os acontecimentos extraordinários do seu fim de semana, mas o sono era tanto que não conseguiu ir além da conversa com o auxiliar de escrita do Cemitério Geral. Foi para a cama sem jantar, adormeceu em menos de dois minutos, e quando abriu os olhos, à primeira claridade do amanhecer, descobriu que, sem saber como nem quando, tinha tomado a decisão de não ir trabalhar. Era segunda-feira, justamente o pior dia para faltar ao serviço, em particular tratando-se de um auxiliar de escrita. Qualquer que fosse o motivo alegado, e por muito convincente que tivesse podido ser noutra ocasião, era considerado suspeito de não ser mais do que um falso pretexto, destinado a justificar o prolongamento da indolência dominical num dia legal e costumadamente dedicado ao trabalho. Após as sucessivas e cada vez mais graves irregularidades de comportamento cometidas desde que começara a procurar a mulher desconhecida, o Sr. José está consciente de que a falta ao serviço poderá converter-se na gota de água que entornará de vez o vaso da paciência do chefe. Esta ameaçadora perspectiva, porém, não foi bastante para diminuir-lhe a firmeza da decisão. Por duas poderosas razões, aquilo que o Sr. José tem para fazer não pode ficar à espera de uma tarde livre. A primeira dessas razões é um destes dias vir a mãe da mulher desconhecida à Conservatória para recuperar as chaves, a segunda é que o colégio, como muito bem sabe o Sr. José, e com um saber de dura experiência feito, está fechado nos fins de semana.

Apesar de ter decidido que não iria trabalhar, o Sr. José levantou-se muito cedo. Queria estar já longe dali quando a Conservatória abrisse, não vá suceder que o seu subchefe directo se lembre de mandar alguém chamá-lo à porta, a perguntar se está outra vez doente. Enquanto fazia a barba, ponderou se seria preferível começar por ir à casa da mulher desconhecida, ou ao colégio, mas acabou por inclinar-se para o colégio, este homem pertence à multidão dos que sempre vão deixando o mais importante para depois. Também se perguntou se deveria levar consigo a credencial, ou se pelo contrário seria perigoso exibi-la, tome-se em conta que um director de colégio, por dever de cargo, tem de ser pessoa instruída e informada, de muitas leituras, imaginemos que os termos em que o documento se encontra redigido lhe vão parecer insólitos, extravagantes, hiperbólicos, imaginemos que exige conhecer o motivo por que lhe falta o selo branco, a prudência manda que deixe ficar esta credencial ao pé da outra, entre a inocente papelada do bispo, O cartão de identidade que me acredita como funcionário da Conservatória Geral deverá ser mais do que suficiente, concluiu o Sr. José, no fim de contas só vou confirmar um dado concreto, objectivo, factual, ter sido professora de matemática naquele colégio uma mulher que se suicidou. Era ainda muito cedo quando saiu de casa, as lojas estavam fechadas, sem luzes, com os painéis postos, o trânsito de carros apenas se notava, provavelmente só agora o mais madrugador dos funcionários da Conservatória estará a levantar-se da cama. Para não ser visto nas imediações, o Sr. José foi esconder-se num jardim que havia dois quarteirões adiante na avenida principal, aquela por onde seguiu o autocarro que o levou a casa da senhora do rés do chão direito, no fim de tarde em que viu entrar o chefe na Conservatória. Salvo sabendo-se de antemão que estava ali, ninguém o conseguiria distinguir no meio dos arbustos, entre as ramagens baixas do arvoredo. Por causa da humidade nocturna o Sr. José não se sentou num banco, gastou o tempo a passear pelas áleas do jardim, distraiu-se olhando as flores e perguntando-se que nomes teriam, não é de surpreender que saiba tão pouco de botânica quem levou toda a sua vida metido entre quatro paredes e a respirar o cheiro pungente dos papéis velhos, mais pungente ainda sempre que perpassa no ar aquele olor de crisântemo e rosa de que se fez menção na primeira página deste relato. Quando o relógio marcou a hora da abertura da Conservatória Geral ao público, o Sr. José, já a salvo de possíveis maus encontros, pôs-se a caminho do colégio. Não tinha pressa, o dia de hoje era todo seu, por isso decidiu ir a pé. Como partia do jardim teve dúvidas sobre a direcção a seguir, pensou que se tivesse comprado o mapa da cidade, como fora sua intenção, não precisaria de estar agora a pedir a um agente policial que o orientasse, mas a verdade é que a situação, a lei aconselhando o crime, lhe deu um certo prazer subversivo. O caso da mulher desconhecida tinha chegado ao fim, só faltava esta indagação no colégio, depois a inspecção da casa, se tivesse tempo ainda iria fazer uma visita rápida à senhora do rés do chão direito para lhe narrar os últimos acontecimentos, e depois nada mais. Perguntou-se como iria viver a sua vida daqui para diante, se voltaria às suas colecções de gente famosa, durante rápidos segundos apreciou a imagem de si próprio, sentado à mesa ao serão, a recortar notícias e fotografias com uma pilha de jornais e revistas ao lado, a intuir uma celebridade que despontava ou que pelo contrário fenecia, uma vez ou outra, no passado, tivera a visão antecipada do destino de certas pessoas que depois se tornaram importantes, uma vez ou outra tinha sido o primeiro a suspeitar que os louros deste homem ou daquela mulher iam começar a murchar, a encarquilhar-se, a cair em pó, Tudo acaba no lixo, disse o Sr. José, sem perceber naquele momento se estava a pensar nas famas perdidas ou na sua colecção.

Com o sol a bater em cheio na frontaria, as árvores da cerca verdejantes, os canteiros florescendo, nada fazia recordar na aparência do colégio o tenebroso edifício onde este Sr. José penetrou, em uma noite de chuva, por escalamento e efracção. Agora estava a entrar pela porta principal, dizia a uma empregada, Necessito falar com o director, não, não sou encarregado de educação, também não sou fornecedor de material escolar, sou funcionário da Conservatória Geral do Registo Civil, trata-se de um assunto de serviço. A empregada comunicou pelo telefone interno, deu conhecimento a alguém da chegada do visitante, depois disse, Faça o favor de subir, o senhor director está na secretaria, é no segundo andar, Muito obrigado, disse o Sr. José, e começou a subir a escada tranquilamente, que a secretaria era no segundo andar já ele sabia. O director estava a falar com uma mulher que devia ser a chefe, dizia-lhe, Preciso do gráfico amanhã mesmo, e ela respondia, Pode contar, senhor director, o Sr. José tinha ficado parado à entrada, esperando que dessem pela sua presença. O director terminou a conversa, olhou para ele, só então o Sr. José disse, Bons dias, senhor director, depois, já com o cartão de identidade na mão, deu três passos em frente, Como poderá verificar, sou funcionário da Conservatória Geral do Registo Civil, venho por uma questão de serviço. O director fez o gesto de recusar o cartão, depois perguntou, De que se trata, É por causa duma professora, E que tem que ver a Conservatória Geral com os professores deste colégio, Como professores, nada, mas com as pessoas que eles são ou foram, Explique-se, por favor, Andamos a trabalhar numa investigação sobre o fenómeno do suicídio, quer nos seus aspectos psicológicos quer nas suas incidências sociológicas, e eu estou encarregado do caso duma senhora que era professora de matemática neste colégio e que se suicidou. O director pôs cara de pena, Pobre senhora, disse, é uma história muito triste que nenhum de nós, até hoje, conseguiu compreender, O primeiro acto a que terei de proceder, disse o Sr. José, usando a linguagem mais oficial que podia, será confrontar os elementos de identificação que constam dos arquivos da Conservatória com a inscrição profissional da professora, Suponho que se está a referir ao registo como integrante do nosso quadro de pessoal, Sim senhor. O director virou-se para a encarregada da secretaria, Procure-me esse verbete, Ainda não o tínhamos retirado da gaveta, disse em tom de desculpa a mulher, ao mesmo tempo que percorria com os dedos as fichas de uma gaveta, Aqui está, disse. O Sr. José sentiu uma contracção brusca na boca do estômago, varreu-lhe a cabeça um assomo de tontura que felizmente não foi a mais, de facto o sistema nervoso deste homem encontra-se num estado lastimoso, mas temos de reconhecer que o caso não é para menos, basta recordar que teve ao alcance da mão o verbete que lhe está a ser mostrado neste momento, era só ter aberto aquela gaveta, a que tem o rótulo que diz Professores, porém, como poderia então imaginar que a rapariguinha que ele andava a procurar viria a ensinar matemática precisamente no colégio em que havia estudado. Disfarçando a perturbação, mas não o tremor das mãos, o Sr. José simulou que comparava o verbete do colégio com a cópia do verbete da Conservatória, depois disse, É a mesma pessoa. O director olhava-o com interesse, Não se sente bem, perguntou, e ele respondeu simplesmente, É natural, já não sou novo, Calculo que quererá fazer-me algumas perguntas, Assim é, Venha comigo, vamos para o meu gabinete. O Sr. José sorriu para dentro enquanto seguia atrás do director, Eu não sabia que o verbete dela estava mesmo ali, e tu não sabes que fiquei uma noite no teu sofá. Entraram no gabinete, o director avisou, Não tenho muito tempo, mas estou ao seu dispor, sente-se, e apontou o sofá que servira de cama ao visitante, Desejaria saber, disse o Sr. José, se notaram alguma alteração no estado de espírito habitual dela nos dias que antecederam o suicídio, Nenhuma, sempre foi uma pessoa discreta, muito calada, Era boa professora, Das melhores que o colégio tem tido, Tinha amizade com algum colega, Amizade, em que sentido, Amizade, sem mais, Era amável, delicada com toda a gente, mas não creio que alguém daqui possa dizer que tivesse com ela relações de amizade, E os alunos, estimavam-na, Muito, Era saudável, Tanto quanto julgo saber, sim, É estranho, O que é estranho, Já falei com os pais, e tudo quanto da boca deles ouvi, mais o que estou a ouvir agora, parecem apontar a um suicídio sem explicação, Pergunto-me, disse o director, se o suicídio poderá ser explicado, Refere-se a este, Refiro-me ao suicídio em geral, As vezes deixam cartas, É certo, o que não sei é se se poderá chamar explicação ao que nelas se diz, na vida não faltam coisas por explicar, Isso é verdade, Que explicação poderá ter, por exemplo, o que sucedeu aqui uns poucos dias antes do suicídio, Que foi que sucedeu, Assaltaram-me o colégio, Sim, Como sabe, Desculpe, o meu sim queria ser interrogativo, talvez não lhe tenha dado a suficiente entonação, em todo o caso os assaltos são geralmente fáceis de explicar, Excepto quando o assaltante sobe por um telheiro, entra por uma janela depois de partir a vidraça, anda pela casa toda, dorme no meu sofá, come do que encontra no frigorífico, usa material do posto médico, e depois vai-se embora sem levar nada, Por que diz que ele dormiu no seu sofá, Porque estava no chão a manta com que tenho o costume de cobrir os joelhos para que não me arrefeçam, também já não sou novo, tal como disse o senhor, Apresentou queixa à polícia, Para quê, uma vez que nada havia sido roubado não valia a pena, a polícia dir-me-ia que está lá para investigar delitos e não para desvendar mistérios, É estranho, não há dúvida, Verificámos em toda a parte, todas as instalações, o cofre estava intacto, tudo se encontrava no seu sítio, Excepto a manta, Sim, excepto a manta, agora diga-me se encontra para isto alguma explicação, Haveria que perguntar ao assaltante, ele deverá saber, tendo dito estas palavras o Sr. José levantou-se, Senhor director, não lhe roubo mais tempo, agradeço-lhe a atenção que se dignou prestar ao infeliz assunto que me trouxe cá, Não creio que o tenha ajudado muito, Provavelmente tinha razão quando disse que talvez nenhum suicídio possa ser explicado, Racionalmente explicado, entenda-se, Tudo se passou como se ela não tivesse feito mais do que abrir uma porta e sair, Ou entrar, Sim, ou entrar, conforme o ponto de vista, Pois aí lhe fica uma excelente explicação, Era uma metáfora, A metáfora sempre foi a melhor forma de explicar as coisas, Bons dias, senhor director, agradeço-lhe de todo o coração, Bons dias, foi um prazer conversar consigo, evidentemente não me estou a referir ao triste assunto, mas sim à sua pessoa, Claro, são maneiras de dizer, Acompanho-o à escada. Quando o Sr. José já estava a descer o segundo lanço é que o director se lembrou de que não lhe havia perguntado como se chamava,

Não tem importância, reconsiderou logo a seguir, é uma história terminada.

Não poderia dizer o mesmo o Sr. José, a ele ainda lhe faltava dar o último passo, buscar e encontrar em casa da mulher desconhecida uma carta, um diário, um simples papel onde tivesse cabido o desabafo, o grito, o não-posso--mais que todo o suicida tem a estrita obrigação de deixar atrás de si antes de retirar-se por aquela porta, para que os que ainda vão continuar deste lado possam tranquilizar os alarmes da sua própria consciência dizendo, Coitado, lá teve as suas razões. O espírito humano, porém, quantas vezes será preciso dizê-lo, é o lugar predilecto das contradições, aliás nem se tem observado ultimamente que elas prosperem ou simplesmente tenham condições de existência viáveis fora dele, e essa deve ser a causa de andar o Sr. José às voltas pela cidade, de lado para lado, para cima e para baixo, como perdido sem mapa nem roteiro, quando sabe perfeitamente o que tem de fazer neste último dia, que amanhã já será outro tempo, ou que será ele o outro num tempo igual a este, e a prova de sabê-lo foi ter pensado, Depois disto, quem serei eu amanhã, que espécie de auxiliar de escrita vai ter a Conservatória Geral do Registo Civil. Duas vezes passou em frente da casa da mulher desconhecida, duas vezes não parou, tinha medo, não lhe perguntemos de quê, esta contradição é das que estão mais à vista, o Sr. José quer e não quer, deseja e teme o que deseja, toda a sua vida tem sido assim. Agora, para ganhar tempo, para adiar o que sabe ser inevitável, achou que primeiro há-de almoçar, num restaurante barato, como impõe a sua magra bolsa, mas sobretudo que fique longe destes sítios, não seja que a um vizinho curioso lhe dê para suspeitar das intenções do homem que já passou duas vezes. Embora o seu aspecto não se distinga do que têm habitualmente as pessoas honestas, o certo é que nunca poderá haver sobre o que se vê garantias firmes, as aparências enganam muito, por isso lhes chamamos aparências, ainda que no caso em exame, atendendo ao peso da idade e à frágil constituição física, a ninguém ocorrerá dizer, por exemplo, que o Sr. José vive de escalar casas nocturnamente. Remanchou o frugal almoço o mais que pôde, levantou-se da mesa já passava muito das três horas, e, sem pressa, como se arrastasse os pés, foi-se aproximando da rua onde a mulher desconhecida tinha morado. Antes de virar a última esquina parou, respirou fundo, Não sou medroso, pensou para dar-se ânimo, mas era-o como sucede a tanta gente corajosa, valente para umas coisas, cobarde para outras, não é o facto de ter passado uma noite no cemitério que lhe virá tirar o tremor de pernas de agora. Meteu a mão no bolso exterior do casaco, apalpou as chaves, uma, a da caixa do correio, pequena, estreita, ficava excluída por natureza, as duas restantes eram quase iguais, mas uma era da porta da rua, a outra da porta do apartamento, oxalá acerte logo, se o prédio tem porteira e ela é das que põem o nariz de fora ao menor ruído, que explicação dará, poderá dizer que está ali com autorização dos pais da senhora que se suicidou, que vem por causa do inventário dos bens, sou funcionário da Conservatória Geral do Registo Civil, minha senhora, tem aqui o meu cartão, e, como vê, confiaram-me as chaves da casa. O Sr. José acertou na chave à primeira tentativa, a guardiã da porta, se a havia no prédio, não apareceu a perguntar-lhe, Aonde vai, ó senhor, bem certo é o que se diz, que o melhor guarda da vinha é o medo de que o guarda venha, portanto aconselha-se a começar por vencer o medo, depois logo se verá se o guarda aparece. O prédio, apesar de antigo, tem elevador, com o que ao Sr. José estão a pesar as pernas nunca mais conseguiria atingir o sexto andar onde a professora de matemática vivia. A porta rangeu ao abrir-se, sobressaltando o visitante, de repente com dúvidas sobre a eficácia da justificação que tinha pensado dar à porteira no caso de ela o interpelar. Deslizou rapidamente para o interior da casa, fechou a porta com todo o cuidado, e achou-se no meio duma penumbra densa, a que pouco faltava para ser escuridão. Apalpou a parede ao lado do alizar da porta, encontrou um interruptor, mas prudentemente não o fez funcionar, poderia ser perigoso acender as luzes. Pouco a pouco os olhos do Sr. José estavam a habituar-se à penumbra, dir-se-á que em situação semelhante o mesmo acontece a qualquer pessoa, mas o que geralmente não se sabe é que os auxiliares de escrita da Conservatória Geral, dada a frequentação regular do arquivo dos mortos a que são obrigados, acabam por adquirir, ao cabo de certo tempo, faculdades de adequação óptica absolutamente fora do comum. Chegariam a ter olhos de gato se não os alcançasse primeiro a idade de reforma.

Embora o soalho estivesse alcatifado, o Sr. José achou que seria melhor descalçar os sapatos para evitar qualquer choque ou vibração que pudesse denunciar a sua presença aos inquilinos do andar de baixo. Com mil cuidados fez correr os fechos das portadas interiores de uma das janelas que davam para a rua, mas só as abriu o suficiente para que alguma luz entrasse. Estava num quarto de cama. Havia uma cómoda, um guarda-vestidos, uma mesa de cabeceira. A cama, estreita, de pessoa só, como se dizia dantes. Os móveis eram de linhas simples e claras, o contrário do estilo baço e pesado do mobiliário da casa dos pais. O Sr. José deu uma volta pelas restantes divisões do apartamento, que se limitavam a uma sala de estar mobilada com os sofás do costume e uma estante de livros que ocupava de extremo a extremo uma parede, uma divisão mais pequena que servia de escritório, a cozinha minúscula, o quarto de banho reduzido ao indispensável. Foi aqui que viveu uma mulher que se suicidou por motivos desconhecidos, que havia estado casada e se divorciou, que poderia ter ido morar com os pais depois do divórcio, mas que preferiu continuar sozinha, uma mulher que como todas foi menina e rapariga, mas que já nesse tempo, de uma certa e indefinível maneira, era a mulher que veio a ser, uma professora de matemática que teve o seu nome de viva no Registo Civil juntamente com os nomes de todas as pessoas vivas desta cidade, uma mulher cujo nome de morta voltou ao mundo vivo porque este Sr. José o foi resgatar ao mundo morto, apenas o nome, não ela, que não poderia um auxiliar de escrita tanto. Com as portas de comunicação interiores todas abertas, a claridade do dia ilumina mais ou menos a casa, mas o Sr. José terá de despachar-se na busca se não quiser deixá-la em meio. Abriu uma gaveta da secretária, passou os olhos vagamente pelo que havia lá dentro, pareceram-lhe exercícios escolares de matemática, cálculos, equações, nada que lhe pudesse explicar as razões da vida e da morte da mulher que se sentava nesta cadeira, que acendia este candeeiro, que segurava este lápis e escrevia com ele. O Sr. José fechou lentamente a gaveta, ainda começou a abrir outra mas não chegou ao fim do movimento, deteve-se a pensar um longo minuto, ou foram somente uns poucos segundos que pareceram horas, depois empurrou a gaveta com firmeza, depois saiu do escritório, depois foi sentar-se num dos pequenos sofás da sala, e ali ficou. Olhava as velhas peúgas passajadas que trazia postas, as calças sem vinco um pouco subidas, as canelas brancas e magras, com raros pelos. Sentia que o seu corpo se acomodava à concavidade suave do estofo e das molas do sofá deixada por outro corpo, Nunca mais se sentará aqui, murmurou. O silêncio, que lhe havia parecido absoluto, era cortado agora pelos rumores da rua, sobretudo, de vez em quando, a passagem de um carro, mas havia no ar também uma respiração pausada, um pulsar lento, seria talvez o respirar das casas quando as deixam sozinhas, esta, provavelmente, ainda não percebeu que tem alguém dentro. O Sr. José diz a si mesmo que ainda há gavetas para examinar, as da cómoda, onde se costumam guardar as roupas mais íntimas, as da mesa de cabeceira, onde intimidades doutra natureza são geralmente recolhidas, o guarda-fato, pensa que se for abrir o guarda-fato não resistirá ao desejo de correr os dedos pelos vestidos dependurados, assim, como se estivesse a afagar as teclas de um piano mudo, pensa que levantará a saia de um deles para lhe aspirar o aroma, o perfume, o simples cheiro. E há as gavetas da secretária que não chegou a investigar, e os pequenos armários da estante de livros, em algum sítio terá de estar guardado aquilo que veio procurar, a carta, o diário, a palavra de despedida, o sinal da última lágrima. Para quê, perguntou, suponhamos que tal papel existe, que eu o encontro, que o leio, não será por lê-lo que os vestidos dela deixarão de estar vazios, a partir de agora os exercícios de matemática não terão solução, não se descobrirão as incógnitas das equações, a colcha da cama não será afastada, a dobra do lençol não se ajustará sobre o peito, o candeeiro à cabeceira não iluminará a página do livro, o que acabou, acabou. O Sr. José inclinou-se para a frente, deixou descair a fronte sobre as mãos, como se quisesse continuar a pensar, mas não era assim, tinham-se-lhe acabado os pensamentos. A luz quebrou-se subitamente, alguma nuvem está a passar no céu. Nesse momento o telefone tocou. Não dera por ele antes, mas ali estava, numa pequena mesa, a um canto, como um objecto que poucas vezes se utiliza. O mecanismo do gravador de chamadas funcionou, uma voz feminina disse o número do telefone, depois acrescentou, Não estou em casa, deixe o recado depois de ouvir o sinal. Quem quer que tivesse chamado, desligou, há pessoas que detestam falar para uma máquina, ou neste caso tratou-se de um engano, de facto, se não reconhecemos a voz que saiu do gravador não vale a pena continuar. Isto haveria que explicá-lo ao Sr. José, que nunca na vida viu um aparelho destes ao perto, mas o mais provável seria ele não dar atenção às explicações, tão perturbado o puseram as poucas palavras que ouviu, Não estou em casa, deixe o recado depois de ouvir o sinal, sim, não está em casa, nunca mais estará em casa, ficou apenas a sua voz, grave, velada, como que distraída, como se estivesse a pensar noutra coisa quando fez a gravação. O Sr. José disse, Pode ser que tornem a ligar, e com essa esperança não se mexeu do sofá durante mais de uma hora, ia-se adensando aos poucos a penumbra da casa e o telefone não tocou mais. Então o Sr. José levantou-se, Tenho de me ir embora, murmurou, mas antes de sair ainda foi dar uma última volta pela casa, entrou no quarto, onde havia mais luz, sentou-se um momento na beira da cama, uma e outra vez deslizou devagar a mão pela dobra bordada do lençol, depois abriu o guarda-fato, ali estavam os vestidos da mulher que havia dito as definitivas palavras, Não estou em casa. Inclinou-se para eles até lhes tocar com a cara, ao cheiro que desprendiam poderia chamar-se cheiro de ausência, ou será antes aquele perfume misto de rosa e crisântemo que na Conservatória Geral de vez em quando perpassa.

    A porteira não apareceu a perguntar-lhe de onde é que vinha, o prédio está silencioso, parece desabitado. Foi este silêncio que fez nascer na cabeça do Sr. José uma ideia, a mais ousada da sua vida, E se eu aqui ficasse esta noite, se eu dormisse na cama dela, ninguém viria a saber. Diga-se ao Sr. José que não há nada mais fácil, que só tem de subir outra vez no elevador, entrar no apartamento, tirar os sapatos, pode até acontecer que alguém volte a enganar-se no número, Se assim for terás o gosto de ouvir uma vez mais a voz velada e grave da professora de matemática, Não estou em casa, dirá ela, e se, durante a noite, deitadinho na sua cama, algum sonho agradável excitar o teu velho corpo, já sabes, o remédio está à mão, só terás de ter cuidado com os lençóis. São sarcasmos e grosserias que o Sr. José não merece, a sua ousada ideia, bem mais romântica do que ousada, assim como veio, assim se foi, e ele já não está dentro do prédio, mas fora, parece que o ajudou a sair a lembrança dolorosa da imagem das suas velhas peúgas passajadas e das suas canelas magras e brancas, de raros pelos. Nada no mundo tem sentido, murmurou o Sr. José, e pôs-se a caminho da rua onde mora a senhora do rés-do-chão direito. A tarde está no fim, a Conservatória Geral já fechou, não são muitas as horas que restam ao auxiliar de escrita para inventar a história que justifique ter faltado ao serviço durante um dia inteiro. Todos sabem que não tem pessoas de família a quem precisasse de acudir de urgência, e, mesmo que as tivesse, não pode haver desculpa para o seu caso, vivendo ele paredes meias com a Conservatória, era só entrar e dizer da porta, Adeus, até amanhã, tenho uma prima a morrer. O Sr. José decide que está por tudo, que o podem demitir se quiserem, expulsá-lo do funcionalismo, talvez o pastor de ovelhas precise de um ajudante para trocar os números das campas, sobretudo se anda a pensar em alargar o seu campo de actividade, de facto não há motivo para ficar limitado aos suicidas, no fim de contas os mortos são iguais, o que é possível fazer com uns pode ser feito com todos, confundi-los, misturá-los, tanto faz, o mundo não tem sentido.

    Quando o Sr. José chamou à porta da senhora do rés do chão direito só tinha pensamentos para a chávena de chá que iria tomar. Tocou uma vez, duas vezes, mas ninguém veio abrir. Perplexo, inquieto, foi tocar a campainha do rés do chão esquerdo. Apareceu-lhe uma mulher que perguntou em tom seco, Que deseja, Ninguém atende daquele lado, E quê, Saberá dizer-me se aconteceu alguma coisa, Que coisa, Um acidente, uma doença, por exemplo, É possível, veio uma ambulância buscá-la, E isso quando foi, Há três dias, E não houve mais notícias, sabe por acaso onde ela está, Não senhor, com licença. A mulher bateu com a porta, deixando o Sr. José às escuras. Amanhã vou ter de ir aos hospitais, pensou. Sentia-se exausto, todo o dia a andar de um lado para outro, emoções todo o dia, agora este choque para rematar. Saiu do prédio e ficou parado no passeio a perguntar-se se poderia fazer algo mais, ir perguntar a outros inquilinos, nem todos serão tão desagradáveis como a mulher do rés do chão esquerdo, o Sr. José tornou a entrar no prédio, subiu a escada até ao segundo andar, chamou à porta da casa da mãe da criança e do marido ciumento, a esta hora já terá voltado do trabalho, mas isso não tem importância, o Sr. José só ali vai perguntar se sabem alguma coisa da vizinha do rés do chão direito. A luz da escada está acesa. A porta abriu-se, a mulher não traz a criança ao colo e não reconhece o Sr. José, Que deseja, perguntou, Desculpe o incómodo, vinha para visitar a senhora do rés do chão direito, mas ela não está e a inquilina do outro lado disse-me que a levaram há três dias numa ambulância, Sim, é certo, Sabe por acaso onde se encontra, em que hospital, ou em casa de alguém de família. Antes que a mãe da criança tivesse tempo de responder, uma voz de homem perguntou de dentro, Que é, ela virou a cabeça, É uma pessoa a perguntar pela senhora do rés do chão, depois olhou para o Sr. José e disse, Não, não sabemos nada. O Sr. José baixou a voz e perguntou, Não me reconhece, ela hesitou, Ah sim, estou a lembrar-me, disse num sussurro, e, lentamente, fechou a porta.

    Na rua o Sr. José fez sinal a um táxi, Leve-me à Conservatória, disse distraidamente ao motorista. Teria preferido ir andando, para poupar o seu pouco dinheiro e para terminar o dia como o havia começado, mas a fadiga não lhe permitiria dar um passo. Julgava ele. Quando o condutor anunciou, Chegámos, o Sr. José viu que não estava em frente da sua casa, mas à porta da Conservatória. Não valia a pena explicar ao homem que devia dar a volta à praça e continuar pela rua lateral, afinal só teria de caminhar uns cinquenta metros, nem tanto. Pagou com as últimas moedas, saiu e quando assentou os pés na calçada e levantou a cabeça viu que as janelas da Conservatória estavam iluminadas, Outra vez, pensou, imediatamente se lhe desvaneceu a preocupação pela sorte da senhora do rés do chão direito e a lembrança da mãe da criança, o problema, agora, é encontrar a justificação para o dia seguinte. Deu a volta à esquina, lá estava a sua casa, baixinha, quase uma ruína, encostada à alta parede do edifício, que parecia prestes a esmagá-la. Foi então que uns dedos brutais apertaram o coração do Sr. José. Havia luz dentro de casa. Tinha a certeza de que a deixara apagada quando saiu, mas, tendo em conta a confusão que reina há tantos dias na sua cabeça, admitiria que se houvesse esquecido, se não fosse aquela outra luz, a da Conservatória, as cinco janelas iluminadas intensamente. Meteu a chave à porta, sabia a quem ia ver, mas deteve-se no limiar como se as convenções sociais lhe impusessem mostrar-se surpreendido. O chefe encontrava-se sentado à mesa, diante dele havia alguns papéis cuidadosamente alinhados. O Sr. José não precisava de se aproximar para saber de que se tratava, as duas falsas credenciais, os verbetes escolares da mulher desconhecida, o caderno de apontamentos, a capa de processo da Conservatória com os documentos oficiais. Entre, disse o chefe, a casa é sua. O auxiliar de escrita fechou a porta, avançou em direcção à mesa e parou. Não falou, sentia no cérebro um remoinho líquido em que todos os pensamentos se dissolviam. Sente-se, já lhe disse que está na sua casa. O Sr. José reparou que em cima dos verbetes escolares havia uma chave igual à sua. Está a olhar para a chave, perguntou o conservador, e calmamente prosseguiu, Não pense que se trata duma cópia fraudulenta, as casas dos funcionários, quando as havia, sempre tiveram duas chaves de comunicação interna, uma, claro está, que era para uso do próprio, outra que ficava em poder da Conservatória, tudo se harmoniza, como vê, Excepto ter entrado aqui sem minha autorização, conseguiu dizer o Sr. José, Não precisava dela, o dono da chave é o dono da casa, digamos que ambos somos donos desta casa, tal como você parece ter-se considerado dono bastante da Conservatória para distrair documentos oficiais do arquivo, Posso explicar, Não é preciso, tenho seguido regularmente as suas actividades, além disso o seu caderno de apontamentos foi-me de grande ajuda, aproveito a ocasião para o felicitar pela boa redacção e propriedade de linguagem, Amanhã apresentarei a minha demissão, Que eu não aceitarei. O Sr. José olhou surpreendido, Não aceitará, Não senhor, não aceitarei, Porquê, se posso perguntar, Pode, uma vez que estou prestes a tornar-me em cúmplice das suas irregulares acções, Não compreendo. O conservador pegou no processo da mulher desconhecida, depois disse, Já vai compreender, antes, porém, conte-me o que se passou no cemitério, a sua narração para na conversa que teve com o auxiliar de escrita de lá, Levaria muito tempo a dizer, Em poucas palavras, para eu ficar com o quadro completo, Atravessei a pé o Cemitério Geral até ao talhão dos suicidas, dormi debaixo duma oliveira, na manhã seguinte, quando acordei, estava no meio dum rebanho de ovelhas, e depois soube que o pastor se entretém a trocar os números das campas antes de serem colocadas as pedras tumulares, Porquê, É difícil de explicar, anda tudo à volta de saber onde se encontram realmente as pessoas que procuramos, ele acha que nunca saberemos, Como aquela a quem tem chamado a mulher desconhecida, Sim senhor, Que fez hoje, Fui ao colégio onde ela tinha sido professora, fui à casa onde viveu, Descobriu alguma coisa, Não senhor, e achei que não queria descobrir. O conservador abriu o processo, tirou o verbete que viera pegado aos das cinco últimas pessoas famosas de quem o Sr. José se tinha ocupado, Sabe o que eu faria se estivesse no seu lugar, perguntou, Não senhor, Sabe qual é a única conclusão lógica de tudo o que sucedeu até este momento, Não senhor, Fazer para esta mulher um verbete novo, igual ao antigo, com todos os dados certos, mas sem a data do falecimento, E depois, Depois colocá-lo no ficheiro dos vivos, como se ela não tivesse morrido, Seria uma fraude, Sim, seria uma fraude, mas nada do que temos feito e dito, o senhor e eu, teria sentido se não acometêssemos, Não consigo compreender. O conservador recostou-se na cadeira, passou lentamente as mãos pela cara, depois perguntou, Lembra-se do que eu disse ali dentro na sexta-feira, quando se apresentou ao serviço com a barba por fazer, Sim senhor, De tudo, De tudo, Portanto lembra-se de eu me ter referido a certos factos sem os quais nunca teria chegado a compreender a absurdidade que é separar os mortos dos vivos, Sim senhor, Precisarei de dizer-lhe a que factos me referia, Não senhor.

 O conservador levantou-se, Deixo-lhe aqui a chave, não tenciono voltar a usá-la, e acrescentou sem dar tempo a que o Sr. José falasse, Há ainda uma última questão a resolver, Qual, senhor, No processo da sua mulher desconhecida falta o certificado do óbito, Não consegui descobri-lo, deve ter ficado lá no fundo do arquivo, ou então deixei-o cair pelo caminho, Enquanto não o encontrar essa mulher estará morta, Estará morta mesmo que o encontre, A não ser que o destrua, disse o conservador. Virou costas sobre estas palavras, daí a pouco ouviu-se o ruído da porta da Conservatória a fechar-se. O Sr. José ficou parado no meio da casa. Não era preciso preencher um novo verbete porque já tinha a cópia no processo. Era preciso, sim, rasgar ou queimar o original, onde fora averbada uma data de morte. E ainda lá estava o certificado do óbito. O Sr. José entrou na Conservatória, foi à secretária do chefe, abriu a gaveta onde o esperavam a lanterna e o fio de Ariadne. Atou uma ponta do fio ao tornozelo e avançou para a escuridão.

1ª EDIÇÃO [1997] 17 reimpressões
2ª EDIÇÃO [2017] 2 reimpressões

ESTA OBRA FOI COMPOSTA PELA ACOMTE EM TIMES E IMPRESSA EM OFSETE
PELA GRÁFICA BARTIRA SOBRE PAPEL PÓLEN NATURAL DA SUZANO S.A.
PARA A EDITORA SCHWARCZ EM NOVEMBRO DE 2022

A marca FSC® é a garantia de que a madeira utilizada na fabricação do papel deste livro provém de florestas que foram gerenciadas de maneira ambientalmente correta, socialmente justa e economicamente viável, além de outras fontes de origem controlada.